Freudenthal, Max

Aus der heimat Mendelssohns.

Freudenthal, Max

Aus der heimat Mendelssohns.

Inktank publishing, 2018

www.inktank-publishing.com

ISBN/EAN: 9783750110519

Aus der Heimat Mendelssohns.

Moses Benjamin Wulff

und seine Familie,

die Nachkommen des Moses Isserles.

Von

Dr. Max Freudenthal,

Herzogl. Anhalt. Landesrabbiner.

Berlin.

J. E. Lederer (Franz Seeliger).

1900.

Herrn Dr. Ferdinand Rosenthal,

Rabbiner zu Breslau,

in Verehrung zugeeignet.

Inhalt.

Vorwort.

Die Stätte, auf der Du stehst,
Ist heiliger Boden! (Exod. 3, 5).

Studien über die Geschichte einer Gemeinde, die einem Moses Mendelssohn das Leben gab, bedürfen selbst vor demjenigen, der auf die historische Kleinarbeit mit billigem Lächeln herabblickt, keiner begründenden Entschuldigung. Sind doch im Leben dieses Kulturheros des Judentums, so viel auch darüber schon geschrieben worden, noch nicht einmal die drei Grundquellen der Geistes- und Charakterentwicklung jedes einzelnen Menschen, nämlich Familie, Umgebung und Erziehung, bisher gehörig aufgegraben. Schon sein Enkel und erster eingehender Biograph beklagt als Ursache der höchst lückenhaften Nachrichten über Kindheit und Jugendjahre den Umstand, daß man auf den Baum erst geachtet, als er bereits bewundernswert groß und mächtig aufgeschossen war. (Mendelsf. Ges. Schriften herausg. von G. B. Mendelsf. Bd. I, S. 3). Die Schwierigkeiten, die aus dieser bedauerlichen, aber begreiflichen Thatsache fließen, werden noch gesteigert durch das Fehlen jeder Aeußerung aus dem Munde oder der Feder des Weisen selber. Der Mangel an historischem Gefühl, an Verständnis für geschichtliche Entwicklungen wird, wie er im Großen besonders die religiösen Anschauungen Mendelssohns nachteilig beeinflußt hat, selbst im Kleinen, in seinen eigenen Erinnerungen an die Vergangenheit fühlbar — man lese nur als typischen Beweis seinen Brief an Joh. Jacob Spieß (Ges. Schrift. Bd. V, S. 525). Wieviel des Wertvollen der Geschichte des Judentums hierdurch verloren gegangen ist, zeigt die flüchtige Bemerkung in einem seiner Briefe, die einen Fernblick von ungeahnter Weite eröffnet: seine Abstammung gehe auf den großen

und ausgezeichneten Gelehrten Moses Isserles zurück! (Adler in
Monatsschrift 1859, S. 102, Kayserling, Moses Mendelsf. I. Aufl.
S. 492 und Geiger A., Jüd. Ztschr. f. Wissensch. u. Leben I,
S. 145.)

Jene flüchtige Bemerkung hat den Anstoß zur vorliegenden
Abhandlung gegeben. Denn die auf Grund derselben angestellten
Nachforschungen führten zu dem überraschenden Ergebnis, daß thatsächlich in der Geburtsstadt Moses Mendelssohns eine in direkter Linie
von dem berühmten Glossator abstammende Familie ihren Wohnsitz aufgeschlagen hatte, nämlich diejenige des Hoffaktors Moses
Benjamin Wulff. Freilich ließ sich, so zweifellos sicher und
begründet auch die Vermutung ist, daß der Thoraschreiber Mendel
mit seinem Weibe Suschen in verwandtschaftlichen Beziehungen
zu dieser Familie gestanden, der schlagende Nachweis jener Beziehungen nicht auffinden; der ewig wechselnde Luftstrom der Zeit
mag ihn wohl für immer vernichtet haben, als er den für diese
Ahnenfrage so wichtigen Grabstein Suschens auf dem Dessauer
Friedhof unauffindbar verwittern und zerfallen ließ. Konnte so
der Forscher auch nicht bis zu den Wurzeln des „bewundernswert
großen und mächtigen" Baumes dringen, so hatte er doch nicht
fruchtlos zu Spaten und Schaufel gegriffen; aus dem einmal ge-
lockerten Boden gelang es andere Schätze bloßzulegen, die für die
Geschichte des Judentums nicht ohne Wert und Interesse sind.
Denn es erwies sich, daß die Geschichte jener Familie um ihrer
eigenen Bedeutung willen eine Darstellung beanspruchen durfte,
die noch dazu manchen Aufschluß über die zweite, bisher nicht
erschlossene Entwicklungsquelle bieten konnte, über die Umgebung,
in deren Mitte der deutsche Sokrates seine Jugendzeit verbracht hat.

Von dem Schicksal und der Bedeutung dieser Familie sollen
die vorliegenden Studien aus der Heimat Mendelssohns zunächst
berichten. Das Material dazu boten neben den einschlägigen
wissenschaftlichen Werken vor allem archivalische Forschungen.
Das Herzogl. Anhalt. Haus- und Staatsarchiv zu Zerbst, die
Königl. Staatsarchive zu Berlin, Magdeburg und Dresden,

die Archive der Stadt Leipzig, der Kgl. Universität zu Halle und der Kultusgemeinde Dessau konnten durch das wohlwollende Entgegenkommen der betr. Behörden besucht und benutzt werden; dem Leiter des erstgenannten Archivs, Herrn Geh. Archivrat Kindscher, schuldet der Verfasser für seine ununterbrochene Hülfsbereitschaft und Anteilnahme besonderen Dank. Weiteres Material lieferten auf Grund eigener Studien die Friedhöfe der jüdischen Gemeinden zu Dessau, Berlin, Halberstadt und Altona, sowie die vorzügliche Sammlung Berliner Epitaphien im Nachlaß des gelehrten Landshuth, deren Benutzung die bereitwilligst erteilte Erlaubnis des jetzigen Besitzers, des Herrn Sanitätsrat Dr. S. Neumann in Berlin, ermöglichte. Verschiedentliche Notizen und Hinweise verdankt die Arbeit ferner dem ihr gewidmeten, warmen Interesse M. Branns, der freundlichst auch die Durchsicht der Korrektur mit übernahm, und dem so früh dahingerafften, unvergeßlichen David Kaufmann. Zu ihrer Veröffentlichung hat endlich das Kuratorium der Zunz-Stiftung zu Berlin gütigst eine reichliche Beihülfe gewährt.

Möge denn den in ihr behandelten Gestalten — soweit sie ein Anrecht darauf besitzen — fortan gleichfalls ein bescheidener Platz in der geräumigen Ruhmeshalle der jüdischen Geschichte gegönnt sein!

Für die Anmerkungen und den Anhang sind folgende
Abkürzungen zu beachten:

Monatsschrift = Monatsschrift für Geschichte und Wissenschaft d. Judent.,
begründet von Z. Frankel, fortgesetzt von H. Graetz, neue Folge
herausg. von M. Brann und D. Kaufmann, Dresden, Leipzig,
Krotoschin, Breslau, Berlin 1851—1899.

Zeitschrift = Zeitschrift für d. Gesch. d. Juden in Deutschland, herausg.
v. Ludwig Geiger, Braunschweig 1887—1892.

Geiger = Ludwig Geiger, Gesch. d. Juden in Berlin, I u. II, Berlin 1871.

Landshuth = Landshuth L. M., Toledoth Ansche ha-Schem (Gesch. d.
Berliner Rabbinen), Berlin 1884.

Cat. Bodl. = Catalogus libr. Hebr. in Bibl. Bodleiana, herausg. von M.
Steinschneider, Berlin 1852—1860.

R. R. = Catalog der Hebr. u. Jud. aus der L. Rosenthal'schen Bibliothek, herausg. v. M. Roest, Amsterdam 1875.

Zum Jubiläum = Meine Abhdlg.: Zum Jubiläum des ersten Talmud=
drucks in Deutschland in der genannten Monatsschrift, 4. 2.
Jahrg. (1898), Neue Folge 6. Jahrg.

———

I. Abschnitt.

Von Moses Isserles bis zur Niederlassung seiner Nachkommen in Dessau.

1.

Von Moses bis Moses stand keiner auf in Israel wie Moses! Dies alte Wortspiel, in welchem die Ruhmessonne eines Moses Maimonides, wie Moses Mendelssohns sich spiegelt, ziert auch den Leichenstein des Moses ben Israel Isser, Moses Isserles genannt, in Krakau[1]), und so ist denn in der That Moses Isserles neuerdings bereits als dritter großer Moses mit dem zweiten, Maimonides, verglichen, ja ihm sogar in über= triebenem Maße an die Seite gesetzt worden[2]). Es würde sich treffend fortan auch zwischen ihm und seinem Nachkommen, dem vierten Moses, Mendelssohn, eine Parallele ziehen lassen, die freilich denselben Abstand zwischen beiden wahren muß, der dort verloren gegangen ist. Aber es bedarf in Wirklichkeit erst gar nicht solch' unerlaubter Grenzüberschreitungen, um festzustellen, daß Moses Isserles eine hervorragende Stellung in, ja über seiner Zeit einnimmt. Nicht allein durch seine gewaltige Geistes= und Gedächtnis= arbeit, welche dem Gesetzeswerk des Schulchan Aruch erst wahre Bedeutung für die ganze Judenheit gab, indem sie die nicht berück= sichtigte Entwicklung des religiösen Lebens in den deutschen und polnischen Ländern glossierend einschob! Moses Isserles war wirklich auch ein denkender Kopf, dessen wissenschaftliches Streben über das Sein und Wollen des Kreises hinausging, in welchem er stand[3]). Es erfüllte ihn, wenn auch nicht so bewußt und ab=

---

[1]) Friedberg B., Luchoth Sikkaron (Drohobycz 1897), S. 7.

[2]) Horodezky, S. A., in Hagoren, Abhdlgn. über die Wissensch. d. Judent. I (Berditschew 1898), S. 4 ff.

[3]) S. Abr. Geigers kurze, aber treffende Charakteristik in Nachgel. Schr. II, 182.

geklärt wie seine beiden Namensbrüder, gleichfalls das ruhelose
Ringen aller selbständigen Geister: neben der dogmatisch gegebenen
Auffassung der Welt und des Lebens zu einer weiteren, aus freier,
nicht dogmatischer Reflexion strömenden und ebenso abgeschlossenen
durchzudringen und, wenn möglich, beide in harmonischen Einklang
zu setzen. Die inneren Schwierigkeiten bleiben zu allen Zeiten
wohl dieselben; die äußeren waren zu keiner größer als in den
Tagen des Moses Isserles, in welchen die Mißachtung der nicht-
talmudischen Bildung im Judentum bereits allgemein den strengen
Charakter einer heiligen Religionspflicht angenommen hatte. Er
selbst hat diesen dogmatischen Standpunkt nicht nur endgültig
näher fixiert, indem er in seinen Anmerkungen zum Gesetzbuch[1]
nur die zufällige Beschäftigung mit anderen Wissenschaften gestattet, sondern auch, dem Buchstaben getreu, niemals ein profanes
Denkerwerk in Händen gehabt[2]. Sein Abkömmling, der vierte
Moses, ging weiter und setzte sich ruhigen Gewissens über den
Buchstaben hinweg. Aber auch der Ahn hatte schon dem eigent-
lichen Geiste desselben zuwidergehandelt! Aus dem Moreh
Nebuchim des zweiten Moses, den Moses Isserles, ganz ebenso
wie später der vierte, trotz aller Angriffe von seiten der strengen
Dogmatiker mit Eifer studiert, mit Begeisterung verehrt und mit
Wärme verteidigt[3], schafft auch er sich ein eigenes Weltbild,
welches, wie des Glossators philosophische Abhandlungen erweisen,
Wissenschaft und Dogmatik zu vereinigen sucht. Selbst die völlig
vernachlässigte Geschichtswissenschaft nimmt er wieder auf, und
wenn ein David Gans mit seinem lebhaften Interesse für alle
profanen Studien im Hause, ja „auf dem Schoße" des Moses
Isserles erzogen und ausgebildet worden ist[4], so hat er gewiß dort
nicht jenen dumpfen Lufthauch verspürt, welchen die rücksichtslose
Absperrung von allem frischen Geistesleben zu erzeugen pflegt.

---

[1] Joreh Deah 246, 4, Glosse. Vgl. Drach Chajim 307, 16.

[2] Responsensammlung des Moses Isserles Nr. 7.

[3] Daselbst u. Horodezky a. a. O.

[4] Einleitung zu David Gans' Nechmad we-Naim (Jeßnitz 1743), S. 8.

Und wenn endlich unlösbar von dem Geist des rechten Denkers auch sein Charakter ist, so läßt sich derjenige eines Moses Isserles aus der seinen, bescheidenen Antwort auf die polternden Angriffe Salomon Lurias gegen seine philosophische Bildung ebenso leicht entnehmen [1]), wie zur Kennzeichnung seines Sprößlings Moses Mendelssohn das Schreiben an Lavater ausreicht.

Ausgezeichnet durch Wissen, Geist und Charakter fand Moses Isserles schon bei Lebzeiten die Anerkennung, die er verdiente. Ungefähr 1520 in Krakau als Sproß eines reichen und vornehmen Hauses geboren, dessen Ahnen väterlicherseits bis zu dem bekannten deutschen Meister Isserlein [2]), mütterlicherseits bis zu den ersten Gliedern der altberühmten Familie Luria, ja bis zu Raschi selbst hinaufreichten [3]), hatte er noch nicht einmal das dritte Jahrzehnt seines Lebens beendet, als er bereits in das Rabbinatskollegium der großen Gemeinde seiner Vaterstadt berufen wurde. Gleichzeitig dem Lehrhaus vorstehend, welches sein Vater ihm nebst einem besonderen Gotteshaus hatte errichten lassen, verbrachte er in reicher geistiger Thätigkeit, von der zahlreiche Werke und Gutachten auch jetzt noch zeugen [4]), die Tage seines Lebens, das ein früher Tod am 1. Mai 1572 n. St. beendete.

Die Kinder, welche Moses Isserles hinterließ [5]), stammten

---

[1]) Vgl. Graetz, Gesch. der Juden, Bd. IX (Lpzg. 1866), S. 473; Braun M., Gesch. d. Juden (Breslau 1895) Bd. II, 312.

[2]) Kohn-Zedek J., Schem u-Scheerith in E. Gräbers Magazin f. hebr. Lit. u. Wissensch. V, (Krakau 1895), S. 64, und Titelblatt des Werkes Merome Sadeh von Hirsch Goslar (Amsterdam 1762).

[3]) Die Ahnentafel der Familie s. bei Kohn-Zedek a. a. O., Anhang; die Geschwister des Moses Isserles ebendas. S. 64, Anm. 42 und Friedberg a. a O., S. 40, wonach Horodezky a. a. O. S. 2 zu ergänzen ist.

[4]) Die Schriften des Moses Isserles sind zusammengestellt von Horodezky a. a. O. und J. M. Zunz, Gesch der Krak. Rabb. (Lemberg 1874), S. 6. Ueber seine religionsgesetzl. Werke s. Bäck S., die religionsges. Litter. (Trier 1893), S. 24 u. ö.

[5]) Außer seiner Tochter Dresel werden noch genannt: sein Sohn Jehuda (Responsensammlung Nr. 122) und die beiden Töchter: Sara (J. M.

aus zwei von ihm geschlossenen Ehen. Als erste Gattin war ihm von seinem Lehrer Schachna dessen eigene Tochter angetraut worden, nach deren Tode er die Schwester seines angesehenen Krakauer Amtskollegen Josef b. Gerson Cohen Zedek heim= führte. Aus der Ehe mit dieser letzteren[1]) wurde dem Moses Isserles am 9. Dezember 1561 n. St. eine Tochter geboren, welche den Namen ihrer Urgroßmutter[2]) Dresel (Therese) erhielt. Ein Mädchen aus so vornehmer, durch inneren und äußeren Reich= tum ausgezeichneter Familie wurde in den allerersten Häusern der Gemeinde gerne als Schwiegertochter aufgenommen; Dresel ward die Gattin des vermögenden, aber auch mit dem Ehrentitel Rabbi geschmückten Simcha Bonem Meisels, dessen Vater Abraham b. Josef Meisels das Vertrauensamt eines Vorstehers der Kra= kauer Gemeinde bekleidete[3]). Freilich sollte diese Verbindung in ihrer schönsten Blütezeit zerrissen werden: gerade an ihrem 40. Geburts= tag n. jüd. Z., am 25. Dezember 1601 n. St., wurde die Gattin zur letzten Ruhe bestattet[4]), während ihr Gatte fast ein Viertel= jahrhundert sie überlebte.

Von ihren Kindern[5]) stand der gelehrte Isaak Bonems als Vorsteher an der Spitze der Gemeinde Pinsk. Zwei Söhne

----

Zunz a. a. O. S. 4 Anm.) und die Gattin des Leiser b. Simon Günz= burg (das. S. 21, Anm. 15, u. Dembitzer, krit. Briefe S. 25).

[1]) Kohn=Zedek a. a. O. S. 58 Anm. 21 nimmt ohne Weiteres an, Dresel sei eine Tochter der ersten Frau gewesen. Josef C. Gerson wird aber bereits in einem Gutachten vom Jahre 1558 als mit Isserles ver= schwägert bezeichnet (Responsensammlung des Moses Isserles Nr. 15). Da Dresel erst 1561 geboren ist, stammt sie also aus zweiter Ehe.

[2]) Dresel, die ältere, Tochter des Jechiel b. Ahron Luria (um 1470), war die Gattin des Lipmann Elieser b. Jechiel Schrenzel (dieser starb 1558, s. Friedberg a. a. O. S. 38). Ihre Tochter Malka wurde die Mutter des Moses Isserles. Vgl. Kohn=Zedek a. a. O. S. 64. —

[3]) Dembitzer J., Mappalath Jr ha=Zedek (Streitschrift gegen Zunz J. M., Gesch. d. Krak. Rabb.), S. 4 ff.

[4]) Grabinschrift s. Friedberg a. a. O. S. 43. — Simcha Bonem st. 29. Februar 1624 n. St.; s. Dembitzer J. a. a. O.

[5]) S. Anhang Note I.

diefes Jfaak, alfo Urenkel des Mojes Jfferles, fetzen in würdiger Weife den Ruhm des durch Gelehrfamkeit und Glücksgüter aus= gezeichneten Ahnengeschlechts fort. Der eine, der Namenträger des Urgroßvaters, Mojes b. Jfaak Bonems, ein Schüler des Meir Lublin, war um 1646 Rabbiner von Lubemilla und bekleidete dann bis zu feinem Tode (25. November 1668 u. St.) das Rabbinat in Lublin ¹), welches auch schon fein Schwiegervater, der bekannte Samuel Eliefer Edels (Maharscha), innegehabt, und welches fpäterhin fein eigener Sohn Jsrael Jffer wieder einnehmen follte ²). Hier in Lublin bereitete Mojes eine neue Sammlung der scharffinnigen Novellen aus dem Nachlaß feines Schwieger= vaters zum Druck vor und ergänzte fie durch eigene Zufätze befonders über agadifche Stellen; es waren freilich nur Trümmer feiner Aufzeichnungen, welche er aus den unglückfeligen Zeiten, da Chmelnitzkis rohe Kofaken ihn zur unftäten Flucht gezwungen, noch gerettet hatte, und deren Veröffentlichung er noch nicht ein= mal erleben durfte ³).

Viel trauriger noch follten jene graufigen Verfolgungen feinem Bruder Simon Wolf ⁴) mitfpielen. Simon Wolf hatte in Wilna fich niedergelaffen und es gleichfalls zu folchem Anfehen gebracht,

---

¹) Levinftein J. in Hagoren I, 45 und in Jr tehillah (Warfchau 1886), S. 159, wonach Cat. Bodl. No. 6476 zu berichtigen ift. Ferner Friedberg a. a. O., S. 13 Anm. und S. 16 Anm. 9. Niffenbaum, S.B., zur Gefch. d. Juden in Lublin, S. 61.

²) Jsrael Jffer war Rabbiner in Brzesc und Lublin und Schwieger= fohn des Abraham b. Lipman Heilprin (Hagoren I, 48 und Niffen= baum a. a. O.); feine Nachkommen f. dafelbft S. 52 und Wiener S., Daat Kedofchim (St. Petersburg 1897/98), S. 61 f. — Von den Töchtern des Mojes Jfaak Bonems war die eine die Gattin des R. Elia Loeb (Hagoren I, S. 48), eine andere die Frau des R. Mofes b. Juda Sundel aus Samocz, Dajan in Lemberg (Buber S., Anfche Schem S. 162 u 245).

³) S. Vorwort zu Chiddufche Halachoth, Mahadura Bathra. Der erfte Druck erfolgte Lublin 1670; f. Cat. Bodl. 7025,16. Fürft, Bibl. Jud. I, S. 221.

⁴) So der richtige Name — ohne andere willkürliche Zufätze — auf Grund maßgebender Drucke und Grabinfchriften.

daß er nicht nur mit der Führung dieſer bedeutenden Gemeinde
als Vorſteher betraut ward, ſondern auch in ſeinem Hauſe gar
bald den Mittelpunkt ihres religiöſen und geiſtigen Lebens erblicken
durfte. Es gab ſelbſt für gleich hoch ſtehende Zeitgenoſſen keine
größere Ehre, als dieſem durch Vergangenheit und Gegenwart
ausgezeichneten Geſchlechte ſich nähern oder gar in dasſelbe treten
zu dürfen. Und es waren viele, die nach ſolcher Ehre ſtrebten!
Die erſte Familie, welche ſich dem Stammbaum Simon Wolfs
angliederte, war diejenige Saul Wahls, deſſen Name in der
ganzen Judenheit bekannt war, und von dem flüſternd ſogar die
Sage ging, daß er einen Tag lang das Szepter Polens geſchwungen
habe[1]. Sein Enkel Juda Wahl, das jüngſte ſpätgeborene Kind
ſeines Sohnes, des Brzeſcer Rabbiners Meir Wahl, wurde
der Schwiegerſohn des Simon Wolf in Wilna[2]. Auch Juda
Wahl ſtammte durch ſeine Mutter von der Familie des Moſes
Iſſerles ab[3], ſo daß durch ſeine Heirat die Linien der alten
Ahnentafel von neuem zuſammenliefen[4].

Aber auch für ſeine zweite Tochter Jente wählte der Wilnaer
Vorſteher einen Gatten, welcher die Zierde ſeines ganzen Geſchlechtes
werden ſollte, den Abkömmling einer deutſchen Gelehrtenfamilie,
die zuletzt zu Thannhauſen, damals zu Ansbach gehörig, ihren
Sitz gehabt hatte und von dort aus nach dem Oſten gewandert
war. Es war Sabbatai b. Meir Cohen, in der Literatur=

---

[1] S. darüber Bloch Ph. in Zſchrft. der hiſt. Geſellſch. der Prov.
Poſen, Jahrg. IV, 1889.

[2] Edelmann H., Gedullath Saul (the greatness of Saul) London 1854,
S. 24 b, wo jedoch der Vatersname des Simon Wolf in „Bonems“ zu
verbeſſern iſt. Ebenſo iſt Jr Tehillah, S. 155 der Name des Simon Wolf
unrichtig angegeben.

[3] Die Mutter des Juda Wahl war die Tochter der Mirjam, der
Schweſter des Moſes Iſſerles und Gattin des Pinchas Hurwitz; ſ. Edel=
mann a. a. O. S. 24 a.

[4] Über die Nachkommen des Juda Wahl ſ. weiter Abſchnitt IV, 1. Jünn
(Kirjah Neemanah, Wilna 1860) S. 88 hat Edelmann a. a. O. miß=
verſtanden u. die Schweſtern des Juda Wahl für deſſen Töchter gehalten.

geschichte des Judentums genugsam unter dem Abbreviaturnamen seines Werkes „Schach" berühmt[1]), dessen Begabung der selber gelehrte und kenntnisreiche R. Simon Wolf bald erkannt, und den er deshalb, wie üblich, durch ein frühzeitiges Verlöbnis mit seiner Tochter an sein Haus gekettet hatte. Der jugendliche Meister brauchte denn auch den Eintritt in dieses Haus niemals zu bereuen: nicht nur, daß er hier völlig sorglos sich seinen Studien und der Ausarbeitung seiner Schriften widmen konnte, er hatte ihm auch die Veröffentlichung der Arbeiten zu danken, welche seinen Ruhm begründeten. War es doch die von den Anverwandten seines Schwiegervaters, der Familie Meisels in Krakau[2]), errichtete Presse, aus welcher 1646 bereits, da der Verfasser kaum 25 Jahre alt geworden war, sein Kommentar zum zweiten Teil des Schulchan Aruch hervorging, und daß auch der zum vierten Teile nach Sabbatais Tode nur durch die Opferwilligkeit Simon Wolfs veröffentlicht werden konnte, bezeugt ausdrücklich der Herausgeber, Sabbatais Schwiegersohn Menahem Mandels, in seinem Vorwort, den Mäcen preisend als den Angesehensten und Höchstgestellten unter allen Angesehenen und Hochgestellten, dessen Rechte Reichtum, Ehre, Lehre und Größe umschlossen, und in dessen Haus Glanz und Herrlichkeit gewaltet habe[3]).

Freilich, es waren vergangene Tage schon, von denen Menahem da sprach. Das grausige Geschick, dessen betäubender Flügelschlag das Leben seines Bruders Moses gestreift hatte, sollte auch an Simon Wolf nicht schonend vorüberschreiten. Die Raublust der wilden Horden Chmelnitzkis hatte 1648 sich von Litthauen ziemlich fern gehalten; aber mit verdoppelter Wut schien sie in den Jahren

---

[1]) Die neueste und eingehendste Biographie des Sabbatai Cohen und seiner Familie giebt Friedberg B., Keter Kehunnah (Drohobycz 1898); darin auch die Grabschrift der Jente (S. 7), deren Datierung jedoch nicht genau ist, da der 11. Ijar 5465 auf Dienstag, nicht auf Montag fiel. — Wiener a. a. O. S. 190 macht Simon Wolf zum Schwiegersohn des Sabbatai Cohen, statt umgekehrt.

[2]) S. Anhang Note I.

[3]) Schulchan Aruch, Choschen Mischpat, Amsterdam 1663.

1654 bis 1656 das Versäumte nachholen zu wollen, und während
von der einen Seite Kosaken und Reußen gemeinsam plündernd
vorwärts drangen, wüteten von der anderen nicht minder beute-
lustig die mit Polen kämpfenden Schweden. Auch Wilna ward
von seinem Schicksal ereilt[1]. Auf die Kunde von dem Heran-
nahen der vereinigten Kosaken- und Reußenscharen stob das
Verteidigungsheer wie die Bevölkerung in wilder Flucht auseinan-
ander. Glücklich, wer auf diese Weise sich retten konnte; denn die
Zurückgebliebenen ereilte der sichere Tod. Unter den Flüchtlingen
befand sich auch Simon Wolf mit seiner Familie. Nur wenig
von seinem Besitztum war ihm erhalten geblieben; aber das frohe
Bewußtsein tröstete ihn, wenigstens die Seinigen alle in Sicherheit
zu wissen. Die Familie war allerdings völlig auseinandergerissen.
So war Sabbatai Cohen mit seinen Angehörigen nach Mähren
entkommen und übernahm nach unruhigem Wanderleben zuletzt
das Rabbinat in Holleschau, wo er, ein Opfer der überstandenen
Leiden, im besten Mannesalter verschied[2]. Simon Wolf selber
war es geglückt, sich mit Frau und Kindern auch durch das
schwedische Kriegsgetümmel nach Deutschland durchzuschlagen
und ein neues Heim in Hamburg zu finden, von wo aus er
wenigstens in brieflichem Zusammenhang mit seinem Schwiegersohne
bleiben konnte[3]. In welch' bedauernswertem Zustande die Mehrzahl der „Wilner" in Hamburg anlangte, davon hat Glückel von
Hameln aus ihren Jugenderinnerungen heraus ein ergreifendes
und treues Bild entworfen[4]. Jedoch Simon Wolf war nicht der
Mann, der sich von solchen Schicksalsschlägen niederbeugen ließ.
Wohl hatte er unsagbare materielle Verluste zu tragen, aber Ansehen und Ehre hatte er in die neue Heimat mit hinübergerettet.

---

[1] Fünn, Kirjah Neemanah a. m. St.

[2] Wahrscheinlich 1662, wie Friedberg a. a. O. S. 19 zeigt.

[3] Responsen d. Gerson Aschkenasi (Abodath ha-Gerschuni, Frankf. a. M.
1699), Nr. 118.

[4] Kaufmann D., Memoiren der Glückel v. Hameln (Frankf. a. M.
1896), S. 36.

Wohin sie auch in Deutschland und anderen Ländern auf ihren unruhigen Fluchtzügen kamen, überall wurden die Weisen von Wilna außerordentlich geehrt, erzählt Jakob Israel Emden in seiner Selbstbiographie[1]. Und Simon Wolf, der „Wilner", gehörte zu diesen Weisen! So war ihm denn durch das Ansehen, welches ihn nach Hamburg begleitete, die Möglichkeit gegeben, einigermaßen auch den äußeren Glanz zurückzugewinnen, den sein Haus ununterbrochen bisher besessen hatte.

Diese Möglichkeit zur Verwirklichung zu bringen, ward vor allem das Ziel und Streben seiner Söhne, die, unterdessen längst herangewachsen, dem Vater in allen seinen Nöten treu zur Seite standen und den alten Stamm nicht allein aufs Neue befestigten, sondern auch seine Zweige zu mächtiger Ausdehnung brachten. Wie in der alten Heimat, so eroberten sich auch überall in der neuen durch alle Geschlechter hindurch die Sprößlinge des Moses Isserles die angesehensten Kreise, ja sogar die Führung ihrer Glaubensbrüder.   Die Familie des Wilnaer Flüchtlings, welche ihm zu Ehren, der sie auf deutschen Boden verpflanzt hatte, fortan den Namen Wolff oder Wulff führt, errichtete ihre Wohnstätten in fast allen größeren Gemeinden des deutschen Nordens, vor allem aber in der durch die Güte und Klugheit des großen Kurfürsten 1671 neubegründeten Gemeinde Berlins, welche nicht nur dem flüchtigen Juden ein sicheres Asyl, sondern auch dem strebsamen ein rasches Vorwärtskommen verhieß.   Und an Strebsamkeit fehlte es diesen Familienmitgliedern wahrlich nicht!   Doch zu weit höherer Ehre gereicht es ihnen, daß in ihrem Denken und Thun auch der Geist des Mannes lebendig blieb, dessen Namen sie bei jeder Gelegenheit voll Stolz als denjenigen ihres Ahnherrn rühmten, der Geist des Moses Isserles.   Selbstverständlich hat keiner von diesen, fast insgesamt den Handelsgeschäften sich widmenden Männern die Höhe erklommen, auf welcher er einst gestanden; aber sie alle besaßen nicht nur vorzügliche Charakter- und Herzens-

---

[1] Herausgegeben von D. Kahana, Warschau 1897, S. 5.

eigenschaften, sondern auch Wissen, Kenntnisse und das lebhafteste
wissenschaftliche Interesse, welches selbst im wirrsten Strudel
des Geschäftslebens immer sichtbar blieb. Besonders aber hat jenes
Streben nach freierer geistiger Bildung und Bewegung, dessen
Spuren schon der Ahnherr aufweist, in ihren Häusern neben der
dort herrschenden, strengen Ausübung der religiösen Vorschriften
stets seinen Platz gefunden. Es äußert sich in der Schnelligkeit,
mit welcher sie sich in die deutschen Verhältnisse einlebten, in der
Gewandheit, mit der sie unter Andersgläubigen, selbst an den
Höfen der Fürsten, sich bewegten, in der Aneignung gewisser, von der
Mehrzahl ihrer Glaubensbrüder mißachteter, weltlicher Kenntnisse
(z. B. der hochdeutschen Sprache und Schrift), ohne deren Besitz
jener Verkehr niemals die Innigkeit hätte annehmen können, die
als wirklich vorhanden sich erweisen wird, und was dergleichen
Züge mehr sind. Kann es dann noch Wunder nehmen, daß gerade
in dem Schoße dieser Familie später die Mendelssohnschen
Bildungsbestrebungen den günstigsten Nährboden und die bereit=
willigste Aufnahme fanden? Liegt es nicht vielmehr sehr nahe,
zu vermuten, ja sogar als gewiß zu behaupten, daß gerade in den
Häusern dieser seiner Verwandten zu Dessau in dem empfänglichen
Geist des jungen Moses die Keime jener Anschauungen aufgingen,
durch deren fruchtbare Entwicklung er dem Judentum die Kultur
der Menschheit zurückgegeben hat?!

2.

Von den Söhnen Simon Wolf Wilners war der eine,
Baruch, meist Berend Wulff oder nach seinem früheren Wohn=
ort Baruch Minden genannt, durch seine Beziehungen zum Hofe
des großen Kurfürsten nach Berlin gezogen worden. Zu den
ersten Ansiedlern der neuen Gemeinde gehörend, wurde er bereits
ein Jahr später — 1672 — nach dem Tode des Hofjuden
Gomperz zu dessen Nachfolger vom Fürsten ernannt[1]) und erhielt

[1]) Geiger I, S. 7.

damit auch die Privilegien, welche diesen Männern gewährt wurden[1]). Hierdurch wie durch sein gelehrtes Wissen erlangte er bald auch unter seinen Glaubensbrüdern großen und führenden Einfluß, und es ist bezeichnend genug, daß er sich mit aller Entschiedenheit der Strömung der aus Deutschland stammenden, jüdischen Ansiedler anschloß, welche den Wienern, ganz besonders auf religiösem Gebiet, ein starkes Gegengewicht zu bieten suchte[2]). Aber auch in seiner Familie — seine Gattin Bela war die Tochter eines nicht weiter bekannten Mardochai — erblühte ihm reiches Glück, und besonders waren es seine Schwiegersöhne, auf welche er mit Stolz hinweisen durfte[3]).

Ruben Fürst, der Gatte seiner Tochter Lea, entstammte der in Hamburg alteingesessenen, reichen und vornehmen Familie Fersch oder Fürst. Schon seinen Großvater, Chajim Fürst, rühmt Glückel von Hameln als vermögenden und angesehenen Vorsteher der Hamburger Gemeinde[4]), und auf dessen Kinder waren nicht nur die äußeren Glücksgüter, sondern auch, was in jeder jüdischen Familie viel höher geschätzt ward, die gelehrte Bildung übergegangen[5]). Salman Chajim Fürst, der die Stelle eines

---

[1]) König, Annalen d. Juden in der Mark Brandenburg (Berlin 1798), Seite 85.

[2]) Allg. Ztg. des Judent. 1899, S. 568, woselbst jedoch manches Unrichtige zu verbessern ist.

[3]) Die Ehe seiner Tochter Rebella war allerdings nicht glücklich; sie starb als geschiedene Frau 15. Juli 1725 (Berliner Grabsteine des alten Friedhofs Nr. 664). Söhne von Baruch Minden waren nicht aufzufinden, und es konnte deshalb auch nicht das Verwandtschaftsverhältnis der von Landshuth erwähnten Glieder der Familie Minden festgestellt werden (Landshuth: S. 25, 29, 37 Abraham Minden; S. 40 Meir, Juspe, Moses, Mardochai Gumpel Minden). Eine andere Mindensche Stammtafel s. bei Wiener, Daat Kedoschim, S. 226.

[4]) Memoiren, S. 25 u. 32.

[5]) Das abfällige Urteil des Jakob Israel Emden (Selbstbiographie a. a. O., S. 22) kann, wie die obigen Thatsachen zeigen, in seiner Verallgemeinerung nicht aufrecht erhalten werden; sicherlich liegen ihm persönliche Mißhelligkeiten zu Grunde.

Freudenthal, Aus der Heimat Mendelssohns.   2

Armenvorstehers bis zu seinem frühzeitigen Tode bekleidete, war nach den Erzählungen der Glückel gleich ausgezeichnet als Mensch wie als Gelehrter[1]), und sein Bruder Jirmijah, der bekannte Rabbinatsassessor der Hamburger Gemeinde und selbst wieder Vater gelehrter Söhne[2]), ward von manchem Zeitgenossen eben so gerühmt und gepriesen, wie er selber bereitwilligst die wissenschaft=lichen Leistungen anderer in poetischen Worten verherrlichte[3]). Ein dritter Bruder endlich, gleichfalls mit dem Titel Rabbi ge=schmückt und, wie sein Vater, Vorsteher der Gemeinde zu Hamburg, Nathanael Fürst, zählte zu den Kindern, welche ihm seine Gattin Täubchen, die Tochter des Abraham Wallich in Rinteln, geschenkt hatte, auch den Schwiegersohn Berend Wulffs, Ruben Fürst[4]).

Auf die Familie Fürst übte die neue jüdische Niederlassung in Berlin eine ganz besonders starke Anziehungskraft aus. Ge=schwister und Vettern[5]) schlossen sich Ruben Fürsts Beispiel an, als

---

[1]) A. a. O. S. 33. — Glückel erwähnt S. 151 auch eine Tochter des Chajim Fürst.

[2]) S. Kaufmanns Einleitung zu den Memoiren d. Glückel v. Hameln S. 38. Weitere Nachkommen im Abschnitt IV, 1.

[3]) Schaare Thorah d. Salomon Hanau (Hamburg 1718), Chucke ha=Thorah v. Jekutiel Kaufmann (Berlin 1700), Gutachten des Mardochai Rotenburg Süßkind, von Jirmijah's Sohn Josef herausgegeben, Ham=burg 1696. — Jirmijah starb 26. Schebat 463 = 12. Februar 1703 n. St. Grabsteine Altona Nr. 1233).

[4]) Täubchen starb 17. Kislev 485 = 3. Dezbr. 1724, ihr Gatte Na=thanael 20. Kislev 442 = 1. Dezbr. 1681 n. St. (Grabst. Altona Nr. 723 und 868). Über Abraham Wallich s. Glückel von Hameln a. a. O. S. 369.

[5]) Eine Schwester des Ruben Fürst, Frau des Petschierstechers Loeb, s. über ihn weiter S. 21, starb in Berlin 29. Oktober 1737; eine andere in Altona verstorbene Schwester (Grabstein Nr. 666 : 10. Kislev 504 = 26. Novbr. 1743 n. St.) war die Gattin eines Ruben Berlin b. Uri Phöbus. — Über Rubens Vetter Bendit b. Jeremias Fürst s. oben Anm. 2. — Ein anderer Verwandter in Berlin ist Chajim Fürst, Heinrich oder Jochem Fürst genannt; s. Geiger II, 13. — Über den gleichlautenden Bruder des Ruben Fürst s. weiter Abschnitt IV, 1.

dieser gemeinsam mit Berend Wulff dort seinen Wohnsitz aufschlug, und bildeten mit ihren Familien den deutschen Grundstock der schnell anwachsenden Gemeinde, in welcher sie dasselbe Interesse für das Gemeinwohl wie für die jüdische Wissenschaft zu bethätigen suchten, das ihre Väter in Hamburg auszeichnete. Ruben Fürst ging auch in dieser Hinsicht mit gutem Beispiel voran; 1698 wird er zusammen mit Benjamin Fränkel als Armenvorsteher der Gemeinde vom Kurfürsten bestätigt[1]), und 1706 läßt er in seinem eigenen Hause die Novellen des schon erwähnten Samuel Edels, des Schwiegervaters von Moses Isaak Bonems, von neuem auflegen[2]), nicht etwa um geschäftlicher Zwecke willen, sondern zur gottgefälligen Hebung des religiösen Studiums. Welchen regen Anteil die ganze Familie an solchen Bestrebungen nahm, zeigt die eifrige Unterstützung, die ihm bei dieser Drucklegung seine beiden gelehrten Schwiegersöhne, Samuel b. Josef Heide und Isaak b. Gerson, erwiesen; der letztgenannte, der Gatte seiner Tochter Hendel und ein Sproß der Wulffschen Familie, siedelte bald darauf nach der Stadt über, welche lange Jahre hindurch in ihren Mauern den Glanz seines Geschlechts und seine eigene gesegnete Wirksamkeit als des geistlichen Oberhauptes der Gemeinde erblicken durfte, nach Dessau[3]). Aber auch die in Berlin verbleibenden Enkel Berend Wulffs genossen Ansehen und Achtung. In die Fußtapfen des Vaters trat Nathanael Ruben oder Daniel Fürst; 1713 als Armenvorsteher bestätigt, gehört er noch 1731

---

[1]) Geiger II, 36.

[2]) S. weiter Abschnitt V, 2.

[3]) Die Stammtafel der Familie Heide bei Wiener a. a. S. 225 f. Jedoch sind die dortigen Angaben über Samuel b. Josef Heide, welche aus Cat. Bodl. No. 7803 stammen, falsch, s. weiter Abschnitt V, 2. Samuel b. Josef Heide war aus Hamburg. Schwestern von ihm waren in Berlin an Joel Minden und an Wolf Gerson, den Bruder des Isaak b. Gerson verheiratet. Wie seinen Schwiegervater, ereilte auch ihn der Tod kurz nach der Edition der erwähnten Novellen; Ruben Fürst starb am 4. Oktober, Samuel Heide am 30. November 1707. Lea Fürst starb am 12. Januar 1716. Über Isaak b. Gerson s. weiter Abschnitt IV, 1.

2*

unter die Zahl der Gemeindeführer[1]). Die Namen seiner Brüder
Simon Wolf, Mardochai, David und seines Schwagers
Jesaja Moses Holländer schmücken nicht nur teilweise die von
der Gemeinde ausgesandten Rabbinatsberufungen[2]), sondern auch
das Werk des Sabbatai Cohen aus Tykoczyn, welches ihrer
Familien in reichen Lobesworten gedenkt[3]). Verwandtschaftliche
Beziehungen führen von ihnen aus zu den angesehenen Berliner
Familien Ries und Efraim hinüber und geben dadurch dem
Stammbaum Berend Wulffs noch weitere Ausdehnung.

Aber es war nicht allein der blühende Fürstsche Zweig,
welcher sich an diesen Stammbaum angesetzt hatte. Auch die
zweite Tochter Berend Wulffs, Rebekka, war die Gattin eines
in der Gemeinde wohlbekannten Mannes geworden, des Michael
Abraham. Seines Zeichens Petschierstecher oder Graveur, gehörte
er mit seinem, dieselbe Kunst ausübenden Bruder Joseph Abraham
gleichfalls zu den ersten Ansiedlern der Berliner Judenschaft[4]).
Auch über seiner Familie strahlte der Glanz religiöser Gelehrsamkeit. Die Schwester seines mit dem Rabbinertitel geehrten Vaters
war die Gattin des Kalischer Gelehrten Abraham Abele
Gombiner, dessen schwieriger und dunkler Kommentar zum
ersten Teil des Schulchan Aruch späteren Erklärern reichen Stoff
zum Nachdenken bot[5]), und Michael Abraham ehrte selber das
Andenken an seinen Onkel in schönster Weise dadurch, daß er
gemeinsam mit seinem Schwager Moses Wulff in dessen
Dessauer Druckerei 1704 den Kommentar Abeles zum Jalkut

---

[1]) König a. a. O., S. 247; Geiger II, S. 65, 74; Landshuth S. 28. —
Nathanael st. 6. Febr. 1740, seine Gattin Jente, T. d. Samuel Driesen,
am 5. Mai 1728.

[2]) Geiger II, S. 105; Landshuth S. 25, 29, 37, 40, 64.

[3]) Einleitung zu Minchath Cohen (Fürth 1741); daselbst werden auch
die Gattin Holländers, Sara, und deren Sohn Juspe genannt, dessen
Lehrer der Verfasser ist. Über Juspe s. auch Landshuth S. 64.

[4]) Geiger II, S. 10.

[5]) Brann, a. a. O. II, S. 371 u. 404; Bäck, a. a. O. S. 27.

herausgeben ließ[1]). Auch der Schwiegersohn des gelehrten Kommen=
tators, Moses Jekutiel Kaufman b. Abigdor Cohen, Rab=
biner von Kutno[2]), fand freundliche Aufnahme und bereitwillige
Hülfe im Hause seiner Verwandten Michael Abraham und Loeb
b. Joseph Abraham oder Josef Levi[3]), als er in den Jahren
1699 und 1700 zu Berlin seine Erklärungen zum Schulchan Aruch
erscheinen ließ, denen er die von Israel Samuel Clesara
aufgestellte, alphabetische Ordnung zu Grunde gelegt hatte[4]).
Michael Abraham hatte Anfangs seine Kunst gemeinsam mit seinem
Bruder ausgeübt; Streitigkeiten halber trennte sich dieser von ihm
und wußte sogar dem Bruder den Schutzbrief zu entziehen. Nur
durch Vermittlung des einflußreichen Hofjuden Jost Liebmann
erhielt Michael sein Privileg zurück. 1692 ernannte ihn Kurfürst
Friedrich III. zu seinem Hofpetschierstecher als Dank für ver=
schiedene „zu dero gnedigstem Vergnügen" gelieferten Arbeiten,
„jedoch ohne Gehalt, welches er nicht praetendiret, sondern nur
einen Schild auszuhengen verlanget[5])." In späterer Zeit zog sich
Michael Abraham völlig von seiner Kunst zurück, um desto eifriger
sich dem Gemeinwohl zu widmen. Als die Kämpfe um die Bet=
häuser die Gemeinde in feindliche Parteien zersplitterten[6]), stand
er trotz der Wohlthaten, welche ihm die Liebmannsche Familie einst
erwiesen hatte, auf der Seite der Gegenpartei[7]); was ihn dorthin

---

[1]) Sajith Raanan, Dessau 1704; näheres s. weiter Abschnitt V, 1.

[2]) Nicht Cöthen, wie Cat. Bodl. Nr. 5793 hat, da damals noch
keine jüdische Gemeinde in Cöthen existirte; s. weiter Anhang, Note VI, 1.

[3]) Vgl. über ihn Geiger II, S. 10 u. oben S. 18 Anm. 5.

[4]) Ergänze und verbessere hiernach Steinschneider in Ztschrft. Bd. I,
S. 379 und Cat. Bodl. No. 5477, 3 u. 8822. Die bibliogr. Beschreibung
des Werkes bei R. R. S. 500 + Anhang Nr. 637.

[5]) Geiger a. a. O.

[6]) Das. I, 21; II, 45 f.

[7]) König a. a. O. S. 236. — Landshuth, S. 7. hat sich bei Benutzung
Königs geirrt und auf beide Seiten einen Michael Abraham gestellt, den
Petschierer auf die Seite Liebmanns. Der Parteigänger Liebmanns hieß aber
Michael Hirsch, so daß Landshuths hasaken hamechokek hinauf=
genommen werden muß.

führte, war weder Undankbarkeit, noch das furchtbare Zerwürfnis,
welches zwischen den Familien Liebmann und Wulff aus=
gebrochen war[1]), sondern der Wunsch, durch die Aufhebung der
privaten Bethäuser und die Herstellung eines gemeinsamen öffent=
lichen der Gemeinde den Frieden zu verschaffen, dessen sie so sehr
bedurfte. Den vereinigten Bemühungen der zur Friedenspartei
gehörenden Männer gelang es denn auch endlich, am 19. April 1713
die Königliche Bestätigung für ihr Vorhaben zu erlangen und
gleichzeitig eine völlige Neuordnung der Gemeindeverwaltung durch=
zusetzen. Hierbei wurde Michael Abraham mit an die Spitze des
Berliner jüdischen Gemeinwesens berufen[2]), und auch in Leipzig
übertrugen ihm seine die Messe besuchenden Landsleute das Amt
eines Ältesten in dem Bethaus, in welchem die „Berliner" ihre
Andacht abhielten[3]). Gleichzeitig mit ihm wurde 1713 sein
Schwiegersohn Mardochai b. Ahron b. Joel Halberstadt,
Marcus Aron Joel genannt, der Gatte seiner Tochter Taube[4]),
zum Kassenkontroleur der Gemeinde ernannt[5]), in deren Verwaltung
er mehr als zwei Jahrzehnte hindurch verblieb[6]).

So hatte auch dieser Zweig des Berend Wulffschen Hauses
erquickende Früchte entwickelt, an welchen der Stammvater sich
erfreuen durfte. Aber sie alle übertraf zuletzt an glänzender
Entfaltung das Geschlecht, welches aus dem Schoße der dritten
Tochter Baruch Mindens hervorging. Zippora war die Gattin
ihres Vetters Moses Wulff geworden, und mit ihrem beider=
seitigen Geschick blieb auch das Schicksal ihrer Elternhäuser aufs

---

[1]) S. weiter S. 29 f.

[2]) König a. a. O., S. 247.

[3]) Archiv d. Stadt Leipzig LI, 3; neben der Berliner „Judenschule"
werden 1717 noch die Dessauer, Prager, Halberstädter und Ham=
burger als offizielle Bethäuser aufgeführt.

[4]) Taube starb 12. Januar 1739. Ihr Vater Michael Abraham starb
10. Novbr. 1730, seine Frau Rebekka, die Tochter Berend Wulffs, im
Juli 1725.

[5]) König a. a. O. S. 248.

[6]) Geiger II, 65 u. 75; Landshuth S. 25 u. 28.

allerengfte verknüpft. Freilich follten gerade fie hierbei die Eitelfeit
alles irdifchen Befißes in erfchütternder Weife kennen lernen, und
Baruch Minden felber war der erfte, den diefe Erfahrung niederwarf.
In der Stellung eines Hofjuden, wie er fie einnahm, war man nur fo
lange felbftverftändlich eine Macht, als man Geld befaß. Aber
fchon im Jahre 1675 befand fich Baruch Minden in verwickelten
Bermögensverhältniffen[1]), und damit war fein Schickfal befiegelt.
Zwar gelang es ihm noch, die Übertragung feiner Privilegien
auf feine Nachkommen durchzufeßen; doch er felbft tritt vom
Schauplaß ab, und als gar fein Schwiegerfohn Mofes Wulff
nach vielfachen gefchäftlichen Berluften den Ränken des nun-
mehrigen angefehenften Hofjuden Joft Liebmann erlag und 1686
mit feiner Familie aus Berlin vertrieben wurde[2]), da war auch
Berend Wulff der Boden der Hauptftadt fo verleidet, daß er fich
von den übrigen dort verheirateten Kindern losriß und mit feiner
Gattin nach Halberftadt überfiedelte.

Auch hier, in Halberftadt, hatten bereits Glieder der Familie
Wulff fich feftgefeßt, über deren Gefchichte allerdings nähere An-
gaben fehlen. Es fcheinen vor allem Töchter und Enkeltöchter
Simon Wolf Wilners gewefen zu fein, welche in die angefehenen
Familien Kramer, Mühlhaufen und Goslar durch Heirat
eintraten, und in deren Nachkommenfchaft noch heute fich der Stolz
auf die freilich nicht mehr genau darlegbare Abftammung von dem
ausgezeichneten Wilnaer Flüchtling erhalten hat[3]). Für die Familie
Goslar läßt fich fogar ein literarifches Zeugnis nachweifen; denn
Naftali Hirfch Goslar,[4]) der gelehrte Philofoph aus Halberftadt, hebt ausdrücklich in feinen zur Beröffentlichung gelangten

---

[1]) Geiger II, 9.
[2]) S. weiter S. 33.
[3]) Schriftliche Aufzeichnungen der Familie Baer in Halberftadt
und fdl. Mitteilung des ebenfalls zu den Nachkommen Wolf Wilners
gehörenden Herrn Seminardirektors Dr. Plato in Köln.
[4]) Über ihn f. Jellinek im Orient 1846; Auerbach, Gefch. d. ifrael. Gem.
Halberftadt (Halb. 1866) S. 100 u. 199.

Werken[1]) hervor, daß R. Wolf Wilner und durch dieſen die Koryphäen Iſſerles und Iſſerlein ſeine Stammväter ſeien. Auch Juda Jüdel, am 19. Sept. 1786 als Rabbinatsaſſeſſor zu Deſſau verſtorben[2]), rühmt als Herausgeber des kleinen Büchleins Chedwath Jakob, welches ſein früh verſtorbener Sohn Jakob verfaßt hatte[3]), ſeiner Gattin Gutta Mutter, die Frau des R. Herz b. David Hildesheim in Halberſtadt[4]), als einen Sproß der Familie Wolf Wilners und Nathanael Fürſts. Vor allem aber hatte der Stammvater, Simon Wolf Wilner ſelber, ſeinen Wohnſitz von Hamburg nach Halberſtadt verlegt und endete daſelbſt auch ſein vielbewegtes Daſein, an einem Sabbatnachmittag zu ewigem Ruhetage eingehend (26. Kislev 5443=25. Dezember 1682)[5]). Pinsk — Wilna — Hamburg — Halberſtadt! So hatten die ſtürmiſchen Mächte des Schickſals ſeinen Lebensnachen ſchwankend hin und her geworfen!

In dem ausgedehnten Familienkreiſe zu Halberſtadt fand Baruch Minden bereitwillige Aufnahme; ja er eröffnete von dort aus wieder ſeine geſchäftliche Thätigkeit und beſuchte auch die Meſſe im nahen Leipzig[6]). Aber ſeines Bleibens war nicht lange in Halberſtadt. Gerade damals wurden von dort, wie von Berlin

---

[1]) Maamar Eſſcharuth ha-Tibith (Amſterdam 1762) u. Merome Sadeh (ebenfalls Amſterd. 1762, nicht 1722, wie Auerbach a. a. O.). Über ſeine handſchriftl. Werke in Oxford ſ. Neubauer Catalogue, Nr. 2225[2] u. 2246[1].

[2]) Grabſtein Nr. 145. —

[3]) Erſchien Berlin 1776; ſ. Steinſchneider in Ztſchrft. V, 164.

[4]) David Hildesheim war ein Onkel des Halberſtädter Rabbiners Zebi Hirſch Chariſ, ein Bruder des Lemberger Rabbiners Naftali Herz; ergänze hiernach Dembitzer, Kelilat Joſi I, 88, Buber, Anſche Schem S. 177.

[5]) So der Grabſtein; Auerbachs Angabe a. a. O. S. 34 iſt ungenau.

[6]) Alle in dieſen Studien vorkommenden Perſonalangaben über den Meßbeſuch zu Leipzig entſtammen den weitläufigen Verzeichniſſen in den Akten des Kgl. Staats-Archivs zu Dresden Loc. 9482 u. 9483, die vom Jahre 1675 an beginnen, und deren vollſtändiger Abdruck reiches hiſtoriſches Quellenmaterial erſchließen würde.

aus angestrengte Versuche unternommen, die Stadt Halle den seit zweihundert Jahren daraus vertriebenen Juden wieder zu öffnen[1]). Die Bemühungen Berend Lehmanns und der Berliner Hofjuden hatten Erfolg. 1692 durften sich die ersten vier Familien in Halle wiederum niederlassen; es waren: 1. Salomon Israel, ein Sohn des verstorbenen Hofjuden des großen Kurfürsten Israel Ahron und durch die zweite Ehe seiner Mutter ein Stiefsohn Jost Liebmanns[2]); 2. Assur Marx[3]), der Geschäftsvertreter Berend Lehmanns; 3. Jakob Levin, der Stammvater Aron Wolfssohns[4]) und 4. unser Berend Wulff. Was ganz besonders

---

[1]) Zur Geschichte der Juden in Halle s. Dreyhaupt, Beschreibung des Saal-Kreyses (Halle 1750) II, 494 ff. Die hier gegebenen wichtigen Ergänzungen beruhen auf den Akten des Kgl. Staatsarchivs zu Magdeburg, Abt. XII 5 und 9 Judensachen.

[2]) S. Geiger I, 5; II, 6 und 40. — Ein Sohn d. Salomon Israel ist der Dresdener Hoffaktor Aron Salomon Israel; s. über ihn Lehmann E., der polnische Resident Berend Lehmann (Dresd. 1885), S. 69 f.

[3]) Assur Marx (Ascher b. Mardochai) und seine Familie werden in diesen Studien noch öfters wiederkehren. Es ist derselbe, den Schudt in seiner gewohnten Manier mit den schändlichsten Schimpfnamen bewirft (Jüd. Merkw., Frkft. 1718), IV, Kont. II, 72. Auch die Leipziger Akten (LI, 4) vermerken 1712, er habe einige Wochen im Arrest gesessen; wahrscheinlich bezieht sich hierauf Schudts Geschrei. Wie geringfügig der Anlaß gewesen sein mag, zeigt die Thatsache, daß Assur Marx bereits am 20. Februar 1713 vom Kurfürsten v. Sachsen „als unser Hoffaktor" einen Freibrief für die Leipziger Messen erhält. Auch sein Sohn Marx Assur war sächsischer und schwedischer Hoffaktor und Vorsteher der Hallenser Gemeinde; er wird zugleich als Gelehrter und Besitzer einer bedeutenden Bibliothek gerühmt (Dreyhaupt a. a. O. II, S. 497; Orient 1841 Nr. 39 und Zunz, Z. Gesch. und Lit. S. 239). Ein Sohn desselben, Isaak Marx Assur, promoviert mit Erlaubnis Friedrichs d. Großen v. 26. Novbr. 1741 als Doktor der Medizin an der Hallenser Universität (Universitätsarchiv zu Halle, Akta M. 3). Über die Promotionen von Juden s. weiter Abschnitt V, 2.

[4]) Über Wolfssohn s. meine Abhandlung: die ersten Emanzipationsbestrebungen u. s. w. in Monatsschrift Jahrg. 37 (1893), S. 419 ff. und

zur Niederlassung in Halle lockte, das war die Aussicht auf den
lebhaften Handels= und Geldverkehr, welchen die geplante Eröffnung
einer Universität dortselbst ganz sicherlich herbeiführen mußte.
So stürzt sich denn Berend Wulff auch hier noch einmal trotz
seines Alters in die Wirrsale geschäftlicher Mühen und Arbeiten;
schon 1692 besucht er mit seiner Gattin Bela als einer der ersten
Hallenser Juden die Messe zu Leipzig, und erst als seine Enkelkinder
von Dessau aus ihren Wohnsitz im nahen Halle aufgeschlagen[1]),
zieht sich Berend Wulff nach dem Schauplatz seiner einstigen Größe,
nach Berlin, wieder zurück, wo unterdessen auch sein Schwieger=
sohn Moses Wulff wiederum zu Ehre und Ansehen gelangt war.
Hier schloß Berend Wulff am 15. Juni 1706 n. St. seine Augen;
seine Gattin Bela folgte ihm hochbetagt erst am 11. Septbr. 1719
in die Ewigkeit nach.

3.

Neben dem vollen Lebensstrome Berend Wulffs fließen spärlich
die Quellen, welche über das Schicksal des zweiten Sohnes
Simon Wolf Wilners Auskunft zu geben vermögen. Salomon
Wulff hatte in Hildesheim sich niedergelassen und dort seinen

---

Cohn ebendas. Jahrg. 41 (1897), S. 369 f. und Brann das. Jahrg. 42
(1898), S. 192. Der Stammbaum ist nach Daten in den Akten, bei Drey=
haupt a. a. O. und Landshuth (Vollst. Gebet= und Andachtsbuch, Berlin 1867,
Anhang S. 35) der folgende:

Jakob Levin in Halle		
Lazarus Jakob.	Enoch Jakob.	Wolf Jakob.
	Dr. Wolf	Jente, Frau Herz Beer in Frkft a/O.
	Aron Wolfssohn	Jakob Herz Beer
		Meyerbeer

Aron Wolfssohn bekleidete eine Zeit lang im Hause seiner Verwandten
Beer die Stelle eines Hauslehrers, war also Lehrer Meyerbeers.

[1]) S. weiter Abschnitt IV, 2. Zur Niederlassung der Nachkommen Wolf
Wilners in Halle s. auch den Schluß der aus Wahrheit und Dichtung ge=
mischten Erzählung „des Königs Eidam" in Jsraelit Jahrg. 1867.

Hausstand begründet; Samuel Hameln, der angesehene Rabbiner der Gemeinde Hildesheim, ein Schwager der Glückel von Hameln[1]), hatte ihm nämlich seine Tochter Zippora zur Frau gegeben.[2]) Salomon Wulff beschloß hochbetagt sein Leben in Dessau[3]); die Inschrift seines Grabsteines erzählt noch heute nicht nur von dem Ansehen seiner Ahnen und seines Schwiegervaters, sondern auch von seinem eigenen Fleiß, seiner Frömmigkeit und Wohlthätigkeit.

Um so zahlreicher haben sich Nachrichten über das Geschick des dritten, aber wahrscheinlich ältesten Sohnes Simon Wolf Wilners erhalten[4]). Auf ihn war der Name, welchen der Gatte der Stammesmutter Dresel einst getragen hatte, übergegangen, und wahrlich, Simcha Bonem, der zweite, stand hinter dem ersten weder an religiösem Wissen noch an äußerem Reichtum zurück. Auch ihn schmückte der Ehrentitel Rabbi, auch ihn berief das Vertrauen seiner Glaubensbrüder als ersten stets an ihre Spitze. Aber ruhelos, wie des Vaters Leben, war nicht minder das seinige. Flüchtig vor den Kosaken durch Polen irrend, soll ihm sogar zu seiner Rettung kein anderes Mittel übrig geblieben sein, als äußerlich und scheinbar seine Zugehörigkeit zu den gehetzten und verfolgten Genossen seiner Religion abzuleugnen, und er war glücklich, als er endlich nach Deutschland vor diesem Leben voll Heuchelei und Schein sich retten konnte. Sicherlich hat er hier zuerst seine Schritte zur elterlichen Familie nach Hamburg gelenkt; dann ließ er sich mit seiner Gattin Debora, der Tochter eines Elia

---

[1]) Er wird öfters in den Memoiren derselben erwähnt; s. a. a. O. Register S. LXIX. Dagegen ist der in den beigegebenen Gansschen Aufzeichnungen S. 354 u. 394 genannte R. Samuel von Hildesheim nicht identisch mit dem obigen.

[2]) S. Simon v. Gelderns Stammbaum in D. Kaufmanns: Aus Heinrich Heines Ahnensaal (Breslau 1896), S. 298 oben, wo übrigens die Nr. 4 und 5 zusammengezogen werden müssen.

[3]) Grabstein Nr. 81; das Todesjahr ist schwer zu entziffern (7. Ijar 5490? = 24. April 1730).

[4]) Für das Folgende kommen besonders die Akten R XXI Nr. 203 des Kgl. Geh. Staatsarchivs zu Berlin in Betracht.

Cohen[1]), in Halberstadt nieder, und von hier aus siedelte auch er nach der brandenburgischen Hauptstadt über, in welcher sein Bruder Baruch noch die Gunst des Hofes und seiner Glaubens= angehörigen besaß. Gleicher fürstlicher Huld konnte sich Simcha Bonem nicht rühmen; um so größer war dafür die Rolle, welche er im Leben der Gemeinde spielen sollte. Unter den Namen der allerersten Ältesten, welche die junge jüdische Vereinigung in Berlin sich als Oberhäupter eingesetzt hatte, findet sich auch derjenige des Benjamin Wolf aus der Wilda[2]), d. i. Simcha Bonem b. Wolf Wilna, und ebenso zählte die heilige Bruderschaft, welche Ende 1675 entstand, ihn nicht allein zu ihren Begründern, sondern übertrug ihm des öfteren das alljährlich immer wieder erneuerte Ehrenamt eines Vorsitzenden[3]). So schienen dem Wilnaer Flüchtling endlich Zeiten des Glücks für sich und seine Familie angebrochen zu sein, welche letztere aus zwei Söhnen, Moses und Gerson, und einer Tochter bestand, und der innige Zusammen= hang mit den Angehörigen seines Bruders Baruch Minden war noch durch die Heirat verstärkt worden, welche Bonems Sohn Moses als siebzehnjähriger Jüngling mit der gleichaltrigen Zippora, der Tochter Berend Wulffs, 1678 schloß.

Trotz seiner Jugend war dieser Sohn Moses Wulff bald der Stolz und der Führer des ganzen Wulffschen Geschlechts. Um 1661, sicherlich auf deutschem Boden schon, geboren, von großer und stattlicher Figur — den langen Juden nannten ihn die Berliner Bürger —, war er der Erbe der ausgezeichneten geistigen Begabung seiner Ahnen geworden. Religiöses Wissen und lebhafte Anteilnahme an der Entwicklung der jüdischen Literatur vereinigten sich bei ihm mit weltlicher Klugheit, Gewandtheit und Energie, und sicherte ihm das erstere einen Namen unter seinen Glaubens= brüdern, so ließ sich aus den letztgenannten Vorzügen ihm eine

---

[1]) Eines Elia Cohen gedenkt Glückel rühmend in ihren Memoiren S. 32 u. 234.

[2]) König a. a. O. S. 98 u. 101.

[3]) Aus einem handschriftl. Chebrabuch im Nachlaß Landshuths.

bemerkenswerte, äußere Laufbahn voraussagen. Einer solchen
Stütze bedurfte allerdings die Familie Simcha Bonems; denn die
Sonne des Glücks schien sich ihnen bereits wieder hinter dunklem
Gewölk zu verbergen. Zwar waren sie in Berlin unter kurfürst-
lichem Schutz gegen so traurige Ereignisse gesichert, wie sie im
Osten einst auf Simcha Bonem oder Benjamin Wulff, wie er
zumeist genannt wurde, eingestürmt waren; aber nicht geringere
Gefahren erwuchsen ihnen aus Neid und Habsucht, den Triebfedern
aller menschlichen Streitigkeiten, Lastern, die auch der aufstrebenden
Berliner Gemeinde nicht fern blieben und zu erbitterten, feind-
seligen Kämpfen führten. An der Spitze der Feinde der Familie
Wulff stand das auch sonst in der Geschichte der jüdischen
Gemeinschaft zu Berlin nicht mit dem Friedenskranz geschmückte
Haus des Hofjuden Jost Liebmann. Seitdem es dem letzteren
gelungen war, alle seine Vorgänger in dieser Stellung, auch Baruch
Minden, weit an Macht und Einfluß zu überholen, herrschte
zwischen den beiden Familien Wulff und Liebmann grimmigste
Fehde, und die erstere hatte gar oft den Druck zu spüren, welchen
der vielvermögende Hoffaktor auszuüben wußte. Ganz besonders
richtete sich die Feindschaft Jost Liebmanns gegen die Person des
Moses Wulff, von dessen jugendlichem Eifer und geschäftlicher
Tüchtigkeit er den meisten Schaden befürchtete. Der Juwelenhandel, den die beiden betrieben, führte manchmal zu heftigen
Zusammenstößen, bei welchen der Haß des einen vom andern nicht
unerwidert blieb. Schon Ende des Jahres 1680, als Moses Wulff
auf Veranlassung des Moses Nathan in Hamburg und seines
Schwiegersohnes Mendel Speier[1]) geschäftlicher Differenzen halber
in Untersuchungshaft gebracht worden war, hatte Jost Liebmann
als Vertreter der beiden Kläger die Haftentlassung Wulffs zu
vereiteln gewußt und seiner feindseligen Gesinnung auf der Haus-
vogtei in solch' erregter Weise Ausdruck gegeben[2]), daß der Vogt

---

[1]) Über beide s. zum Jubiläum S. 140, 3.

[2]) Als besonders gravierend wirft er ihm u. a. vor: er sei am
Sabbat gereist!

Lonicer beim Kurfürsten den Antrag zu stellen sich genötigt sah, Jost Liebmann das Mandat zu entziehen. Dieser Antrag wurde genehmigt, und der Hofjude bedeutet, sich nicht mehr um die Sache zu kümmern; aber unterdessen mußte Wulff noch über ein Vierteljahr in der Haft schmachten, bis sein von Liebmann zurückgewiesenes Kautionsanerbieten dem Kammergericht zur Prüfung überwiesen worden war.

Mit welcher Strenge überhaupt, selbst über die Schranken des gemeinen Rechts hinausgehend, der große Kurfürst Handel und Wandel der aufgenommenen Juden überwachen ließ, davon sollte Moses Wulff zur Schadenfreude seiner Feinde noch manches unverdiente Beispiel an sich und den Seinigen erleben. Im Jahre 1683 verließen seine Eltern Berlin, um Geldmittel zur Rück= zahlung ihrer Schulden flüssig zu machen: sie rechneten besonders auf die Hülfsbereitschaft eines reichen und kinderlosen Vetters der Mutter in Jaroslau. Einer ihrer Hauptgläubiger, der General du Hamel, hatte sich einflüstern lassen, seine Schuldner beab= sichtigten, sich ihren Verpflichtungen durch die Flucht zu entziehen, und er erwirkte beim Kurfürsten ihre steckbriefliche Verfolgung, sowie die Verhaftung des Sohnes als Mitwissers. Die Steck= briefe gingen nach Halberstadt, wo man Benjamin Wulff mit der Regulierung des väterlichen Nachlasses beschäftigt glaubte, und auf Wunsch des Generals auch nach den polnischen Ländern, an den Woywoden von Meseritz. Debora, Moses Wulffs Mutter, wurde wirklich verhaftet, und Lonicer erhielt vom Kurfürsten sogar den Befehl, zum Verhör derselben den Scharfrichter mit den peinlichen Instrumenten mitzunehmen; freilich sollte der sie nur vorzeigen und nur so thun, als ob er die Tortur vollstrecken wolle, in Wirklichkeit aber die Frau nicht angreifen. Auf Debora, die sich keiner Schuld bewußt war, machten diese Schreckmittel nicht den geringsten Eindruck. Als Lonicer das erste Verhör vor= nehmen wollte, erklärte sie sogar ruhig: eine solche peinliche Unter= suchung dürfe gesetzlich nur morgens in der Frühe, nicht aber am hellen

Mittag stattfinden[1]); der Vogt mußte diesen Einwurf als berechtigt anerkennen, und weil ohnedies sich alsbald die völlige Unschuld der Verhafteten ergab, so wurden Mutter und Sohn nach mehrmonatlicher grundloser Haft entlassen. Auch Simcha Bonem fand sich kurz nachher unbehelligt in Berlin wieder ein. Aber Moses Wulff sollte seiner Freiheit sich nicht allzulange erfreuen. Drei Monate später wurde er, Anfangs 1684, nach Sabbatausgang auf kurfürstlichem Befehl von neuem verhaftet und sofort nach der Festung Peitz gebracht, deren Gouverneur bereits Befehl hatte, ihm alle Sträflingsarbeiten zu übertragen. Auch diesmal wieder waren es aufgehetzte Gläubiger, mit denen er geschäftliche Differenzen hatte, welche den Kurfürsten veranlaßt hatten, ihn „zum Exempel und Abscheu für andere" in dieser Weise zu behandeln. Gewiß, es mußte irgend jemand Moses Wulff in den schlechtesten Ruf beim Fürsten gebracht haben, daß sofort immer die strengsten Schritte gegen ihn anbefohlen wurden, ohne daß ihm gestattet ward, erst einen Ausgleich vor den zuständigen Gerichtsbehörden herbeizuführen! Auf Bitten seiner Freunde durfte zwar der Gefangene nach Spandau gebracht und dort von ihnen auch verpflegt werden; aber alle Gesuche der Gattin und des Vaters um Freilassung des Unschuldigen waren vergebens. Erst nach dreiviertel Jahren, als der Kurfürst die endgültige gerichtliche Entscheidung anbefohlen hatte, wurde Moses nach Berlin gebracht und bald darauf auf freien Fuß gesetzt. Die ganze Strafe, die ihm auferlegt ward, bestand darin, daß er für seine Schulden Bürgschaft auftreiben mußte, und diese leistete sofort ein christlicher Berliner Bürger, der Apotheker Zorn, welcher Wulff so weitgehenden Kredit gab, daß er seinen Juwelenhandel in noch größerer Ausdehnung als zuvor aufnehmen und besonders wieder mit den großen Handelscentren Leipzig, Hamburg und Amsterdam in Verbindung treten konnte.

---

[1]) Die Tortur sollte vorgenommen werden, so lange der Delinquent noch nüchtern war, um nemlich Erbrechen zu vermeiden. Näheres hierüber s. bei Döpler, Theatrum poenarum (Sondershausen 1693) I, S. 319.

Durch alle diese unerquicklichen Vorfälle war die Feindschaft zwischen ihm und Jost Liebmann noch grimmiger geworden. Moses Wulff mochte wohl die Ueberzeugung gewonnen haben, daß bei all' den Miseren, die ihn fortwährend betrafen, kein anderer als sein Gegner die Hände im Spiel gehabt, und der blinde Haß der beiden führte selbst zu Drohungen und Thätlichkeiten. Zu einem ganz besonders schlimmen Vorfall aber kam es Ende des Jahres 1686, als die beiden unversöhnlichen Feinde gelegentlich eines Juwelenhandels in der Wohnung Chwalkowkys, des späteren Hoffkammer= präsidenten[1]), so mit Worten und Thaten aneinander gerieten, daß sogar die Wache einschreiten mußte. Jost Liebmann hatte natürlich nichts eiligeres zu thun, als zum Oberhofmarschall von Grumbkow zu eilen und bei diesem die Verhaftung seines Gegners von offener Straße weg zu veranlassen. Aber nicht genug damit! Er richtete sofort auch ein Schreiben an den Kurfürsten selber, und verlangte die Bestrafung Wulffs, sowie die Berufung eines jüdischen Gerichtes, welches unter Androhung des Bannes und der Entziehung der Schutzprivilegien Zeugnisse über seines Feindes Leu= mund und dessen oft geäußerte Absicht, ihn mit einem „Puffer" zu erschießen, beibringen sollte. Aber auch Moses Wulff verlangte so= fortige Freilassung und Entscheidung vor einer Kommission; er hatte einen eifrigen Fürsprecher an seinem Gönner Zorn, welcher vor dem Kurfürsten mehrere Generäle und Minister als Zeugen für das ehrliche und gute Verhalten seines Schützlings anrief und bat, daß derselbe vor den Machinationen seines Feindes geschützt werde, welcher nur keinen anderen Juwelier neben sich dulden wolle. Der Kurfürst erfüllte zunächst alle Wünsche; Wulff wurde befreit, eine Kommission einberufen, und selbst das gewünschte Zeugenverhör fand vor dem Rabbinatskollegium[2]) statt. Das Er-

---

[1]) S. Isaacsohn, Gesch. d. preuß. Beamtent., Bd. II (1878), S. 288 f.

[2]) Das rabbinische Kollegium bestand aus Benjamin, S. d. verst. Abraham; Joseph, S. des verst. R. Chajim Kaddisch und Jehuda Loeb, S. des verst. Schemarja Levi (Sgl.) und tagte am Montag 2. Kislev 5447 = 18 Novbr. 1686. Vorgeladen sind Jakob Josef; Salomon

gebnis beider Untersuchungen belastete natürlich den Kläger so gut
wie den Beklagten. Doch Jost Liebmann wollte sich nicht die
günstige Gelegenheit entgehen lassen, einmal einen entscheidenden
Schlag gegen seinen Widersacher zu führen. Er richtete nochmals
ein flehentliches Schreiben an den großen Kurfürsten: hinweisend
auf die angesehene Stellung, welche er seit mehr als zwanzig
Jahren in Hildesheim und hier als Vorsteher der Gemeinde ein=
nehme, und auf die Verdienste, die er sich seit über dreizehn Jahren
als Juwelier beim fürstlichen Hofstaat erworben habe, bat er
dringend um Ausweisung der ganzen Wulffschen Familie aus
Berlin; er sei sonst seines Lebens nicht sicher, und er mit Frau
und dreizehn Kindern würden eines Tages unglücklich werden! Die
Hauptbedenken, welche man am Kurfürstlichen Hofe gegen ein so un=
gewöhnlich hartes Verfahren äußerte, beschwichtigte der Hofjude dann
noch persönlich mit dem Versprechen: es würden sich schon Mittel
finden, die Gläubiger Wulffs in Berlin zu befriedigen. So er=
füllte denn wirklich der Kurfürst den Wunsch seines Schützlings!
Am 15. November 1686 erhielt plötzlich Moses Wulff den Befehl,
binnen 24 Stunden mit all' den Seinigen die Hauptstadt zu ver=
lassen. Alle Interventionen beim Kurfürsten von seiten seiner
Gläubiger und selbst von seiten hochstehender Persönlichkeiten waren
vergebens. Jost Liebmann bestand auf seinem Willen, und so
mußte am anderen Tage Moses Wulff mit seinen Eltern, seiner
Gattin und zwei kleinen Kindern im härtesten Winter die Stadt
verlassen, in welche sie einstmals mit so großen Hoffnungen ein=

Moses; Michel Hirsch, der Vetter Jost Liebmanns; Levin Cohen; Ruben
Jeremias; Josua Marcus aus Sluzl; Josef Abraham, Petschierstecher;
Hena Salomon; Berend Wulff; Michael Abraham; Jüttel Schulhof, Frau
des Samuel und Schwiegermutter des Jost Liebmann, sowie des letzteren
Schwäger Anschel Schulhof, Aron Salomon und Jokel. Von den drei fun=
gierenden Rabbinen ist wohl Josef b. Chajim Kaddisch ein Sohn des sonst
unbekannten ersten Berliner Rabbiners Kossem, über welchen Landshuth
a. a. O. zu vergleichen ist, und vielleicht identisch mit dem Cat. Bodl. Nr. 5859,
20, 5986 u. 6059 erwähnten, wodurch auch das Dunkel über dem Vater
sich lichten würde.

gezogen waren. Zugleich ſollten auch ſein Hab und Gut beſchlag= nahmt, und von dem Erlös ſeine Hauptſchulden zurückgezahlt werden. Wieder waren die Enkelkinder des Moſes Jſſerles ohne Haus und Heim, wieder einmal flüchtig hinausgetrieben in die Ver= bannung. Aber die Verfolger waren nicht die rohen Horden der Koſaken, ſondern erbarmungslos und hartherzig die eigenen Glaubensbrüder!

Jente, Schwester Moses   Rahel Sara   Brendel, Vater Moses
Mendelsohns.   Wahl.   Mendelsohns.

Zu S. 119.

43

II. Abschnitt.

Der Hoffaktor Moses Benjamin Wulff.

1.

Wohin? Aus der Verzweiflung dieser Frage, in welche die flüchtige Familie Wulff der unabänderliche Wille eines mächtigen Herrschers gestürzt hatte, erlöste sie die Güte und der Edelsinn eines anderen. Johann Georg II., der tapfere Fürst von Anhalt-Dessau, der Vater des berühmten Fürsten Leopold, des alten Dessauers, bot den von seinem Schwager, dem großen Kurfürsten, ausgewiesenen Unglücklichen eine neue Heimat in seiner Residenzstadt Dessau[1]. Auch Johann Georg hatte seit einem Jahrzehnt den Juden die Thore seiner Hauptstadt geöffnet[2]. Aber er war hierin weniger dem Beispiel seines Schwagers, als vielmehr demjenigen seines verstorbenen Vaters Johann Casimir gefolgt, welcher bereits 1621 Juden in Dessau aufgenommen hatte, die jedoch durch die für Anhalt ganz besonders empfindlichen Drangsale des dreißigjährigen Krieges wieder vertrieben worden waren. Seitdem sich aber mit Erlaubnis des Fürsten am 17. Februar 1672 von neuem die ersten jüdischen Ansiedler in der Residenz niedergelassen, hatte sich bereits, teils aus deutschen Wanderern, teils aus polnischen Flüchtlingen eine kleine Gemeinde in Dessau entwickelt, die späterhin schnell an Zahl wie an Bedeutung zunahm. Hierhin strebten auch die aus Berlin getriebenen Angehörigen des Moses Wulff. In seiner Not hatte sich dieser an den anhaltischen Fürsten gewendet, der als brandenburgischer

---

[1] Zur Geschichte der Anhalt. Fürsten vergl. vor allem Becmann, Historie des Fürstent. Anhalt 1710 und die Ergänzungen durch Lenz, Histor.-Genealog. Fürstellung d. Hauses Anhalt 1757; zur Geschichte Dessaus: Würdig, Chronik d. Stadt Dessau, 1876.

[2] Staatsarchiv zu Zerbst, Akta Abt. Dessau, C. 15, Nr. 28.

Feldmarschall und vertrautester Freund des großen Kurfürsten sehr
oft in Berlin weilte, und bereitwilligst erhörte Johann Georg die
ihm vorgetragene Bitte um Schutz, welche durch einflußreiche
Empfehlungen noch unterstützt ward. Und diese waren vielleicht
nicht überflüssig; denn selbst hierher verfolgte Wulff noch der Haß
seines mächtigen Gegners. Jost Liebmann richtete, als er erfuhr,
was vorging, sofort in gereiztem Tone ein Schreiben an den
Fürsten mit dem dringenden Ersuchen, seinem Feinde den erbetenen
Schutz zu versagen: „Moses Wulff sei sein Mörder, der ihm nach-
gestanden: sein Vater sei in Pohlen catolesch gewesen und habe
dieses Land um über 25000 Thaler betrogen, und der Fürst solle
doch ihm (Jost) den Schimpf nicht anthun, eine solche Canalio in
seinen Schutz zu nehmen" [1]. Aber hier prallten alle vergifteten
Pfeile der Verläumdung wirkungslos ab. Johann Georg nahm
Moses Wulff nicht nur in Dessau auf, sondern noch mehr: der
Fürst und seine ganze Familie übertrugen ihm bald ihr vollstes
und weitgehendstes Vertrauen, eine gute That, welche sie niemals
zu bereuen hatten. Der Dank, welchen der Flüchtling mit den
Seinen dem Anhaltischen Fürstenhause für die Rettung aus
Feindeshaß und Not schuldete, setzte sich in unentwegte Treue bis
zum Tode um!

Moses Benjamin Wulff oder, wie ihn seine Glaubensbrüder
fortan nannten, Moses Dessau, nahm am Fürstenhofe seiner
neuen Heimat die Stellung eines Hoffaktors oder Hofagenten
ein. Als solcher war er der geschäftliche Ratgeber der fürstlichen
Familie in sämtlichen engeren und weiteren finanziellen Ange
legenheiten, und natürlich mußte dieses Amt, wenn es in ehrlichen
und fleckenlosen Händen lag, zu einer Vertrauensstellung intimster
Art führen. Wenn Moses Wulff trotz aller Anfeindungen von
seiten einstiger und späterer Feinde eine solche Vertrauensstellung
sich zu erwerben und zeitlebens zu erhalten vermochte, so beweist
das am besten, daß auch in ihm der edle Charakter seines Urahnen

---

[1] A.-Zerbst, A. 19 Nr. 15.

Moses Isserles nicht erloschen, daß sein Denken und Thun rein und makellos war. Mehr als vier Jahrzehnte hindurch ging der Hoffaktor, selbst in die wichtigsten Geheimnisse eingeweiht, am Fürstenhof zu Dessau ein und aus. Nicht nur sein erster Beschützer Johann Georg, nicht nur dessen Gattin und Nachfolgerin in der Regierung, die edle Henriette Katharina von Oranien, selbst der beiden Sohn, der rauhe, rücksichts- und zügellose Haudegen Fürst Leopold, erwies Moses Wulff eine unerschütterliche, oft den ergreifendsten Ausdruck findende Huld und Gunst; ja in allen widrigen Schicksalsverkettungen, welche das Leben des Hofagenten auch später noch verbittern sollten, scheute sich der unerschrockene Kriegsheld, hinter dessen rauher Schale ein so guter Kern steckte, niemals, mit unnachgiebiger Zähigkeit und Festigkeit das gute Recht seines treuen Dieners gegen eine Welt von Feinden zu verteidigen, — wenn es auch das Recht eines Juden war, für welches er kämpfte!

Ein erschöpfender Überblick über die zahllosen Aufträge, welche Moses Benjamin für das fürstliche Haus erledigen mußte, und von denen die meisten wohl auf mündlichen Besprechungen und Vereinbarungen beruhten, läßt sich erklärlicherweise heute nicht mehr geben; nur einige Punkte, welche allgemeinere Interessen betrafen, seien hervorgehoben. Ein Hauptaugenmerk des Hoffaktors war von Anfang an auf das Münzwesen des Landes gerichtet. Schon Johann Casimir hatte 1621, als im ganzen Lande infolge der Einfuhr schlechten Geldes die größte Unordnung herrschte, durch Herberufung der Juden eine Besserung der eingerissenen Verwirrung angestrebt[1]; er erteilte ihnen damals Schutz- und

---

[1] Über die Münzverhältnisse des Landes s. Beemann a. a. O. IV, Cap. VII, S. 551 ff. Darnach wurde 1623 durch Vergleich zwischen den Anhalt. Fürsten die Münze sogar von Zerbst nach Dessau verlegt. Im Jahre darauf wurde jedoch der Vergleich dahin abgeändert, daß man den jeweilig bequemsten Ort als Münzstätte bestimmen wollte. Über das Münzhaus in Dessau s. Würdig a. a. O., S. 425.

Niederlassungsbriefe[1] „behufs Behausung und Fortsetzung unserer angelegten Münzen" oder, wie es an anderer Stelle des Privilegiums hieß, „zu besserer Fortsetzung des Silberkaufs und zu anderweitiger Erlangung harter Reichsthalerstücke", wobei ihnen angesagt wurde, daß sie nur für die fürstliche Münze Geld schaffen, keines außer Landes bringen und die Ausfuhr durch andere zur Anzeige bringen sollten. Die Wirren des dreißigjährigen Krieges trugen zur Besserung der Münzverhältnisse kaum bei. Neue, gute Münzen mußten nach seiner Beendigung in großer Zahl geprägt werden, und es waren solche auch im selben Jahre, in welchem Wulff sich in Dessau niederließ, erst wieder geschlagen worden. 1692 gab die Münze von neuem frische Thalerstücke aus, und zu Anfang des Jahres 1693 verhandelte der Hoffaktor mit seinem Herrn, welcher in Berlin gerade sich aufhielt, von Dessau aus schriftlich über die Herbeischaffung von Geldmitteln, um die Münze nochmals in Gang zu bringen. Durch die Vermittlung seines Schwiegervaters Berend Wulff waren die benötigten 10000 Thaler in Berlin aufgetrieben worden, und Moses schlug in einem besonderen Schreiben[2], dessen Inhalt für andere geheim bleiben sollte, dem Fürsten vor: die Münzung zwar ganz ebenso wie in Churbrandenburg vorzunehmen, aber, da die Dessauer Münze doch nicht so im Gange sei, einen Groschen mehr als dort für die Mark eingelieferten Silbers, nämlich 11 Thaler und 19 Groschen, zu geben. Zu weiteren Verhandlungen sollte ein Regierungsbeamter, der Kommissionsrat Müller, nach Berlin reisen. Offenbar kam die Sache auch zu stande; ja Wulff brachte es soweit, daß die kleinen Dessanischen Zweidrittel-Münzen, wie sie schon 1686 geprägt worden waren[3], in ganz Chursachsen als gültig anerkannt

---

[1] A.-Zerbst, C. 15 Nr. 28. —

[2] A.-Zerbst, A. 19 Nr. 15.

[3] Beckmann a. a. O., IV S. 58.

wurden, wofür er felber dergleichen Münzen ohne jede Schlägel=
fchaßabgabe[1]) an den Staat ausmünzen durfte[2]).

Auch um feine neue Vaterstadt erwarb fich Mofes Wulff ein
Verdienst befonderer Art. Deffau verdankt dem Hoffaktor feit
dem Herbst des Jahres 1692 die erste Einrichtung einer eigenen
Post, welche im Anschluß an die Berliner Posten nach einer Ab=
machung mit den übrigen Anhaltifchen Fürsten als „Fürstl. Anhalt
Land= und Postkutfche" das ganze Land bis nach Halberstadt hindurch=
fuhr und fo den weiteren Verkehr in fchäßbarer Weise vermittelte[3]).

Zu Anfang des folgenden Jahres 1693 richtete Mofes Wulff
ein Neujahrs=Glückwunschfchreiben an feinen Herrn, in welchem er
zugleich die Bitte ausfprach: der Fürst möge auch fernerhin fich
ruhig auf ihn verlaffen; denn all` feine Arbeit ziele nur dahin,
dem hochfürstlichen Dienst willig und redlich vorzustehen und deffen
Nußen aufs heiligste und beste zu befördern[4]). Es waren nicht
leere Worte; denn als Johann Georg II. im Herbst (17. August)
verstarb, übernahm auch feine Gattin gerne die treuen Dienste des
bisherigen Hoffaktors. Henriette Katharina führte einstweilen
für ihren unmündigen Sohn Leopold die Regentschaft und fchickte
diefen noch im felben Jahre auf Reisen, nicht nur um feinen Geist
zu bilden, fondern auch in der stillen Hoffnung, durch folche
Trennung feine Liebe zu Anna Louise Föhfe zu ersticken. Um
die Reise möglich zu machen, mußte vor allem Mofes Wulff an=
treten. Auf feinen Kredit hin durchzog Leopold zwei Jahre lang
Italien, und als er, kaum zurückgekehrt, voll kriegerischer Lust nach
Holland eilte, um dort zur Abwehr der französischen Raubzüge
zum erstenmal Felddienst zu leisten, war es wiederum der bewährte

---

[1]) Schlägel= oder Schlagfaß ist der Überschuß des Zahlwertes einer
Münze über ihren Metallwert einschließlich der Herstellungskosten. S. die
ausführlichen Abhandlungen über das alte Münzwesen in Kräniß-Floerke,
ökonom.=technolog. Encyklopädie, Teil 97, S. 611 ff.

[2]) Aus einer Anklagefchrift Gothas gegen Wulff (f. weiter S. 78):
Gründl. Vorstell= und Darthuung ufw. (o. O. u. J.), S. 31.

[3]) Würdig a. a. O., S. 365 f. u. 391 Nr. 22.

[4]) A.=Zerbst, a. a. O.

Eifer des treuen Hoffaktors, der auch die Mittel zu diesen Campagnen aufzutreiben wußte[1]. Aber auch für Wulff selbst hatte das ihm geschenkte Vertrauen die ersprießlichsten Folgen. In diesen wenigen Jahren seit dem Berliner Zusammenbruch hatte er sich wieder zu solchem Ansehen erhoben, daß sein Kredit, wie er selber stolz hervorhebt[2], nach weit und breit, nach Rom, Venedig, Paris, nach ganz England, Holland und Brabant sich erstreckte. Eine so glückliche Wendung seines Geschicks verdankte er nur der Gunst des Dessauer Fürstenhauses, in dessen Auftrag er Geschäfte mit allen Anhalt befreundeten Höfen abzuwickeln hatte, vornehme Verbindungen, welche natürlich schnell zum Wieder aufblühen des Hauses Wulff beitrugen. Nicht nur die nahen Höfe zu Cöthen und Zerbst, an welch' letzterem er dem Erbprinzen Johann August den Antritt seiner großen Reise 1697[3] ebenfalls ermöglichte[4], lernten den rührigen Hoffaktor schätzen; er war auch so glücklich, schon 1687, im Jahre nach seiner Niederlassung in Dessau, dem Kurfürsten von Sachsen, Johann Georg III., Dienste leisten zu können[5]. Das einmal gewonnene Vertrauen übertrug sich hier gleichfalls auf die Thronfolger: so lange er lebte, genoß Moses Wulff, so uneingeschränkt wie zu Dessau, die Huld des sächsischen Kurfürstlichen Hauses, vor allem diejenige des Kurfürsten und Polenkönigs Friedrich August des Starken, — ungeachtet des konkurrierenden, noch größeren Einflusses, den Berend Lehmann aus Halberstadt[6], der polnische Resident,

---

[1] Schreiben des Fürsten Leopold an den Kurfürsten von Brandenburg vom 27. August 1698, in d. Akten d. Geh. Staatsarchivs Berlin, R. XXI. Nr. 203.

[2] Verteidigungsschrift Wulffs gegen Gotha (s. später Abschnitt III, 1): Kurßer u. wahrhafter Entwurff u. s. w. S. 33.

[3] Becmann a. a. O. V, S. 428 f.

[4] Kurßer und wahrhafter Entwurff u. s. w., a a. O. S. 34.

[5] Verteidigungsschrift Wulffs gegen Gotha a. d. J. 1717 (s. weiter Abschnitt III, 3), Einleitung.

[6] S. über ihn Lehmann E. a. a. O., Auerbach, a. a. O. und Zum Jubiläum a. m. St.

dortselbst besaß. Die Gunst der sächsischen Herrscher war für den Hoffaktor von ganz besonderer Bedeutung. Der ihm von Johann Georg IV. „wegen erwiesener Treue" ausgefertigte und von Friedrich August bestätigte Freipaß[1] öffnete Wulff bei völliger Befreiung von jedem Leibzoll den ungestörten Handelsverkehr für ganz Sachsen und insbesondere für die Leipziger Messen, auf denen sein Haus denn auch ständig, anfangs durch ihn selber, dann durch Frau, Sohn, Schwiegersöhne oder andere Beauftragte vertreten ist.

Unter so außerordentlich günstigen Verhältnissen wagte Moses Wulff sogar eine Verständigung mit Berlin wieder zu suchen. Er bat, daß ihm doch wenigstens die Durchreise durch Brandenburg gestattet werde. Das geschah[2], mehr aber nicht! Im Gegenteil, es wurde ihm streng jeder Handel im Lande untersagt: Berlin selber sollte er im Bannkreis von zehn Meilen fernbleiben und ebenso, wenn das Kurfürstliche Hoflager außerhalb der Hauptstadt aufgeschlagen sei, sich in der respektablen Entfernung einiger Meilen von diesem halten. So groß war noch immer und jetzt erst recht die Furcht Jost Liebmanns vor seinem alten Widersacher! Aber Moses Wulff ließ sich nicht einschüchtern; er hoffte, durch häufige Streiche auch diesen Baum des Widerstandes noch zu fällen, und die Ironie des wohlverdienten Strafgerichtes fügte es, daß Jost Liebmann selber es war, der — sehr gegen seinen Willen — dem einst so erbarmungslos Vertriebenen zur Rückkehr nach Berlin verhalf. Jost Liebmann hatte nämlich, wie berichtet, die Ausweisung Wulffs durch das Versprechen erwirkt, für die Befriedigung der Gläubiger seines Feindes Sorge tragen zu wollen, und er suchte, vom Kurfürsten ermahnt, dies Versprechen nach Möglichkeit durch Einziehung der Wulffschen Außenstände und durch den Verkauf des in Berlin zurückgebliebenen Besitztums zu erfüllen. Die für die Wulffsche Schuldsache eingesetzte Rechtskommission konnte damit zwar nur einen Teil der Gläubiger befriedigen, aber Jost Liebmann hielt seine Pflicht für

---

[1] Kurtzer u. wahrf. Entwurff S. 34 und A.-Leipzig, LI, 4.

[2] A.-Berlin, R. XXI Nr. 203 (ebenso alles folgende), d. 11. Okt. 1688.

gethan. Doch die noch nicht abgefundenen Gläubiger nahmen sein
Versprechen viel ernster; sie verlangten, daß Jost Liebmann selbst
für den Ausfall eintreten solle, und Wulff unterstützte sie natürlich
schadenfroh in ihren Forderungen, welche zuletzt auf die Drohung
hinausliefen: Zahlung durch Liebmann oder Rückkehr Wulffs.
Ganz besonders war es die schon erwähnte Familie des Generals
du Hamel, welche jetzt entschieden für die Rückberufung des
Dessauer Hofagenten eintrat und ihren Wunsch dem Kurfürsten
Friedrich, der seit dem Tode seines Vaters (1688) die Regierung
übernommen hatte, direkt unterbreitete. In der Vertrauensstellung,
welche Jost Liebmann bei dem neuen Herrscher erst recht einnahm,
glaubte jener, solche Zumutungen einfach ignorieren zu dürfen.
Aber er hatte sich getäuscht: er wurde von seinem Fürsten ermahnt (16. April 1691), für die Rückzahlung der Hamelschen
Schuld zu sorgen, falls nicht Wulff wieder zurückberufen werden
sollte, und da diese Mahnung sich als fruchtlos erwies, so erhielt
Moses Wulff wirklich 1692 zum erstenmal für alle Geschäfte,
welche er im Auftrag des Hofes zu Dessau, besonders in Münz-
angelegenheiten, im Brandenburgischen zu erledigen hatte, einen
uneingeschränkten Reisepaß, welcher ihm auf sein Ersuchen auch
gegen Ende des folgenden Jahres ohne Anstand erneuert wurde.
Aber es sollte noch ganz anders kommen! Infolge eines neuen
Gesuches des Generals du Hamel an den Kurfürsten drohte die
Regierung Jost Liebmann an (12. Mai 1694), Wulff werde selbst
für Berlin sicheres Geleit erhalten, um seine Gläubiger zu bezahlen; ja in einer zweiten Verfügung (11. Juni 1694), welche
über seine Gegenvorstellungen achtlos hinwegging, wurde ihm
sogar persönliche Exekution angesagt, falls er nicht die Schuld an
den General berichtige. Das war Jost Liebmann denn doch zu viel!
In einem erregten Schreiben, in welchem sein unversöhnlicher Haß
gegen die ganze Wulffsche Familie unverhohlen nochmals Ausdruck
fand, erhob er entschieden Protest gegen ein solches Verfahren und verwies die Schuldforderung dorthin, wohin sie gehöre, an seinen Feind
Wulff, der ja jetzt „auf verbotenen Wegen" zu genug Geld gekommen

sei, um seine Schulden zu bezahlen. Doch der Protest war vergeblich, und als Jost auch gegen die erneute Verfügung (22. Juli) wiederum Einspruch erhob, bedeutete ihm die Regierung (10. Aug.), daß die Exekution unfehlbar nach Ablauf von acht Tagen vor sich gehen würde, falls nicht bis dahin geeignete Vorschläge von ihm eingelaufen seien.

Man kann nicht behaupten, daß in dem Streite zwischen Liebmann und Wulff jene idealen Grundsätze uneingeschränkter Menschen= und Bruderliebe zum Ausdruck gekommen wären, welche das Judentum schon seit den Tagen Moses seinen Bekennern zur religiösen Pflicht macht. Im Verhalten Jost Liebmanns gewiß nicht! Aber die erbärmliche Handlungsweise, die er jetzt beging, setzte allem die Krone auf. Er war selbst in die Grube gestürzt, welche er seinem Feinde gegraben hatte; er hatte Wulffs Austreibung durchgesetzt, nun sollte er für dessen Schulden haften. Der Pfeil, den er abgeschossen hatte, war auf seinen eigenen Körper zurückgeprallt, und um ihn möglichst schmerzlos aus der Wunde zu ziehen, unterbreitete Jost dem Kurfürsten den gemeinen Vorschlag, die ganze Judenschaft Berlins mit der restierenden Schuld seines Feindes zu belasten und dem Rabbi deshalb anzubefehlen, eine Übersicht über das Vermögen der Gemeindemitglieder nach seiner Schätzung einzureichen. Wirklich ging dem Rabbi ein Kurfürstlicher Erlaß (21. Aug. 1694) zu, die Judenschaft habe die noch fehlenden 800 Thaler innerhalb 14 Tagen aufzubringen. Als Begründung wurde angeführt: bei dem seinerzeit gegebenen Versprechen, daß die Wulffschen Gläubiger befriedigt werden sollten, sei die Meinung gewesen, die Judenschaft insgesamt werde die Gelder aufbringen! Wie kümmerlich der Regierung selber dieser Grund erschien, geht daraus hervor, daß sie sich zur ausdrücklichen Versicherung bemüßigt sieht: das solle kein Präcedenzfall sein, und nicht etwa fortan einer für den andern bezahlen brauchen[1]. Das unbillige Ansinnen versetzte den alten

---

[1] Über die spätere Haftbarkeit der ganzen Gemeinde bei Diebstählen s. Geiger II, 108 f.

und ehrwürdigen Rabbi Schemaja in die größte Verlegenheit, die
vielleicht von Jost Liebmann beabsichtigt war, da er längst nach
einem Vorwand suchte, seinem Neffen und Schwiegersohn R.
Ahron das Berliner Rabbinat zu verschaffen[1]). In der Gemeinde
selbst aber rief es einen Sturm der Entrüstung hervor. Waren
sie alle auch nur geduldet, ein so schreiendes Unrecht brauchten
und wollten sie sich nicht ohne weiteres gefallen lassen. In einer
Eingabe an den Kurfürsten (3. Sept.) erklärte „die sämbtliche
Judenschafft hiesiger churf. Residentz Städte", daß der Rabbi mit
Geldangelegenheiten sonst nichts zu thun habe und diesmal noch
viel weniger, da „die ganze Sache von Jost Liebmann nur so
gedreht worden sei, um seine ungerechten Händel darunter durch-
zutreiben". Traurig genug für die damaligen Rechtsverhältnisse
der Juden, daß alle ihre Vorstellungen ohne Erfolg blieben! Nur
das eine konnten sie, nachdem noch mehrere dringende Erlasse
ergangen waren (14. Sept. und 1. Okt.), durchsetzen, daß die von
ihnen aufzubringende Summe auf die Hälfte herabgesetzt wurde
(29. Oktober). Jost Liebmann sollte „erheblicher Ursachen halber"
bei der Repartition ausgeschlossen sein; die Regierung hatte ihm
in besonderer Verfügung 200 Thaler als seinen Anteil bereits
auferlegt, so daß er wenigstens nicht ganz straflos ausging. Die
größte Strafe aber für ihn war, daß nunmehr sein alter Feind
doch wieder nach Berlin kam. Durch Vermittlung seines Herrn,
des Fürsten Leopold, der in seinem Schreiben an den Kurfürsten
rühmend die Verdienste des Hoffaktors hervorhob (27. Aug. 1698),
erlangte Moses Wulff 1698 einen Generalpaß, auf Grund dessen
er sich völlig frei und ungehindert — auch zu eigenen Geschäften
— wieder in Berlin aufhalten durfte. Jost Liebmann weilte
gerade in Holland, und als er bei seiner Rückkehr von alledem
erfuhr, war seine Entrüstung grenzenlos. Er ließ alle Minen
springen, um Wulff wieder aus der Hauptstadt zu bringen, und,
da er jetzt, wo die geschäftlichen Verhältnisse seines Feindes wieder

---

[1]) S. über beide Rabbinen Landshuth S. 4 u. 6.

geordnet waren, keine sachlichen Gründe mehr vorbringen konnte,
so verlegte er sich aufs Bitten (25. Okt. und 30. Novbr. 1698):
man sollte doch Rücksicht darauf nehmen, daß er 43 Jahre
lang dem kurfürstl. Hause solch' treue Dienste geleistet habe, und
ihn nicht jetzt in seinem Alter ruinieren lassen; denn Wulff
strebe nur darnach, ihn um Leben und Kredit zu bringen.
Seine Frau — sie stand bei Friedrich bekanntlich in ganz be=
sonderer Gunst[1]) — liege vor Herzeleid zu Tode krank; was solle
aus ihm werden, wenn sie stürbe und ihn mit seinen vierzehn
unerzogenen Kindern zurückließe! Das Jammern Jost Liebmanns
trug noch einmal den Sieg davon. Der Kurfürst ließ den aus=
gestellten Paß Wulffs dahin berichtigen, daß er für alle preußischen
Provinzen gelten solle mit Ausnahme Brandenburgs und speziell
Berlins. Dabei blieb es zunächst. Selbst ein erneutes Schreiben
des Fürsten Leopold (5. Dezember 1698) hatte keinen Erfolg,
obwohl er darin, um Liebmanns Furcht vor Wolff zu beruhigen,
sich höchstselber zur Stellung einer Sicherheit und Kaution anbot.
Jost protestierte entschieden; denn Wulff sei nichts weiter als ein
heimlicher Abgesandter Berend Lehmanns, die beide ihn mit allen
Mitteln vernichten möchten. So lehnte denn der Kurfürst unter
lebhaftem Bedauern die Bitte Leopolds ab (17. Dezember), und
Jost überbrachte, um ganz zu sicher zu gehen, persönlich die ab=
lehnende Antwort nach Dessau. Aber lange sollte seine Sieges=
freude nicht andauern. Was Fürst Leopold nicht erreicht hatte,
das setzte im folgenden Jahre (8. September 1699) seine Mutter
Henriette Katharina, die Tante des preußischen Herrschers,
durch; Wulff erhielt am 1. November 1699 seinen Geleitsbrief für
Brandenburg und Berlin unter der ausdrücklichen Versicherung
des Schutzes gegen alle etwa noch vorhandenen Gläubigerforderungen
und in den folgenden Jahren auch immer wieder die Erneuerung
desselben mit nachdrücklicher Aufhebung der früheren Einschränkungen
(20. Juli 1700 und 27. Juli 1703). In innigen Worten dankte

---

[1]) S. Geiger I, S. 20.

der Hoffaktor dem Kurfürsten, daß er der Unschuld zum
endlichen Siege verholfen habe (daf., ohne Datum), und versprach
ihm jederzeit die treuesten Dienste, zu deren Beweis er sofort
Getreide aus Sachsen in Brandenburg einführen, vor allem aber
den Handel der durch Gründung der Universität so rasch an-
gewachsenen Stadt Halle nach Kräften heben wolle. Jost Liebmann
aber überlebte die wohlverdiente Strafe nicht lange; er starb am
20. Januar 1702, zu einer Zeit, in welcher der von ihm einst in
das Elend hinausgetriebene Feind auf der Höhe seines Ruhmes
und Glückes stand.

2.

Fürst Leopold, „der alte Dessauer", war es, unter dessen
Regierungszeit Moses Benjamin Wulff jenen Höhepunkt seines
Ansehens erklomm. Fürst Leopold[1]) hatte am 13. Mai 1698 die
Herrschaft aus den Händen seiner Mutter und Stellvertreterin übernommen, und damit begann für Wulff erst recht eine Zeit an-
gestrengten, aber auch ersprießlichen Schaffens im Dienste seines
Herrn. Galt es doch nicht allein für den tapferen Kriegshelden
zu arbeiten, welcher draußen an den großen Feldzügen gegen die
Franzosen als sieggekrönter Feldherr teilnahm, sondern auch die
Wünsche des unermüdlich sorgenden Landesvaters erfüllen zu
helfen, der für die Hebung seines Reiches fortwährend neue und
weittragende Pläne ausdachte. Überall mußte Wulff mit Hand
anlegen. Sein Herrscher, der selber die Rechenkunst für eine ebensolche Machtkunst hielt wie die der Waffen[2]), wußte genau, welche
unschätzbare Kraft für die gewissenhafte Erledigung aller geschäftlichen, besonders aller finanziellen Angelegenheiten sein getreuer

---

[1]) Zur Charakteristik des Fürsten Leopold f. die Biographie von Varnhagen von Ense, sowie die Abhdlg. von Siebigk in A. D. B. XVIII, 1883;
für seine Thätigkeit im Lande selbst bietet auch die Schrift: Fürst Leopold I.
von Anhalt und seine Söhne, ein Beitrag zur Fortsetzung der Landes-
Chronik, Dessau 1852, zahlreiches Material.
[2]) Nach Varnhagen Worte eines älteren Biographen.

Hoffaktor ihm bot, und zahllose noch erhaltene Briefe Wulffs[1]) an den Fürsten, die Regierung und einzelne Persönlichkeiten zeugen von den verschiedenartigsten Aufträgen, welche er in deren Namen auszuführen hatte. Bald sind es Verhandlungen mit anderen Höfen, von welchen in diesen Briefen die Rede ist, bald Berichte über allgemeine politische oder interne höfische Ereignisse; hier handelt es sich um Beschaffung des Hofstaats, dort um Besorgung von Quartiergeldern, Löhnen und Ausrüstungsgegen= ständen — selbst Kanonen — für das fürstliche Regiment, dann wieder um andere geschäftliche Unternehmungen: Verpachtung von fürstlichen Gütern, Verkauf und Flößerei des Holzes aus den fürstlichen Forsten, Erhebung des Elbzolles[2]), Ankauf von Jagden, Liegenschaften und Bergwerken, besonders von Salzbergwerken, an welchen es dem Lande fehlte[3]), Vertretung in den zahlreichen Prozessen, die Leopold zu führen hatte, und was dergleichen mehr war. Zahllos waren die Reisen, welche der Hoffaktor all' dieser Aufträge halber zu unternehmen hatte, und gar oft mußte er im Gefolge des Fürsten selber diesen auf seinen Wegen begleiten. Aber auch in weitergehende und wichtigere Angelegenheiten weihte ihn das Vertrauen seines Gebieters ein, und selbst am Kaiserlichen Hofe zu Wien konnte Wulff fördernd in die mit Anhalt schwebenden Verhandlungen eingreifen, weil er zu den dortigen angesehenen Kaiserlichen Hofjuden in engen Beziehungen stand und selber, wie es sich später zeigen wird, gar manches Jahr in eigener Sache in der Kaiserlichen Hauptstadt sich aufhalten mußte. So war er bei den streng vertraulichen Unterhandlungen mit thätig[4]), welche dazu

---

[1]) A.=Zerbst, besonders in A 19 Nr. 15.

[2]) Er und sein Sohn waren öfters Pächter des Elbzolles; s. weiter Ab= schnitt IV, 2.

[3]) Würdig a. a. O. S. 497 f. Das Verständnis des dort veröffentlichten Edikts ergänzt ein Brief der Pächter der Salzkasse 1712 an Wulff, in welchem jene klagen: in Dessau hätten nur die Armen und die Juden das meiste Salz verbraucht, die Vornehmen und Bemittelten aber nichts (in A. == Zerbst, A. 19 Nr. 15).

[4]) S. weiter S. 70.

Freudenthal, Aus der Heimat Mendelssohns.   4

führten, daß Leopolds vielgeliebte Gattin Anna Louiſe durch
Kaiſerliche Urkunde 1701 in den Reichsfürſtenſtand erhoben, und
ihre Nachkommen für erbfolgeberechtigt erklärt wurden. Nicht
minder nützlich waren ſeine Bemühungen in dem zwiſchen den
Anhaltiſchen Fürſten ausgebrochenen Senioratsſtreit[1]), welcher
gerade in die Zeit ſeines häufigeren Aufenthalts in Wien fiel und
am 10. Januar 1725 mit der Reichsbelehnung des Fürſten Leopold
über ganz Anhalt abſchloß, in welche 1728 auch das ſäkulariſierte
Stift Gernrode zum erſtenmal eingeſchloſſen wurde.

Aber mehr noch als der Inhalt der Wulffſchen Briefe giebt
der in ihnen herrſchende Ton von den engen Beziehungen Kunde,
welche zwiſchen dem Fürſten und ſeinem Hoffaktor beſtanden; es
füllt ſie eine bei aller ehrerbietigen, äußeren Form doch aus vollem
und aufrichtigem Herzen ſtrömende Vertraulichkeit, die ſogar in
die internſten Familienvorgänge teilnehmend eingreift. Es braucht
hierbei nicht erſt noch beſonders hervorgehoben zu werden, daß
auch die Gattin Leopolds, die edle und kluge Anna Louiſe, die
Wertſchätzung teilte, welche Wulff beim Fürſten genoß; war ſie es
doch, welche in der Abweſenheit des Gatten deſſen Pläne für die
Wohlfahrt des Landes zur Ausführung bringen ſollte und die
Arbeitskraft des Hoffaktors am beſten hierbei kennen und würdigen
durfte. Nur einige kleine Züge aus den Wulffſchen Briefen mögen
auch von jener familiären Vertraulichkeit ſprechen, welche der
Stellung des Hoffaktors zu Deſſau ein ſo glänzendes Relief gibt.
Dem Fürſten wird 1709, während er in den Niederlanden weilt,
in Deſſau eine Tochter geboren, ſeine ſpätere Lieblingstochter
Louiſe[2]); Wulff wünſcht ein paar Tage darauf dem hohen Vater

---

[1]) S. Lenz a. a. O. S. 464 u. 755 f. Nach dem Ableben des Fürſten Karl
Wilhelm von Anhalt-Bernburg, des bisherigen Seniors des ganzen
Landes, ging 1718 das Seniorat auf deſſen Sohn Karl Friedrich über, wurde
dieſem jedoch vom Fürſten Johann Adolph von Anhalt-Zerbſt beſtritten.
Karl Friedrich ſtarb ſchon 1722, worauf Fürſt Leopold von Deſſau das
Seniorat beanſpruchte und auch erhielt.

[2]) Geb. 21. Aug. 1709, geſt. 29. Juli 1732 als Gemahlin des Fürſten
Viktor Friedrich von Bernburg.

in einem Schreiben mannigfachen, politischen Inhaltes Glück zur
Geburt der Prinzessin und meldet: die Fürstin, die neugeborene
Tochter und die übrigen Kinder seien gesund; die junge Prinzessin
„sei ein Anbelick wie prince Eyenus[1])!" Ganz ebenso setzt Wulff
den Fürsten von seinen eigenen Familienverhältnissen in Kenntnis.
Er entschuldigt sich 1711, daß er nicht eher geantwortet: „weil
der Allerhöchste mich abermahl heimgesuchet und mit ein Haus
Kreitz beleget mit absterbung meiner jüngsten Tochter[2]), die ich
vor ein Jahr verheiratet gehabet, Gott hatt gegeben, auch wider
genommen, gelobet sey Gott von nun an bis in die Ewigkeit!"
Und als der Hoffaktor 1710 länger in Wien verweilt, besucht die
Fürstin mit ihren Kindern und ihrer Schwägerin, der Herzogin
von Radzivil[3]), einige Zeit nach seiner Abreise die Gattin Wulffs,
um sie und die Kinder über die Abwesenheit des Gatten und
Vaters zu trösten, eine rührende Äußerung fürstlicher Gunst und
Teilnahme, für welche Wulff von Wien aus sich in einem Geschäfts=
briefe an die Herrscherin mit einfachen Worten bedankt.

So sonnte sich der Hofjude in der herablassenden Huld,
welche der bärbeißige Dessauer Kriegsheld und seine ganze Familie
zeitlebens ihm erwies. Wie wohl diese Sonne that, das sollte er ganz
besonders im Schatten des dunklen Gewölks empfinden, hinter
welches sich die Gunst eines anderen Fürstenhauses zurückzog,
nachdem sie ihm gleichfalls eine Zeit hindurch freundlich gestrahlt
hatte! Seine Erfahrungen mit dem Fürstenhof zu Gotha sollten
ihm erweisen, daß die alte biblische Spruchweisheit[4]) noch immer
Beachtung verdiente: Im Licht des Königsangesichts ist Leben,

---

[1]) Prinz Friedrich Heinrich Eugen, geb. 27. Dezember. 1705, gest.
2. März 1781.

[2]) S. weiter Abschnitt IV, 2.

[3]) Maria Eleonora, eine Schwester des Fürsten Leopold, seit 1687
mit dem Herzog Georg Joseph von Radzivil zu Olycka, der in Biala
residierte, verheiratet, war seit 1689 Wittwe und hielt sich fast stets zu Dessau
auf, woselbst sie auch im Jahre 1756 verstarb. Sie wird späterhin noch
öfters erwähnt werden.

[4]) Sprüche Salomos XVI, 15 und 14.

4·

und sein Wohlwollen gleicht der Wolke des Spätregens. Aber —
der Grimm des Königs gleicht dem Todesengel, der kluge Mann
besänftigt ihn!

Friedrich I., Herzog zu Gotha und Altenburg[1]), hatte im
Jahre 1691 zum ersten Male die Dienste Wulffs in Anspruch
genommen, indem er ihm laut Kontrakt vom 28. April die Silber=
lieferung für die Gothaische Münze übertrug. Der Herzog ver=
fügte eigenhändig, daß hiefür vollwichtige Münzstücke zu dem im
sächsischen Kreise festgesetzten Metallwerte, sogenannte Kreisgelder,
ausgeprägt werden sollten; Wulff war für die Einlieferung des
Silbers wie für die Ausführung des Geldes von Zöllen befreit[2]).
Aber schon über dieser ersten Verbindung mit Gotha schwebte ein
Unstern. Am 2. August desselben Jahres noch starb Herzog
Friedrich ganz plötzlich und aus unaufgeklärten Ursachen auf seinem
Schlosse Friedrichswerth und hinterließ einen unmündigen Thron=
folger, für welchen erst eine Vormundschaft die Regierung führte,
bis er, durch kaiserliches Dekret für mündig erklärt, diese selber
als Friedrich II. am 3. Dezember 1693 übernahm. In jener
Übergangszeit mag es wohl geschehen sein, daß Wulff trotz Brief
und Siegel des verstorbenen Fürsten ohne sein Wissen gering=
haltigere Münzsorten erhielt, welche er in gutem Glauben als
vollgültige in Verkehr brachte[3]). Selbstverständlich haben seine
Feinde später diesen guten Glauben bestritten, ihm vielmehr die
volle Schuld für die in jenen Zeiten so übliche Geldkipperei auf=
geladen und dem von ihnen gehaßten Hoffaktor damit die bittersten
Ungelegenheiten bereitet. Am Gothaer Hofe galt der Jude jeden=
falls nicht als der schuldige Teil; wenigstens erneuerte Herzog
Friedrich II., der durch eigenes Dekret die schlechten Münzen im

---

[1]) Zur Biographie der Fürsten Friedrich I. und II. s. Beck A., Geschichte
d. Regenten des gothaischen Landes (Gotha 1868), S. 342 ff. und derselbe in
A. D. B. VIII (Lpzg. 1878).

[2]) Kurzer und wahrhafter Entwurff a. a. O., Beilage S. 1.

[3]) Das., Beilage S. 32.

Lande verboten hatte[1]), die von seinem Vater eröffneten Ver=
bindungen mit Wulff und ließ durch Vermittlung des Grafen
Alexander Hermann von Wartensleben, der seit 1691 Oberbefehls=
haber der vereinigten fürstl. sächsischen Truppen war[2]), im Jahre
1699 eine Anleihe von 10000 Thalern bei dem Dessauer Hof=
faktor aufnehmen. Das Geld war in jenen Zeiten rar; aber dem
Wulffschen Kredit gelang es trotzdem, den Wunsch des Fürsten zu
erfüllen. Hatte er doch kurz zuvor dem Hause Merseburg viel
höhere Summen vorgeschossen!

Hier führte seit Ende des Jahres 1694 Erdmuth Dorothea,
die Witwe des Herzogs Christian, die Vormundschaft für ihren
Sohn Moritz Wilhelm und hätte gerne ihrem Hause Sitz und
Stimme auf Reichs= und Kreistagen verschafft. Der Kurfürst
von Sachsen, Friedrich August, hatte sich auch bereit erklärt,
gegen eine einmalige Abfindungssumme von 100000 Thalern
diesem Wunsche nachzukommen, und so erhielt Wulff den Auftrag,
das Geld zu schaffen. Auf welcher finanziellen Höhe er damals
stand, beweist die Thatsache, daß er sofort — gegen Zusicherung
des Amtes Schkeuditz als Pfand — die Hälfte „in guten un=
abgesetzten Münzsorten" vorstrecken konnte. Die Bedingungen, unter
welchen die ganze Angelegenheit geregelt wurde, waren nicht nur
von der Herzogin, sondern auf Wunsch des Kurfürsten auch aus=
drücklich vom geistlichen Kapitel des Stiftes Merseburg ge=
nehmigt worden, und der Dessauer Hofagent wußte sich so sehr
aller Zufriedenheit zu erringen, daß er nach vollständiger Er=
ledigung der Sache nicht allein seine ausbedungene Provision,
sondern als Zeichen des Dankes noch ein Paar schwerer silberner
Armleuchter erhielt[3]).

War es denn da verwunderlich, daß ein Mann, ein Jude,
der überall so geachtet und geehrt wurde, der an den Höfen
der Fürsten aus= und einging, als ob er untrennbar zu ihnen

---

[1]) Beck A., Gesch. d. Regenten u. s. w., S. 376.
[2]) S. über ihn Poten B. in A. D. B. XLI (Lpzg. 1896).
[3]) Kurzer u. wahrh. Entw., Beilage S. 8 u. 30.

gehörte, der in diesen, den Intriguen und Kabalen weit geöffneten
Kreisen sich die Gunst der Herrscher zu erwerben und zu erhalten
wußte, war es verwunderlich, daß ein solcher Mann zahllose, heim=
liche Neider und Feinde besaß, und daß die Flammen des Hasses
bald hier, bald dort gegen ihn aufzüngelten? Kammerdiener und
Münzmeister, äußerte sich später Moses Mendelssohn[1]), sind zwei
Bedienungen am Hofe, die einem Juden selten viele Freunde ge=
winnen, und auch Moses Wulff sollten statt des einen Jost
Liebmann, den er besiegt, zahllose andere, viel schlimmere, weil
viel mächtigere, nichtjüdische Gegner stehen! Schon im Jahre 1700,
in demselben Jahre, in welchem er zum erstenmal wieder vom
Brandenburger Herrscherhause zu Dienstleistungen herangezogen
wurde, erschien (14. September) eine Verfügung des Kaisers an
den Herzog von Gotha, welche Wulffs Feinde erwirkt hatten, des
Inhalts[2]): 24000 Gulden, welche die Gothaer Rentkammer,
als zuständige oberste Finanzbehörde des Landes, an Wulff auf der
nächsten Leipziger Michaelismesse zurückzubezahlen hatte, sollten
als Strafe für die durch Lieferung geringhaltiger Münzen seiner=
zeit begangene Kontravention kassiert und mit Arrest belegt werden.
Irgend welche Beachtung fand freilich, wie gewöhnlich, der kaiser=
liche Befehl nicht, obwohl er zu Anfang des folgenden Jahres,
19. Januar 1701, erneuert wurde. Aber Wulff kannte die Quelle,
aus der er geflossen war, sehr gut; sie war nirgends anders als
am Hof zu Gotha selbst zu suchen, wo die wirklich Schuldigen,
welche damals die Geldkipperei ins Werk gesetzt hatten, alles von
sich auf ihn abzuwälzen und zugleich einen Keil in das Verhältnis
zwischen dem Herzog und dem Dessauer Hoffaktor zu treiben
suchten.

So schnell gelang ihnen das allerdings nicht; Wulff war
vielmehr auch in den beiden folgenden Jahren noch unausgesetzt
für Herzog Friedrich II. thätig. Gerade damals zu Beginn des

---

[1]) Vorrede z. „Rettung der Juden"; ges. Schriften III, 184.
[2]) Vorstellung Wulffs an den Reichshofrat 1707, Einleitung, und
kaufmännisches Gutachten u. s. w. 1710, Anhang.

18. Jahrhunderts waren die Geldverhältnisse im Reiche sehr traurige[1]). Die fortwährenden Kriegsunruhen lasteten schwer und zerrüttend auf Handel und Erwerb. Bares, gutes Geld war in Deutschland kaum aufzutreiben; selbst die fürstlichen Höfe mußten von außerhalb des Reiches, aus den großen fremdländischen Handels=centren, ihre Gelder beziehen und nicht nur ungeheuerliche Zinsen be=zahlen[2]), sondern auch große Wechselverluste tragen. Der Hof zu Gotha litt ganz besonders unter dieser allgemeinen Geldnot; seine Außenstände in Höhe von fast einer Million Thalern waren schwer einzutreiben, und die Prunksucht des jungen Fürsten, vor allem aber die kostspielige Erhaltung der zahlreichen Truppenmassen, legte dem Lande unerträgliche Lasten auf. Dazu kam noch, daß gerade jetzt die Vermählung der Prinzessin Johanna, der Schwester des Herzogs, mit dem Erbherzog Adolf Friedrich von Mecklenburg=Strelitz bevorstand, und die versprochene Mitgift beschafft werden mußte. Aus allen diesen Nöten sollte Wulff den Herzog befreien, und mit Erlaubnis seines Dienst= und Schutzherrn, des Fürsten Leopold, setzte denn auch wirklich der Dessauer Hofagent all' seinen Kredit auf den Messen und außerhalb derselben in Bewegung, um den Wünschen Gothas gerecht zu werden. Und Friedrich II. erwies sich nicht undankbar! Er sprach mündlich und schriftlich dem Hoffaktor seine höchste Anerkennung und Zufriedenheit aus; ja als die Gothaischen Herrschaften 1702 gelegentlich der Reise nach Strelitz die Dessauer Residenz berührten[3]), erwies zuerst die hohe Braut und dann der Herzog selbst mit seinem Hofstaat Wulff die Ehre, in dessen eigenem Hause Wohnung zu nehmen und unter

---

[1]) Das Folgende nach: Kurtzer u. wahrh. Entw. u. s. w., woselbst die Original=Briefe u. Patente wörtlich mit abgedruckt sind, und nach Vor=stellung Wulffs u. s. w. 1717.

[2]) 40% waren keine Seltenheit. August der Starke, der sehr viel Geld brauchte, mußte oft 50 bis 100% zahlen, wie Wulff berichtet, und die Fürsten durften selbst dann noch froh sein, wenn sie Geld erhielten.

[3]) Die Vermählung erfolgte am 21. Juni 1702, der Besuch zu Dessau am 15. Juni und den folgenden Tagen.

Überreichung von Geschenken wiederholt ihren Dank abzustatten. Wulff weilte gerade in Berlin; selbst dorthin richtete Johann Georg Gotter, der mit Regelung des Gothaischen Kreditwesens betraute herzogliche Kammerrat, nochmals einen Dankbrief im Namen seines Herrn und forderte in dessen Auftrag den „Wohledlen, sonders hochgeehrten Herrn und werten Freund" auf, sofort nach Gotha zu eilen, um die dringend notwendige, endgültige Ordnung der Finanzen in die Hand zu nehmen. In der That kam Wulff dieser Bitte nach und wurde in persönlichen Verhandlungen auf dem Schlosse Friedenstein in die Finanzlage genau eingeweiht, offiziell mit ihrer Regulierung betraut und durch Unterschrift zur strengsten Verschwiegenheit verpflichtet (12. und 13. Juli 1702). Stolz auf das ihm geschenkte Vertrauen verließ der Hoffaktor die herzogliche Residenz, um über Naumburg, wo er die Messe besuchte, nach Dessau zurückzukehren. Da warf ihn plötzlich ein ungeahnter Schlag von seiner Höhe herab, ein Streich, den wiederum — und dafür wollte er jederzeit den Beweis antreten — der Neid seiner Feinde in Gotha ihm spielte, welche über seinen neu verstärkten Einfluß erbittert waren. Auf der Heimreise wurde er unversehens in der Nähe von Tennstädt auf Grund des Kaiserlichen Dekrets über seine angebliche Münzkontravention verhaftet; der Reichshofrat von Obernitz, der zur Steuerung der überhandnehmenden Münzvergehen vom Kaiser zum Reichsmünzkommissar ernannt worden war, ließ ihn trotz seines Protestes durch Kaiserliche Soldaten aufheben und zuerst nach Saalfeld, dann in die Festung Eger bringen.

Dieser Überfall auf einen im Dienste so vieler hoher Herren stehenden und mit Pässen und Geleitsbriefen aller Art ausgerüsteten Mann erregte großes Aufsehen und gerechte Entrüstung[1]. Vor allem war es der Kurfürst von Sachsen, auf dessen Gebiet die Verhaftung erfolgt war, welcher entschieden beim Kaiser protestierte; er brandmarkte Obernitzens Vorgehen als einen Eingriff

---

[1] Das Folgende nach A.-Zerbst, A 19 Nr. 15.

66

in die Rechte, die ihm allein, als Kreis- und Münzobersten des
Obersächsischen Kreises, zustanden, verlangte Satisfaktion hiefür,
sowie umgehende Freilassung des Verhafteten und drohte im Ver-
weigerungsfalle mit Einziehung der in Kursachsen belegenen Ober-
nitzschen Güter. In ebenso scharfer Tonart war der Protest
Preußens gehalten (29. August 1702): es sei ein Übergriff und
eine Anmaßung, wenn Obernitz seine kommissarischen Befugnisse
auf Juden ausdehnen wolle, die vom König von Preußen vergleitet
seien; es möge wohl ganz gut sein, daß ein eigener Kommissar
für Münzvergehen ernannt worden, aber er könne doch nicht mehr
Rechte besitzen als eingesessene Chur- und Fürsten, denen die
Münzobrigkeit durch kaiserliche Edikte und Reichstagsabschiede
garantiert sei. Wenn nicht verschiedene vornehme Reichsfürsten zu
Schaden kommen sollten, müsse Wulff bis zur Leipziger Michaelismesse frei sein, zumal viele Umstände für seine Unschuld sprächen.
Selbstverständlich richtete auch Fürst Leopold, zweimal sogar[1]),
die Bitte an den Kaiser, Wulff zu entlassen oder wenigstens sofort eine Untersuchung zu veranlassen; er brauche seinen Hoffaktor
nicht nur zur Erledigung eigener Geldgeschäfte sehr nötig, sondern
auch zur Einkassierung der Wechselgelder, deren er als komman-
dierender preußischer General für seine Campagne bedürfe. Die
vereinigten fürstlichen Proteste hatten wenigstens den Erfolg, daß der
Kaiser Leopold I., an welchen auch Obernitz selber per Stafette
berichtet hatte, ungewöhnlich schnell das Urteil sprach[2]); ja er hatte
sogar die Gnade, mit Rücksicht auf „die vielen und starken Inter-
positionen der Könige von Polen und Preußen und anderer vornehmer Reichsstände" den Juden nicht so zu bestrafen, wie er es
eigentlich verwirkt habe, nämlich an Leib und Leben und mit
Konfiskation seines Vermögens. Aber das Urteil war immer
noch hart genug: 30000 Thaler und sämtliche Kosten sollte der
Verhaftete vor seiner Freilassung erlegen. Wulff protestierte ent-

---

[1]) Das erste Schreiben ist vom 31. Juli 1702 datiert.

[2]) 7. Septbr. 1702 gegeben zu Ebersdorf.

schieden gegen diese Art von Begnadigung. Aber da die Gothai=
schen Minister ihm Ersatz versprachen, ja sogar die Herzogin Mag=
dalena Augusta selber, eine Tochter des Fürsten Karl Wilhelm
von Anhalt=Zerbst, durch einen Boten ihn ersuchen ließ, er solle
nur vor allen Dingen sich des Arrests erledigen, Satisfaktion
würde er schon erhalten[1]), — so blieb Wulff nichts anderes übrig,
als einen Teil der Summe auszuzahlen und für den Rest, der am
1. Februar 1703 erlegt werden sollte, einstweilen einen Bürgen in
Eger zu stellen. Er ließ es nach seiner Freilassung natürlich nicht
an Schritten fehlen, sein Recht zu erlangen: aber sie blieben erfolglos.
Vergebens bat er (Dezember 1702) um Verlängerung des Zahl=
termins und Verweisung des Falles vor eine ordentliche Gerichts=
kommission; vergebens unterstützten die Regierungen von Kur=
sachsen, Brandenburg und Anhalt (Oktober und Dezember
1702 und 8. Januar 1703) in energischen, schriftlichen und münd=
lichen Vorstellungen beim Reichshofrat und beim Kaiser selbst
diese Bitte; vergebens richtete sogar der Kaiserliche Resident in
Berlin einen günstigen Bericht nach Wien: der Kaiser ließ sich
nicht erweichen, sondern nochmals und endgültig durch den Reichs=
hofrat verfügen[2]), daß keine Kommission eingesetzt werde, sondern
der Hoffaktor die Strafe zu zahlen habe.

Nach seiner Freilassung begab sich Wulff sofort nach Leipzig,
um hier die von den verschiedenen Fürsten ihm gewordenen Auf=
träge zur Erledigung zu bringen. Auch die Gothaer waren durch
Gotter dort vertreten, ließen sich von Wulff einen Barvorschuß
von rund 50000 Thalern geben und stellten ihm für sein Ge=
samtguthaben von 65110 Thalern Wechselbriefe aus, wobei er
freilich ausdrücklich erklärte, daß er fernerhin auf solche Art keinen
Vorschuß mehr leisten könne. Aber die Gothaer Finanzen waren
auch durch diese Summe noch nicht gerettet: Schuldposten waren
fällig, deren Stundung nicht durchgesetzt werden konnte, die Ver=

---

[1]) Kurtzer u. wahrh. Entwurff. u. s. w.
[2]) 11. Januar 1703, gez. Franz Wilderich v. Menshengen.

pflichtungen gegen Strelitz mußten erfüllt werden. So ging denn ein Schreiben Gotters nach dem andern an Wulff ab[1]), welcher ſich in Berlin aufhielt: man erwarte ihn ſehnſüchtig in Gotha, alle Hoffnung ſetze man auf ſeine Hülfe, er ſolle nur verſuchen, wenigſtens in der Neujahrsmeſſe noch den Kredit des Hoſes zu halten und dergleichen mehr. Der „très honoré und très cher amy", wie Gotter ihn nennt, that denn auch ſein Möglichſtes, um wenigſtens die dringendſten Forderungen zu begleichen, und begab ſich kurz vor der Neujahrsmeſſe perſönlich wiederum nach Gotha, wo ihn der Herzog um einen nochmaligen Vorſchuß von 200000 Thalern zur Rettung des Kredits und zur Einlöſung der Verbindlichkeiten bat. Unter großen Mühen und Beſchwerden gelang es Wulff, den Wunſch des Fürſten zu erfüllen. Um das viele Geld flüſſig zu machen, mußte er ſelber unter hohen Zinſen alles, was er an Juwelen und Wechſeln beſaß, verpfänden. Die Rückzahlung der nunmehr auf 211000 Thaler angelaufenen Schuld ſollte zur Oſtermeſſe 1703 erfolgen, und er ſelbſt hatte ſeinen Gläubigern die Erſtattung der aufgebrachten Vorſchüſſe für dieſen Termin gleichfalls zugeſagt. Zur Sicherung der ihm von Gotha ausgeſtellten Wechſel verpfändete ihm Herzog Friedrich II., da die urſprünglich als Pfand in Ausſicht genommenen Gothaiſchen Außenſtände bereits bei dem Hoffaktor Wertheimer in Wien[2]) beliehen waren, zuerſt durch Blanket, dann durch förmliche Ver= ſchreibung vom 19. Januar 1703 das 17 Rittergüter und Dörfer umfaſſende Amt Borna in Sachſen[3]). Kurfürſt Friedrich Auguſt hatte, um Geld für ſeine polniſchen Kriegszüge zu erhalten, Borna am 25. Juni 1698 auf 24 Jahre an Gotha verkauft, nach welcher Zeit ihm das Recht des Rückkaufs für 425000 Gulden vor= behalten war; die Originalverträge, die damals abgeſchloſſen

---

[1]) Kurzer u. wahrh. Entw., Beilage S. 3 ff.

[2]) Über dieſe Familie ſ. Kaufmann, Samſon Wertheimer, Wien 1888.

[3]) Zur Geſchichte v. Borna ſ. Wolfram R., Chronik u. Stadt Borna, (Borna 1859, neu bearbeitet 1886), wo jedoch die Verpfändung nur kurz erwähnt wird, S. 33 der 1. Auflage.

worden waren, wurden sämtlich Wulff als Faustpfand mit über=
geben, und für Agio und Zinsen in Anbetracht der schwierigen
Umstände die Abmachungen des Merseburger Kontrakts zu
Grunde gelegt, welchen der Herzog durch Stafette hatte beischaffen
lassen. Friedrich II. und seine Minister sprachen nach glücklicher
Erledigung des schwierigen Auftrags Wulff den innigsten Dank
aus. Ja, einige Wochen später nahm der Fürst nochmals die
Hülfe des Hoffaktors und zwar für seine Truppen in Anspruch.
Friedrich gehörte zu jenen Fürsten, welche ihr Militär als eine
Geldquelle betrachteten und es in gewissenloser Weise an andere
Staaten, selbst an Reichsfeinde, der Reihe nach vermieteten. Die
Gothaischen Truppen, die zuletzt in preußischen Diensten gestanden,
sollten gerade in holländische übergehen[1]), und Wulff mußte zu
ihrer Equipierung wiederum über 35000 Thaler gegen Wechsel=
briefe vorschießen, zu deren Sicherung ihm die mit Holland af-
kordierten Subsidiengelder verpfändet wurden[2]).

3.

Groß war das Vertrauen, welches Friedrich II. dem Dessauer
Hoffaktor entgegengebracht hatte; aber größer noch war das Ver=
trauen, welches der Jude auf den Herzog setzte. Was nützten alle
Sicherungen bei einem so außerordentlich gewagten Unternehmen?
Wulff hatte seinen ganzen Kredit für Gotha verpfändet, hatte überall
Gelder aufgenommen unter der Verpflichtung, sie in der Oster=
messe zurückzuzahlen. Wie aber, wenn Gotha sein Vertrauen
täuschte und nicht pünktlich zum Ostermeßtermin die ausgestellten
Wechsel einlöste? Wulffs Kredit und Besitz waren dann den
allergrößten Gefahren ausgesetzt! Und zuletzt, woher sollte denn
Gotha wirklich in den klammen Zeiten und binnen der kurzen
Frist die großen Summen auftreiben? Um dem Herzog zu helfen,

---

[1]) Beck, Gesch. d. Regenten u. s. w., S. 362.
[2]) Kurtzer u. wahrh. Entw. Beilage, 31. März 1703.

hatte der Hoffaktor alles auf eine Karte gesetzt, — und die Karte
versagte! Kurz vor der Ostermesse erschien bereits Gotter in
Dessau und forderte Stundung der Rückzahlung. Wulff mußte
dies Verlangen mit Rücksicht auf seine eigenen Gläubiger und
Verpflichtungen entschieden ablehnen. Auf der Ostermesse wieder=
holten die Gothaer Finanzdeputierten, unter denen Gotter wohl=
weislich fehlte, diese Forderung, da sie nicht mehr als 81000 Thaler
bar zu bezahlen imstande seien: für den Rest wollten sie Wechsel
ausstellen. Wulff blieb nun wohl oder übel nichts anderes übrig,
als bei seinen eigenen Gläubigern die Sache in Ordnung zu
bringen, was bei der großen Zahl seiner Kreditoren, der Höhe
der Summen und der kurzen Zeit, die zur Verfügung stand, kaum
durchführbar war. Aber nicht genug damit! Die Gothaer hielten
ihn mit ihrer Barzahlung bis in die letzten Tage der Zahlwoche hin,
übergaben ihm dann ein Drittel der versprochenen Barsumme
und verschwanden ohne Abschied, Wulff mit seinen Wechseln in
der größten Verlegenheit zurücklassend. Natürlich wurde sofort
von einem seiner Gläubiger die Wechselklage gegen ihn erhoben,
und er entging nur durch seine schleunige Abreise einer neuen Ver=
haftung. So war denn eingetreten, was er nie gedacht hatte; sein
Vertrauen war aufs gröbste mißbraucht worden. Gewiß hat der
Herzog selbst von diesen Vorfällen nichts gewußt oder sie wenigstens
sicherlich nie in ihrem wahren Lichte kennen gelernt; dafür sorgten
nun schon Wulffs Feinde am Hofe, in deren Moralkodex neben
manchen anderen Sätzen auch derjenige fehlte, daß man jedem
Menschen, selbst einem Juden, sein Wort halten müsse, die — im
Gegenteil — es sich vielleicht noch zum Verdienst anrechneten,
den Kredit des Hofes und des Fürstenhauses gerettet zu haben,
indem sie einen Juden betrogen und zu Grunde richteten!

Die Verlegenheit, in der sich Wulff befand, war unsagbar.
Was sollte er thun? Den Gothaischen Hof zu verklagen und
auf dem ordentlichen Rechtswege ihn zur Zahlung anzuhalten,
war sinnlos in einer Zeit, in welcher die einfachsten Prozesse
sich durch viele Jahre hinzogen und von Rechtssicherheit gar keine

Rede sein konnte, am allerwenigsten gegenüber regierenden Fürsten, die mit absoluter Willkür in ihren Ländern schalteten und walteten. Wulff hätte noch nicht einmal die Überweisung der ihm zugesicherten Einkünfte des Amtes Borna ohne An=wendung von Gewalt durchsetzen können. Er war machtlos gegen das ihm zugefügte Unrecht, ja er mußte selbst noch die Hand zu einem friedlichen Vergleiche bieten, wollte er nicht alsbald seinem völligen geschäftlichen Ruin entgegengehen. So sandte er denn einen juristischen Vertreter nach Gotha, der jedoch keinen anderen Bescheid brachte, als: Wulff möge selber kommen, dann solle alles geordnet werden. Selbst dazu war der Hoffaktor bereit; er wollte sich selber in die Löwengrube wagen, aber wenigstens sein Leben vor Gefahren schützen. Fürst Leopold war seit dem Frühjahr im Felde; so reiste denn der Hofagent sofort nach Berlin, ließ sich seine Geleitsbriefe für Preußen erneuern und erhielt auf seine Bitte und zu seiner Sicherheit vom König Friedrich I. unter dessen eignen Hand und Siegel und unter Gegenzeichnung des Ministers von Wartensleben, welcher aus dem fürstl. sächsischen Dienst geschieden und seit 1702 preußischer Generalfeldmarschall geworden war, noch einen besonderen Geleitsbrief, als ob er in königlichem Auftrag eine Reise ins Frankenland zu unternehmen habe[1]). Aber ehe er sich noch auf den Weg nach Gotha machen konnte, hatte sich Herzog Friedrich II. gleichfalls nach Berlin ge=wandt, die Entscheidung des Königs erbeten und zugleich einen eigenen Kommissar mit einer Darstellung des Sachverhalts dorthin beordert (22. August 1703), in welcher seine Finanzräte das Kunst=stück fertig gebracht hatten, nachzuweisen, daß sie nicht Wulffs, sondern umgekehrt Wulff ihr Schuldner sei. Jedoch selbst dem König von Preußen erschien diese Beweisführung nicht sehr stich=haltig: er meinte in seinem Antwortschreiben an den Herzog (Schönhausen 8. Septbr. 1703): aus den Dokumenten ersehe man, daß die Gothaischen Minister doch einige Irrungen sich hätten zu

---

[1]) A.=Zerbst a. a. O., gegeb. Schönhausen, 16. August 1703.

Schulden kommen lassen in der mit dem Juden getroffenen Kon=
vention, und es wäre für den Kredit des Hauses Gotha am besten,
wenn ein gütlicher Vergleich zustande käme; er biete sich hierzu an und
stelle es dem Herzog anheim, selbst die Räte zu bestimmen, die eventuell
als Kommissionsmitglieder ein rechtliches Gutachten abgeben sollten.
Auch Wulff ließ sich vom Grafen von Wartensleben dazu be=
wegen, einem Vergleich beizustimmen, und so brachten denn dieser
und Ilgen[1]), als vom König ernannte Kommissare, wirklich einen
solchen zustande. Auf dem Lustschloß Golß bei Cüstrin, wo
sich gerade das königliche Hoflager befand, einigten sich die
Parteien vorläufig — bis zu völliger Erledigung durch eine
königliche Kommission — dahin (28. September 1703), daß die
Gothaer sich verpflichteten, zur Michaelismesse, am 10. Oktober,
70000 Thaler bar und 100000 Thaler in neuen, für die
kommende Neujahrsmesse zahlbaren Wechselbriefen ihrem Gläubiger
zu übergeben; Wulff hingegen versprach die Rückgabe der alten
Wechselbriefe, die sich auf rund 270000 Thaler beliefen, und die
Auslieferung der Bornaschen Dokumente an den Grafen v.
Wartensleben gegen dessen schriftliche Versicherung, vor völligem
Austrag des Streites sie an niemanden zu überlassen. Dem
Herzog von Gotha lag an der Sicherstellung dieser Dokumente
außerordentlich viel; er hatte nämlich bei der Verpfändung der=
selben Wulff das Recht eingeräumt, das Amt Borna weiterzu=
cedieren, und es scheint, als ob Wulff schon damals diese Absicht
hätte laut werden lassen, welche er später auch wirklich zur Aus=
führung brachte. Von dem vollzogenen Vergleich machte der König
dem Herzog am selben Tage noch Mitteilung; zugleich be=
stimmte er (Cüstrin 29. September) auf Bitten des Hoffaktors zu
dessen Sicherung und Beistand den Regierungsrat von Prenken=
hoff in Magdeburg, welcher am Terminstage in Leipzig an=
wesend und nach Gebühr auf alles achten sollte.

Die Bedingungen des Golßer Vergleichs wurden von Wulff

---

[1]) Über Ilgen, der damals noch Etatsrat war, s. die Biographie von
Isaacsohn in A. D. B. XLV (1881).

prompt erfüllt, nicht aber von seiten Gothas. Die Barsumme war erst mehrere Monate nach dem Termin vollständig zusammen, und die neuen Wechselbriefe wurden von Gotha zwar ausgestellt, aber nicht eingelöst, sodaß die meisten Inhaber gegen Wulff beim Appellationsgericht in Dresden klagbar werden mußten. Unter solchen Verhältnissen fühlte sich der Hoffaktor thatsächlich nicht mehr seines Lebens und seiner Freiheit sicher; er fürchtete einen Handstreich, gleich jenem, der ihn nach Eger geführt hatte, und seine Furcht war um so größer, als sein eigentlicher Schutzherr Fürst Leopold noch immer im Felde weilte. So beschloß er denn, für die Dauer des Streites mit Gotha sich förmlich unter den Schutz des preußischen Königs zu begeben und in Berlin sich einen zweiten Wohnsitz zu errichten. Ein ausdrückliches Schutzversprechen mußte er ohnedies haben, da einige seiner alten Gläubiger dort die günstige Gelegenheit benutzten und aufs neue wider ihn zu rumoren begannen. Um den König seinem Vorhaben günstig zu stimmen, richtete zunächst Wulffs alte Gönnerin, die Fürstin Henriette Katharina, von ihrem Witwensitz Oranienbaum aus die Bitte an ihren königlichen Neffen[1], den Hoffaktor auch weiterhin zu beschützen und besonders in der Gothaischen Sache seine ganze Familie vor dem Ruin zu bewahren: „er habe sich bis zur Stunde stets also aufgeführt, daß ihm ihres Wissens mit Grund der Wahrheit im geringsten nichts von unredlichen oder betrügerischen Beginnen, sondern vielmehr von jederman, so seines Thuns und Handelns rechte Wissenschaft gehabt, dies nachgesagt werden könne, daß man seinesgleichen nützlichen und getreuen Diener schwerlich wieder finden würde." Einige Wochen später ging Wulffs Bittgesuch ein, und er erhielt in der That am 28. November 1703 ein königliches „Protectorium wider alle Anfechter u. s. w., item concession in Berlin und sonst in Sr. Kgl. Mt. Landes bis zu Austrag d. Gothaischen Schuld=Sache nebst den seinigen sich aufzuhalten[2]."

---

[1] A.=Berlin, R. XXI Nr. 203, im Oktober 1703.
[2] Daselbst.

Der Streit zwischen Wulff und Gotha erregte natürlich überall großes und unliebsames Aufsehen[1]), und man war allgemein auf den endgültigen Spruch der preußischen Kommission gespannt, deren Mitgliederzahl der König auf sieben erhöht hatte. Gotha war durch zwei besondere Deputierte in Berlin vertreten, aber auch der Hoffaktor hatte einen neuen und mächtigen Rückhalt gefunden. Fürst Leopold war Anfangs des Jahres 1704 nach Dessau zurückgekehrt und von der Sachlage genau unterrichtet worden. Er trat sofort für seinen treuen Hofagenten ein und richtete zunächst ein Schreiben an den König, in welchem er diesem Wulffs Sache auch für die Folge dringend ans Herz legte.

Gleich wie nun, heißt es in diesem interessanten Briefe[2]) ich billig ein sonderbahres Mitleid über dieses Mannes unverdienten Unfall zu empfinden Ursach habe, indem ich mit aller Wahrheit sagen kann, daß er nicht allein meines hochseligen Herrn Vaters Gnad bis zu dessen Tot mit vollkommenen Behagen gar nützliche Dienste geleistet, sondern mir auch nachhero zu meiner Reise nach Italien, in drei gefolgte Campagnen und andere Bedürfnis mit großen Summen an richtige Wecseln und bahren Vorschuß, sambt unermüdeter Auffwartung sowol daheim als durch mühsames Reisen an Hand gegangen, weshalb ich und jedermann so dessen Kenntnis gehabt, ihn billig loben und estimieren müßen, darinnen er denn auch bis dato nach allen Vermögen zu meiner gänzlichen satisfaction dergestalt fortgefahren, daß ich bey seinen credit-Verlust und ruin ein merckliches leiden und einbüßen würde, also habe ich die von seiner wiederholt gegen ihn angestellten procedur und unsügliches Fürnehmen nicht

---

[1]) A.=Dresden, loc. 10734 vertrauliches Schreiben aus Berlin vom 26. Dezbr. 1703 an den sächs. Kurfürsten.

[2]) A.=Zerbst. A. 19 No. 15, ohne Datum.

Freudenthal, Aus der Heimat Mendelsohns.   5

genugsam bewundern, daneben aber nicht anders als mit
großem Vergnügen vernehmen können, daß E. K. M. sich
dieses guten unschuldigen Mannes allergnädigst anzunehmen und ihn in seiner gerechten Sache dero kräfftigen
Schutz genießen zu lassen geruht, gestalt denn demselbigen
ich hiermit den gebührenden Dank darüber erstatte, und
obwol ich mehr als jemand in der Welt von E. K. M. un-
vergleichlichen generosität undt liebe aller, die dero
königl. Hülffe und protection anflehen und bedürfen,
damit großmütig zu beglücken persuadiert bin, so wird
dieselbige mir jedennoch gütigst erlauben, daß ich mir in
Betracht meines hierunter waltenden sonderlichen interesse die Freyheit nehme, E. K. M. gehorsam und ange-
legentlichst zu ersuchen, daß Ihro gefällig sein wolle,
dieses so höchst rühmlich und gedeylich angefangene
Werk in dero Residenz dergestalt fort und vollends auszuführen, auch Ihro obbemelten meinen, bißher nur all-
zuviel hier und dar bedrängten Hoffjuden und Factoren
dahin gnädigst empfohlen sein zu lassen, daß durch dero
fernere weitere Königl. Verordnung und Commission und
dero Vermittlung er ehest wieder in den standt gebracht
werde, E. K. M. gewiedmete aller unterthänigste devotion
und mir anbey auch die durch so viele ansehnliche Proben
bewährte treue und geschickte nützliche Bedienung mit
gutem success wieder völlig abstatten zu können. Ich be-
harre dafür, wie vor allen anderen mir erwiesenen königl.
gnäd. Bezeigungen mit volkommenen reconnaissance
respect und ergebenheit zu seyn x. x.

Aber Fürst Leopold ging noch weiter! Mochte es das im
Briefe ausgedrückte Mitgefühl mit der verzweifelten Lage seines
getreuen Dieners, oder mochte es Gerechtigkeitssinn oder ein be-
stimmter persönlicher Zweck, den er im Auge hatte, oder das alles
zusammen sein, kurz, er entschloß sich, Wulff auf Unterpfand der
Bornaschen Dokumente eine ansehnliche Geldsumme vorzustrecken.

So hatten jetzt erst recht alle Parteien das größte Interesse daran, in den Besitz der in Berlin niedergelegten Dokumente wieder zu kommen; von der Frage, wem dieselben zugesprochen würden, hing alles ab, und auf diesen einen Punkt richteten sich die An= strengungen Gothas, Wulffs und des Fürsten Leopold. Der letztere schickte deshalb gleichfalls einen eigenen Vertreter, den Rat von Raumer, nach Berlin, welcher sofort an den König von Preußen das Ersuchen stellte[1]), die Rückgabe der Dokumente nicht mehr verzögern zu wollen. Die Kommission war nämlich längst zu der Überzeugung gelangt, daß die Dokumente ohne jeden Zweifel wieder an Wulff zurückzugeben seien, und sie hatte auch bereits eine entsprechende Verfügung abgefaßt. Aber die Einwendungen der Gegenpartei, welche nunmehr die Rücksichten, die man auf ihren Fürsten zu nehmen habe, in den Vordergrund schob, hatten die Rückgabe noch aufzuhalten gewußt, und die Kommission war dieses Widerstreites zwischen Gewissenspflicht und Rücksichtnahme zuletzt so müde geworden, daß sie den König um Enthebung von ihrem schwierigen Amte anging. Daraufhin erschien zwei Tage, nachdem Raumer sein Gesuch an den König gerichtet hatte, und, wie jener an den Fürsten Leopold berichtete[2]), von ihm selber mit entworfen, ein Erlaß Friedrich I., an die Kommission, welcher seines Inhalts wegen es verdient, im Wortlaut hier eingefügt zu werden[3]).

Friedrich /König in Preußen p. p. Es ist gebührend vor= getragen/ was Ihr wegen der Euch aufgetragenen Gothaischen Commission, und absonderlich wegen des /der Bornischen Doku= menten halber/ entstandenen Zweiffels/ unterm 5ten hujus an Uns berichtet und vorgestellet. Nun begehret zwar der Dessauische Hof=Jude die Retradition solcher Documenten nicht

---

[1]) A.=Berlin, R.XI Nr. 2, c, 6. März 1704.
[2]) A.=Zerbst, A 19 Nr. 15, 9. März 1704.
[3]) Das. und in: Kurtzer u. wahrh. Entw., Beilage 20.; datiert: Cölln a. d. Spree, 8. März 1704. Die markantesten Stellen sind hier durch Sperr= druck hervorgehoben.

5*

ohne Grund /weiln der klare Buchstabe Euers deßhalb er-
theilten Bescheids vor ihn militiret; Weiln aber an Hert-
zoglicher Gothaischer Seite einige Apprehension, alß ob des
Hertzogen Lbd., Falls dem Juden die Documenta jetzo zurückgegeben werden solten /dabei gefähret werden dürfften/ angeführet
wird; So haben Wir ex aequitate die Sache hiermit dahin richten
wollen /daß Ihr ermeldte Documenta biß zu der bevorstehenden
nechsten Leipziger Meße bei Euch in Deposito behalten/ darneben
aber allen ersinnlichen Fleiß anwenden /auch bey beyden Theilen
es dahin zu richten bemühet seyn sollet/ daß noch vor Ablauff
solcher Zeit /und wo immer möglich/ noch 8 Tage vor ermeldten
Termino die Haupt-Sache zu völliger Endschafft gebracht werden
möge /massen Wir Euch denn solches hiermit in Gnaden und alles
Ernstes aufgegeben/ auch Euch darbey absonderlich befohlen
haben wollen /in dieser gantzen Sache nichts als die
Gerechtigkeit vor Augen zu haben/ und nach derselben
Befindung darunter zu procediren und zu sprechen/
damit Wir mit ferneren petitis und Supplicatis so wenig von
der einen alß von der andern Seite nicht behelligt werden mögen;
Massen Wir denn auch von des Hertzogen von Sachsen-Gotha
Lbd. Aequanimitaet und Großmüthigkeit der Gnüge persuadiret
seyn/ daß /obgleich dieselbe in dieser Sache mit einem
Juden zu thun haben/ und zwischen Ihr und einem solchen
Menschen keine Parallele zu machen ist /Wir auch sonst in allen
andern Begebenheiten solches schon bezeugen wollen/ Sie dennoch
nicht praetendiren werden /daß man in Entscheidung
dieser Sache/ welche secundum Jura privatorum erörtert werden muß /den geringsten mit der Gerechtigkeit
des Werts streitenden Egard vor Sie haben solle. Daß
Ihr aber begehret /Wir solten Euch gäntzlich dieser Commisssion
entheben/ darinnen können Wir Euch nicht willfahren /sondern
Ihr habet alß redliche/ gewissenhafte und der Sachen verständige
Leute ferner darinnen fortzufahren /und diese Streitigkeiten
in aller Kürtze also zu entscheiden/ wie Ihr es vor Gott

und in Euerem Gewissen zu verantworten gedencket. In welcher Zuversicht wir Euch p. p. Cölln p. p.

An die zu dieser Sache verordnete Herren Commissarien.

Man hätte meinen sollen, daß vor dem erhebenden Gerechtigkeits=sinn, wie er sich in dieser königlichen Kundgebung ausssprach, die Gegner beschämt die Waffen gestreckt haben würden. Aber daran war nicht zu denken; sie versuchten den vom König befohlenen, endgültigen Entscheid der Kommission um jeden Preis über die Ostermesse hinauszuschieben, und so mußte Fürst Leopold zur Unterstützung Wulffs, dem durch dieses Manöver jeder Kredit ab=geschnitten worden wäre, wiederum einen eigenen Vertreter nach Berlin abordnen. An die Stelle Raumers, welcher nach dem von ihm errungenen Erfolge wieder nach Dessau zurückgekehrt war, trat der Rat Andermüller; er sollte auf jede Weise den König veranlassen, die Endentscheidung herbeizuführen, da sein Herr die Abwesenheit Wulffs von Dessau sehr nachteilig verspüre, und die Gothaer doch nur „nichtige effugia ins Werk setzten"[1]. Ein glücklicher Zufall wollte es, daß es Andermüller gelang, den König selber in Oranienburg zu sprechen; dieser verfügte sofort[2], daß die Kommission schleunigst, wenn möglich noch in derselben Woche, die Sache zur Erledigung bringen müsse, und verwies den Dessauischen Rat noch besonders an Ilgen, welcher ganz entschieden stets betont hatte, in dieser Angelegenheit dürfe nur „respectus iustitiae", nicht aber „respectus personarum et dignitatis" zur Geltung kommen[3]. So erhielt denn der Hoffaktor wirklich schon nach drei Tagen, am 14. April 1704, auf Beschluß der Kommission und unter Be=willigung des Königs die Vornaschen Dokumente wieder zurück er mußte die Versicherung abgeben, dieselben weder außer Landes zu bringen noch sonst zu mißbrauchen, während das zuerst mit abverlangte Versprechen, sie nicht weiter beleihen zu dürfen, aus=fiel[4]. Entrüstet reisten die Vertreter Gothas ab!

[1] A.=Berlin R. XI, 2c.
[2] Daselbst, 11. April 1704 zu Oranienburg.
[3] A.=Zerbst, a. a. O.
[4] A.=Berlin, a. a. O., 14. April 1704.

Aber auch Wulff eilte schleunigst, durch eine fürstliche Stafette abberufen, nach Dessau, wo sich neue drohende Wolken über seinem Haupte gesammelt hatten[1]. Der sächsische Regimentskapitän Berger war im Jahre 1701 von Wulff auf Geheiß des Fürsten Leopold nach Wien entsandt worden und zwar in einer äußerst wichtigen Angelegenheit — es kann sich nur um die Ende 1701 erfolgte Erhebung der Gattin Leopolds zur Reichsfürstin und die Eben=bürtigkeitserklärung ihrer Nachkommen handeln —, die so geheim gehalten wurde, daß selbst jetzt nach drei Jahren Berger einen vom Notar aufgesetzten Verschwiegenheitseid leisten und sämtliche Papiere, die er noch besaß, herausgeben mußte. Da er eine weit höhere Summe für die damals aufgewendeten Kosten sich hatte zahlen lassen, als er in Wirklichkeit verbraucht, so war er auf Befehl des Fürsten nach Dessau in Arrest gebracht worden und suchte sich nunmehr durch die Behauptung zu entlasten, der Mehr=betrag sei auf Geheiß des Hoffaktors berechnet worden. Wulff bestritt diese Zumutung ganz entschieden, und wie die Fürstin und die Regierungsräte an den bereits zum Heere wieder abgereisten Landesherrn berichteten, schien die Wahrheit auf seiner Seite zu sein. Berger gelang es bald darauf, aus dem Arrest zu ent=fliehen.

Das alles waren kleine Leiden, welche für Wulff hinter die eine große Sorge zurücktraten: Wie wird der Streit mit Gotha enden? Wie er zunächst endete, läßt sich am besten aus dem folgenden, von der Königlichen Kommission in Berlin ausgegebenen Schrift=stück[2] ersehen!

In Sachen des Fürstl. Sächs. Gothaischen Deputati, Herrn Hof= und Gränz=Raths Zapffens, contra den Fürstl. Anhalt. Hof=Juden zu Dessau /Moses Benjamin Wulffen/ ist zwar con=cludiret gewesen /und hat von dem Judicio Compromissario ein

---

[1] A.=Zerbst, A 19 Nr. 15, 17 u. 18.
[2] Kurtzer und wahrh. Entwurff, Beilage: unterzeichnet sind Danckel=mann, Ilgen, Printzen, Hamrath.

Laudum darüber abgefaſſet werden ſollen. Nachdem aber der Herr Zapffe von Nullitäten und vielen andern Anzüglichkeiten geſprochen/ wider das abzufaſſende Laudum protestiret /noch mehreren Beweiß/ nachdem von beyden Theilen ſchon in causâ concludiret und zum Spruch submittiret geweſen /beybringen wollen/ und darauf gar ohne Abſchied von hinnen gezogen; Alß iſt die Sache ins Stocken gerathen, Wie denn auch der Jude abgereiſet /und dieſelbe liegen laſſen. Dahero die Herren Judices Compromissarii unter dem 17ten Octobris 1704 davon aller=unterthänigſt referiret/ und unter dem 13. Novembris eiusdem anni ein allergnädigſtes Rescript erhalten /daß S. Königl. Majeſtät nicht ungeneigt wären/ die Judices von dem Compromisso zu be=freyen /und die Partes, wenn Sie Sich weiter melden würden, darnach beſcheiden wolten; Worbey es auch bis dato verblieben. Cölln an der Spree/ den 21. Aprilis 1706.

Drei Grabsteine der Familie Wulff.
Zu S. 127.

III. Abschnitt.

Wulff und Gotha auf dem Rechtswege.

1.

„Worbey es auch bis dato verblieben"! Aber wenn auch die Königliche Kommission auf ihre Thätigkeit verzichten mußte, die Streitsache selbst kam nicht zur Ruhe. Gotha hatte in Berlin den kürzeren gezogen; nun suchte es vor den ordentlichen Gerichten sein Recht. Sein Recht! — nämlich die Rückgabe der Bornaschen Doku= mente und der neu ausgestellten Wechselbriefe; beides, behauptete Gotha, sei durch die erfolgte Barzahlung als Pfandobjekt hinfällig ge= worden. Auf weitere Barzahlungen habe Wulff keinen Anspruch mehr; er sei durch seinen Verdienst in den übrigen Gothaischen Unternehmungen völlig gedeckt, und andererseits könne sogar Gotha Gegenansprüche erheben, weil er die versprochenen Vorschüsse gar nicht in richtiger Weise aufgebracht und trotz gegebener Ver= sicherung mit den Dokumenten Mißbrauch getrieben, sie nämlich weiter verpfändet habe. Zu all diesen Behauptungen kam endlich noch ein neuer Kniff hinzu, den die Gothaer ersonnen hatten: sie erklärten plötzlich, Wulff sei als Hoffaktor am Hofe zu Gotha er= nannt und angestellt worden und somit ein herzoglicher Diener und Unterthan, welcher durch sein ungehöriges Verhalten gegen seinen Herrn große Schuld auf sich geladen habe. Aber noch mehr! Wegen dieser seiner Stellung seien die mit dem Gothaer Hofe abgeschlossenen Geschäfte nicht als gewöhnliche, dem Handels= und Wechselrecht unterworfene Verträge, sondern als kontraktliche Mandate zu betrachten, die nur dann ihre Gültigkeit gehabt hätten, wenn Wulff die ihnen zu Grunde liegenden Bedingungen als herzog= licher Diener und Unterthan erfüllt haben würde. So erhob denn die Gothaische Rentkammer 1705 im Namen des Herzogs gegen Wulff „wegen allerhand Pflichtvergessener und Uns höchst nachteiliger

Unternehmungen" die Anklage vor dem Gothaischen Landesgericht, dem Fürstlichen gesamten Hofgericht zu Jena, und dieses übermittelte der Regierung zu Dessau eine Vorladung zum 27. November 1705, welche jene dem Beklagten zustellen sollte. Aber das Jenaer Gericht hatte die Rechnung ohne die fürst= liche Regierung gemacht; dieselbe sandte die Citation sofort zurück, und als das Hofgericht sie nochmals einschickte, ging sie zum zweitenmal und zwar mit der kräftigen Bemerkung zurück; man solle sie doch mit dergleichen weiterhin verschonen[1]. Der Versuch des Gothaischen Hofes, durch Vermittlung des Dessauischen die Vorladung zu bewerkstelligen, schlug natürlich erst recht fehl. Fürst Leopold ließ sich später in bitterem Spott hierüber aus[2]: Die Gothaer hätten die Sache nach Jena gezogen und ge= meint, den Juden dort über den Haufen stoßen zu können, was ja auch ginge, wenn man in der Welt pars und iudex zugleich sein möchte! Aber die unermüdlichen Gothaer Räte fanden dennoch einen Weg, ihren Willen durchzusetzen. Auf die Bitte des Herzogs Friedrich II. verwies König Friedrich I. v. Preußen die ganze Streitsache zur Fällung eines Endurteils von der preußi= schen Kommission an das „forum competens" und ließ zu diesem Zwecke sämtliche Berliner Akten Gotha zur Verfügung stellen[3]; zugleich wurde Wulff aufgefordert, bis zu dieser Ent= scheidung die Dokumente nochmals bei Preußen zu deponieren[4].

Das geschah freilich nicht. Fürst Leopold, der inzwischen die Dokumente bereits mit 40000 Thalern beliehen hatte, dachte natürlich nicht daran, das kostbare Unterpfand nochmals in Gefahr zu bringen: er wünschte vielmehr, daß Gotha von Berlin aus ein für allemal verständigt werde: Preußen habe keine Macht mehr, Wulff zur Herausgabe der Schriftstücke zu zwingen[5].

---

[1] A.=Zerbst a. a. O.

[2] Schreiben an den König von Preußen, 15. April 1707, in A.= Berlin R. XI, 2c.

[3] Kurtzer u. wahrh. Entw.

[4] A.=Berlin, a. a. O., 14. Novbr. 1705.

[5] Das., Schreiben Raumers im Auftrag des Fürsten Leopold, 1705.

Dafür juchte er aber selber noch einmal eine friedliche Einigung herbeizuführen, die ja in seinem eigenen Interesse lag; es kam sogar zu einer Konferenz in Altenburg, welche jedoch durch den Eigensinn der Gothaischen Finanzräte zu keinem Ergebnis führte. Der Versuch Gothas, die preußische Kommission noch einmal ins Leben zu rufen, scheiterte ebenfalls; diese erklärte, sie betrachte sich als aufgelöst[1]). So überwies denn endlich Herzog Friedrich am 5. Februar 1707 thatsächlich die preußischen Verhandlungsakten dem Hofgericht zu Jena mit dem Befehl, auf Grund derselben ohne weitere Untersuchung einen endgültigen Spruch zu thun und fernere Citationen an Wulff, da Dessau selber sie zurückgewiesen habe, an die umliegenden Gerichte und Regierungsbehörden zu Zerbst, Leipzig und Berlin ergehen, sie auch öffentlich, z. B. am Zerbster Fährhaus an der Elbe zu Roßlau, anschlagen zu lassen[2]). Zugleich erschien im selben Jahre eine von der Gothaischen Rentkammer in Druck gegebene Darstellung, welche den Anfang zu einer ganzen Reihe derartiger Druckschriften von beiden Seiten machte, wie es ja überhaupt üblich war, bei größeren Prozeßverhandlungen die von den Parteien dem Gericht überreichten juristischen Vorstellungen der Öffentlichkeit bekannt zu geben. Der Titel dieser Gothaischen Schrift kennzeichnet genügend das gegen Wulff eingeschlagene Verfahren; er lautete: Species facti und Relation mit denen allegirten Beylagen in Administration und Rechnungs-Irrungen der Fürstl. Sächs. Gothaischen Renth-Cammer wider Ihren angenommenen und verpflichteten hernach aber in Untreu und Unrichtigkeit und viele fast nicht erhörte Frevelthaten verfallenen Hoffaktor, den Juden Moses Benjamin Wulff zu Dessau. Aus denen allenthalb ergangenen Original Acten auf fürstlich gnädigem Befehl zu desto gründlicheren und promptern Information an denenjenigen Orten wo es die Nothdurfft erfordert zu gebrauchen extrahiret. Anno 1707.[3])

---

[1]) S. oben S. 70.

[2]) Kurtzer u. wahrh. Entw., Beilage S. 21 f.

[3]) 41 Seiten u. 201 Beilagen ohne Seitenzahlen; 2°, ohne Ort.

Hatte die fürstliche Regierung in Dessau sich über die frühere
Überweisung des Prozesses nach Jena achselzuckend hinweggesetzt,
so erhob sie gegen die jetzige laut und entschieden Protest; sie
richtete sofort[1]) ein energisches Schreiben nach Gotha und betonte
darin, daß Wulff seinen Gerichtsstand nur in Dessau habe, da
er einzig und allein bestallter Diener und Unterthan des Anhaltischen Hauses sei, in dessen Schutz er seit zwanzig Jahren
stehe. Die von Gotha angestrengte Prozedur verstoße gegen alle
gemeinen Rechte und Reichskonstitutionen, und darum habe man
dem Hoffaktor verboten, der von Jena wiederum an ihn ergangenen
Vorladung zu folgen; hier in Dessau, vor dem gehörigen forum,
wolle man aber gerne die Sache zur Erledigung bringen. Die
Antwort Gothas bestand in einer neuen Druckschrift, die den Titel
führte: Gründliche Vorstell= und Darthuung, daß der Dessauische
Jude Moses Benjamin Wulff Jhro hochfürstlich. Durchlaucht zu
Sachsen=Gotha zu Besorgung dero Meß=Credit Wesens ordentlich
auffgenommen= und verpflichteter Diener und Factor gewesen
Mithin er in allem demjenigen was in dem ihm aufgetragenen
gantzen Negotio mit ihm verhandelt worden keineswegs als ein
indifferenter Cambist sondern als ein ordentlich bestallter und
mithin zur Berechnung und Verantwortung obligierter Diener
und Factor considerirt werden müsse. [2])

Am 2. April erschien nun wirklich das Urteil des Jenaer
Hofgerichtes und erwies alle Befürchtungen, welche die Wulffsche
Partei gehegt hatte, als berechtigt. Es umfaßte vier Punkte[3]).
Im ersten wurden die Ansprüche des Hoffaktors auf Zurück-
zahlung des Restguthabens abgewiesen, da er die Gotha versprochenen Summen zum Teil nicht in Bar, sondern in Wechseln
eingeliefert habe, und der hierdurch entstandene Schaden seine
restierenden Forderungen aufwiege. In den beiden folgenden

---

[1]) A.=Berlin, a. a. O., 28. Febr. 1707.
[2]) 40 Paragraphen, 22 Seiten, 4°, ohne Ort und Jahr.
[3]) In A.=Berlin, a. a. O.

Punkten wurde die Auslieferung der Vornaschen Dokumente und der neuen Wechselbriefe unter Garantie des Königs von Preußen anbefohlen, und im letzten Punkt endlich, um die Farce vollständig zu machen, dem Advokaten Wulffs die in seiner Verteidigungs= schrift „gebrauchte Unbescheidenheit mit Hintansetzung allen ge= hörigen Respekts ernstlich verwiesen." Herzog Friedrich überwies dieses seinen Wünschen so dienstfertig nachkommende, „unparteiische" Erkenntnis an den König von Preußen mit der Bitte, die Be= schlüsse auszuführen zu helfen, da ihm hierfür seiner Zeit Garantie geleistet worden sei (5. April 1707). Aber ehe noch von Berlin aus irgend ein Schritt geschehen konnte, lief dort bereits ein ge= harnischtes Schreiben des Fürsten Leopold ein, in welchem derselbe mit Entschiedenheit die Ansprüche Gothas zurückwies und seinem Hoffaktor ausdrücklich den weitgehendsten Schutz gegen „die Gothaer Chicanen" gewährte (15. April 1707). Der König übersandte eine Abschrift dieses Briefes an den Herzog und konnte nicht anders, als die Erklärung anschließen (Cölln, 23. April 1707): unter dem „forum competens", an welches er damals die Überweisung verfügt habe, könne natürlich nur Dessau verstanden werden, da Wulff ja fürstlich Dessauischer Hoffaktor und Bedienter sei. So war denn auch dieser Ansturm wieder glücklich ab= geschlagen!

Aber Gotha verzagte nicht! Schon zu Anfang des Jahres, während der Prozeß noch in Jena schwebte, hatten die Gothaer begonnen, den Kurfürsten von Sachsen, Friedrich August, für sich zu gewinnen und für ihre Sache zu interessieren. Fürst Leopold und Wulff waren völlig damit einverstanden: ja der Hoffaktor beschloß sogar, da Gotha sich auf den Schaden steifte, den er zu ersetzen habe, einmal den Schaden zu berechnen, den dieses ihm vergüten sollte: Zinsen für die noch nicht bezahlte Restschuld, welche fast auf die Höhe der Schuld selber angelaufen waren, Kosten des bisherigen Streitverfahrens, Ersatz für die voll= ständige Vernichtung seines Kredits und Handels, wie endlich für die Verhaftung und Verurteilung zu Eger, kurz zusammen über

400000 Thaler[1]). Über alle diese Ansprüche das Urteil einer unparteiischen Gerichtskommission herbeizuführen, konnte Wulff und dem Fürsten Leopold nur lieb und erwünscht sein. Es hatte sich übrigens als dritte Interessentin und Parteigängerin auch noch die Schwester des Fürsten, die verwitwete Herzogin Maria Eleonore von Radzivil, eingestellt, welche Wulff gleich ihrem Bruder eine größere Summe auf Pfand der Vornaschen Dokumente vorgestreckt hatte[2]). Fürst Leopold wandte sich deshalb gleichfalls an den Kurfürsten von Sachsen[3]) und bat, dieser möge Wulff, welcher doch ganz unschuldig sei, zu seinem klaren Recht verhelfen; gerne wolle er gegen Sicherheit zu diesem Zwecke sogar die Dokumente nach Dresden ausliefern und ebenso gerne Vorschläge des Kurfürsten zur Ablösung der auf ihnen ruhenden Schulden entgegennehmen. Friedrich August weilte 1707 zur Ostermesse in Leipzig und traf dort sowohl die Gothaer als die Dessauer Vertreter, welche beide nochmals seine Hülfe und Entscheidung anriefen; aber die Sorgen, welche der von Karl XII. von Schweden erzwungene Frieden zu Altranstädt ihm aufgeladen hatten, nahmen ihn so in Anspruch, daß er erst später den Wünschen der Parteien nachkommen konnte. Er übergab dann die Untersuchung der Gothaischen und der von Wulff eingereichten Forderungen einer aus vier Räten bestehenden Kommission[4]), welche nach Prüfung aller Akten und Schriftstücke und nach Einsicht in die von Dessau aus eigens überbrachten Originaldokumente am 22. September 1707 ihr Gutachten an den Kurfürsten ablieferte. In diesem Gut-

---

[1]) An Zinsen waren 2½ % pro Monat bis zur nächsten Messe damals vereinbart worden. Wulff berechnete jetzt nur 1½ % und veranschlagte die Prozeßkosten mit 10000, den Schadenersatz mit 100 000, die Egerschen Kosten mit 30000 Thalern; s. Kurßer und wahrh. Entwurf, Beilage.

[2]) A.-Zerbst, A. 19 Nr. 20, 13. Januar 1707.

[3]) Daselbst, A. 19 Nr. 15., 3. April 1707.

[4]) Bernhard Zech, Johann Georg von Ponickau, Johann Heinrich Erß, Dr. Johann Georg Schubart waren als Kommissare berufen.

achten[1]) erklärte die Kommission: daß erstens die Schuldforderung Wulffs und die an ihn übergebene Verpfändung des Amtes Borna klar und deutlich zu Recht beständen; daß zweitens die von Gotha erhobenen Einwände ohne rechtliche Kraft und Beweis seien; daß drittens die Schadenersatzansprüche Wulffs nicht un= billig, aber noch genauer im Einzelnen zu prüfen wären, zu welchem Behuf ein Gutachten unparteiischer Kaufleute eingeholt werden müßte; daß viertens die Wechselbriefe und ganz besonders die auf Grund des Vergleichs zu Golz neu ausgestellten volle Rechts= und Wechselkraft besäßen, und der Mut des Jenaer Gerichtshofes, dieselben für ungültig zu erklären, geradezu Bewunderung verdiene; daß fünftens und endlich die Unzuständigkeit des Jenaer Hofgerichts am hellen Tage liege, und sein Urteil niemals Rechtskraft er= langen könne.

Das Dresdener Urteil war für Gotha geradezu nieder= schmetternd. Kurfürst Friedrich August gestand in seinem Briefe[2]) an den Fürsten Leopold selber offen ein, Wulff sei von seiten des Herzogs zu viel geschehen; der Hoffaktor müsse als rechtmäßiger Besitzer betrachtet werden, welchem Gotha für alle Forderungen haftbar bleibe. Da aber Wulff entgegen den Abmachungen in Berlin die Dokumente weiter verpfändet habe, und hieraus allerhand praeiudicirende Folgen zu besorgen seien, so beabsichtige er selbst, Borna wieder einzulösen und damit allem Streit ein Ende zu machen; Berend Lehmann werde Befehl erhalten, mit dem Fürsten hierüber zu verhandeln.

„Gott sei gedankt", äußerte sich Wulff[3]), welcher selber das Schreiben des Kurfürsten an seinen Herrn überbringen durfte, „Gott sei gedankt, daß so weit gekommen ist, und ich dadurch cababel bin meine Schuldherrn satisfaction zu geben!" Er war in der

---

[1]) Wortlaut veröffentlicht in Kurzer u. wahrh. Entw., Beilage am Schluß.

[2]) A.=Zerbst, A. 19 Nr. 15, 24. Novbr. 1707.

[3]) Das., 4. Dezbr. 1707, Schreiben Wulffs an Raumer.

That in der furchtbarsten Lage bisher gewesen. Sein Kredit war dahin; die für Gotha aufgenommene und nicht zur rechten Zeit zurückgezahlte Schuld hatte durch andere Anleihen gedeckt werden müssen. Zinsen, Agio und Verluste waren immer höher angeschwollen, sein ganzes Hab' und Gut schon in Zahlung gegeben, und damit die Aussicht geschwunden, neue Kreditgeber zu finden; einzig und allein die von seinem Fürsten und dessen Schwester ihm vorgestreckten Summen hatten seinen gänzlichen Zusammenbruch ferngehalten, zumal die fortwährenden Sorgen und Reisen für die Gothaische Sache die Uebernahme anderer größerer Geschäfte nicht gestatteten. Es war hohe Zeit, daß endlich einmal ein günstiger Wendepunkt eingetreten war, und man konnte es Wulff nicht verdenken, daß auch er, um seine Unschuld vor aller Welt klarzulegen, eine genaue Darstellung der in das Dresdener Gutachten ausmündenden Vorgänge veröffentlichen ließ, welche den gewiß bescheidenen Titel führte: Kurtzer und wahrhaffter Entwurff /derer zwischen denen Fürstlichen Sachsen-Gothaischen zum Credit-Wesen Herren Deputirten/ und dem Fürstl. Dessauischen Hoff-Juden und Faktorn /Moses Benjamin Wulffen/ gegen Ueberweisung des Ambtes Borna tractirten hochwichtigen Sachen[1]).

Armer Hoffaktor! Der Sieg war errungen; aber er brachte nicht Frieden, sondern erst recht den Krieg! Zu Anfang des folgenden Jahres überwies Gotha den Prozeß an die höchste und letzte Instanz, an den Reichshofrat in Wien. Es war der furchtbarste Schlag, welchen die Gegner damit wider Wulff führten; nicht nur, daß dieser dort in der Ferne vollständig schutzlos war gegen die mit allen diplomatischen Winkelzügen vertrauten höfischen Feinde, nach der Stimme des Volkes bedeutete ja auch die Instanz des Reichsgerichts nichts anderes als die Verschleppung eines noch so klaren Rechtes bis in die unergründliche Ewigkeit. Und er

---

[1]) 36 Seiten und 48 Seiten Beilagen, groß 4°, ohne Ort und Jahr; ein Exemplar in der Herzogl. Bibliothek zu Dessau, während die übrigen Druckschriften sich nur als Beilagen zu den Akten in Zerbst und Berlin vorfinden.

sollte die bittere Wahrheit der Volksstimme gründlich kennen lernen! Wenn er trotzdem den Mut nicht sinken ließ, so lag die Ursache nur an dem Vertrauen, welches er auf seinen Herrn und Fürsten setzte; er war der unerschütterlichen Meinung, der tapfere Kriegsheld müsse auch auf diesem Schlachtfeld, so gewiß und sicher wie draußen auf dem wirklichen, den Sieg erringen!

2.

Die Bestrebungen Gothas gingen natürlich darauf aus, eine Bestätigung des Jenenser Urteils durchzusetzen, und es sollte kein Mittel unversucht bleiben, dies Ziel zu erreichen. Herzog Friedrich war entschlossen, sogar den Reichstag als letzten Schiedsrichter anzurufen, und es waren bereits einige Fürsten, wie der Landgraf von Hessen-Kassel und selbst Karl XII. von Schweden als Herzog von Pommern, für die Sache gewonnen worden[1]. Dagegen hatte Fürst Leopold es nicht vermocht, den König Friedrich I. von Preußen auf seine Seite zu ziehen; Friedrich lehnte die Bitte des Dessauer Fürsten ab, da er nun einmal dem Herzog versprochen habe, sich nicht mehr einzumischen[2]. Unter solchen Verhältnissen setzte Gotha, welches unterdessen wiederum eine neue Darstellung veröffentlicht hatte[3], in welcher es den Jenaer Schiedsspruch als maßgebend einrückte, das Dresdener Gutachten aber stillschweigend überging, bereits am 9. August 1708 ein Kaiserliches Protektorium durch, auf Grund dessen es vorläufig von der Verpflichtung, die Wulff in Leipzig ausgestellten Wechsel einzulösen, entbunden wurde. Dieser Schritt erregte nicht allein bei der Kaufmannschaft großes Aufsehen und begründete Unruhe; auch die

[1] A.-Berlin a. a. O. In alle Einzelheiten des langwierigen Verfahrens vor dem Reichshofrat einzugehen, ist natürlich hier unmöglich; es können nur die Hauptpunkte und der Gang im Großen dargelegt werden.

[2] Das. Schreiben Leopolds und des Königs vom 9. u. 13. März 1708.

[3] Des hochfürstl. Sächs.-Gothaischen Cammer-Fiscalis wohl gegründete Rechnung und handgreifliche Ablehnung gemachter Praetensionen contra den Dessauer Juden M. B. Wolffen. Anno 1708. 4°, 13 Blätter.

6*

sächsischen Minister waren empört. Sie erblickten im Kaiserlichen Protektorium eine Verletzung des Kurfürstlichen Privilegs
de non appellando[1]) und einen in seinen Folgen unberechenbaren
Eingriff in das allgemeine sächsische Wechselrecht, welches vermöge
der Bedeutung der Leipziger Messe dem gesamten Handelsverkehr
als Grundlage diente, und sie verlangten deshalb (10. September 1708) durch den sächsischen Gesandten in Wien sofortige
Aufhebung des Protektoriums und ungehinderten Lauf der bestehenden Wechselgesetze. Ja, als diesem Verlangen nicht statt-
gegeben wurde (18. September), ließen sie kurz entschlossen zur
Leipziger Michaelismesse ein Kurfürstliches Patent anschlagen, in
welchem das Kaiserliche Protektorium für null und nichtig erklärt
und Befehl gegeben wurde, die Gothaischen Räte zu verhaften,
falls sie das Kurfürstentum zu betreten wagten. Der Reichshofrat
war über dieses kurze und bündige Verfahren nicht minder entrüstet wie der Herzog von Gotha. Während dieser den König
von Preußen anrief, den Kurfürsten, der im Felde weilte und erst
nachträglich von dem Vorfall erfuhr, zur Rücknahme des
ministeriellen Patents zu bewegen, erklärte der Reichshofrat das
kaiserliche Protektorium als unantastbar zu Recht bestehend. Für
Wulff hatte dieser Kompetenzstreit wenigstens das eine Gute, daß
ungewöhnlich schnell — nach 11 Monaten bereits — das erste
Kaiserliche Conclusum in seiner Sache erschien[3]). Danach sollte
eine eigene Kaiserliche Kommission, zu welcher beide Parteien ihre
Bevollmächtigten innerhalb zwei Monaten zu ernennen hatten, die
streitige Angelegenheit zwischen Wulff und Gotha möglichst schleunig
zum Austrag bringen. Bis dahin sollte das Gotha gewährte
Protektorium bestehen bleiben; so ungern auch der Kaiser indirekt
in den Wechselkurs hindernd eingreife, in diesem Falle gehe es

---

[1]) D. h. daß bei Beträgen bis zu einer gewissen Höhe keine
Appellation an Gerichte außer Landes stattfinden dürfe.

[2]) A.=Berlin, a. a. O.

[3]) 17. Dezbr. 1708. Die meisten Reichshofrat=Conclusa sind von
Franz Wilderich von Menßhengen unterzeichnet.

einmal nicht anders. Dafür solle die Kommission sofort das Liquidum zunächst vom Illiquidum absondern und den Interessenten zu ihrem Recht verhelfen. Dem Kurfürsten ließ der Kaiser sein Mißfallen über das in seiner Abwesenheit Vorgefallene aus= drücken, aber auch die umgehende Erledigung der Angelegenheit versprechen.

Trotz dieser Versicherungen, welche öfters noch erneuert wurden, verging das ganze Jahr 1709, ohne eine Entscheidung zu bringen. Dabei war Wulffs Lage durch das für seine Gegner so günstige Protektorium noch viel schwieriger geworden. Er durfte sich vor seinen erbitterten Gläubigern gar nicht mehr auf den Messen blicken lassen. Als darum der Kurfürst von Sachsen nach der für seinen Feind Karl XII. so verhängnisvollen Schlacht von Pultawa sich mit seinem Heere wieder nach Polen zu in Bewegung setzte, folgte Wulff dem Hoflager bis nach Guben und erreichte es, daß Friedrich August, obwohl ihm der Augenblick doch ganz andere Sorgen brachte, den im Lande zurückbleibenden Ministern seine Sache dringend ans Herz legte und ihm einen ausdrücklichen Schutzpaß gegen seine Gläubiger für das ganze Kurfürstentum ausstellen ließ[1]. So war der Hoffaktor wenigstens in seiner persönlichen Freiheit gesichert. Von einer Entscheidung in Wien verlautete aber immer noch nichts; nur die Gothaer hatten die Leipziger Kaufmannschaft um ein Gutachten ersucht und auf Grund desselben eine neue Druckschrift veröffentlicht, welche trotz ihrer Weitschweifigkeit nichts Neues zur Sache selbst vor= brachte[2]. Fürst Leopold wurde ungeduldig. Er und seine

---

[1] A.=Zerbst, A 19 Nr. 15, Bericht Wulffs an den Fürsten Leopold vom 29. Aug. 1709.

[2] Kaufmännisches Gutachten und Parére derer löblichen Kauff= und Handelsleute, Resp. Deputirten und Crahmer Meistern zu Leipzig auf der Fürstl. Sächs. Gothaischen Renth=Cammer ergangene Fragen und Calculos über denen mit ihren gewesenen in Untreu und fast nicht erhörten Frevel verfallenen Hof-Factor M. B. Wulffen Juden zu Dessau habenden Factorey= und Rechnungs=Irrungen. Mense Mayo 1710. 4°, 84 Seiten. Nur die

Schwester hatten die Wulff vorgeschossene Summe auf 70000
Thaler erhöht und die Bornaschen Dokumente dafür völlig als
Pfand in ihren Besitz genommen. Als nun auch der Sommer
des Jahres 1710 fast wieder vergangen war, ohne daß ein Bescheid
aus Wien eingetroffen, schrieb der Fürst aus dem Lager zu
Douay an den Kurfürsten nach Polen und bat ihn „gehorsamst,
aber auch inständigst" sein Versprechen wahrzumachen und Borna
selber einzulösen[1]). Wulff aber ging noch weiter. Er beschloß
persönlich nach Wien zu reisen und sich dort selbst um seine
Sache zu kümmern; „da betteln doch auch nicht verboten", erbat
er sich vom Fürsten einige Empfehlungsbriefe und versprach, zugleich verschiedene Angelegenheiten Leopolds, die in Wien schwebten,
nach Kräften zu fördern[2]).

Am 3. September 1710 kam der Hoffaktor vor der Reichs-
hauptstadt an, logierte in dem Lusthause vor der Stadt, welches
dem Kaiserlichen Hoffaktor Emanuel Oppenheimer[3]) gehörte, und
quartierte sich dann in dessen Hause in Wien selber ein. Den
ersten Eindruck, den er gewann, faßte er noch am selben Tage
in einem Schreiben an die Fürstin zu Dessau in die Worte zusammen: es scheint, hier in Wien alles fiat umbs Geld. Mehr
aber noch als das Geld wirkten die Empfehlungen, welche ihm
Fürst Leopold mitgegeben hatte. Schon nach vierzehn Tagen reichten
die von Anhalt bestellten Anwälte den Antrag beim Reichshofrat
ein: es sollten zunächst 54000 Thaler noch nicht eingelöste
Gothaische Wechsel für liquid, current und exigibel erklärt, und
bis zur Entscheidung der Kaiserlichen Kommission über den Rest
die Immissio des Fürsten von Anhalt und seiner Schwester in

---

erften 4 Seiten enthalten die an die Kaufleute gerichteten Fragen und deren
Antworten; alles andere sind Gegenliquidationen Gothas und Auszüge aus
Briefen und Kontrakten mit Wulff.

[1]) A.-Zerbst, a. a. O., 30. Juni 1710.
[2]) Daselbst, 11. Juli 1710.
[3]) S. über ihn u. sein Haus: Kaufmann, Samson Wertheimer an
zahlreichen Stellen.

das Amt Borna verfügt werden. Acht Tage später, am 1. Oktober 1710, erschien das seit drei Jahren sehnlichst erwartete Conclusum. Dasselbe erklärte dem Antrag gemäß 54000 Thaler Wechselsumme für liquid und dem Wechselrecht unterworfen; alles andere sollte vor der Kommission verglichen oder durch Urteil des Reichshofrats festgesetzt werden. Der Herzog von Gotha wurde ersucht, einem Vergleich vor der Kommission sich nicht zu entziehen, überhaupt fernere Weitläufigkeiten zu vermeiden und etwaigen Widerspruch gegen den Anhaltischen Antrag betreffs Bornas innerhalb zweier Monate vorzubringen. Ebenso wurde Wulff aufgefordert, seine weiteren, über das Liquidum und das Kapital selbst hinausgehenden Forderungen vor dem Reichshofrat darzulegen und dessen Entscheidung herbeizuführen. Diesem ersten Conclusum folgte auf Antrag Anhalts und Wulffs mit erstaunlicher Schnelligkeit schon am 24. Oktober ein zweites, welches dem Fürsten Leopold, ohne die von ihm angebotene Kaution anzunehmen, die förmliche Verpflichtung auferlegte, die Bornaschen Dokumente in seinem Archiv weiter gehörig zu verwahren und sie ohne besondere Kaiserliche Verordnung niemanden auszuliefern, allenfalls dem Herzog von Gotha nach erfolgter Befriedigung Wulffs. Der erstere wurde nochmals ersucht, sich über alle Forderungen mit diesem ehestens zu vergleichen, da der Streit sich doch nur noch um die Höhe der Zinsen und Kosten drehe, und diese Differenzpunkte leicht auf Grund des gewöhnlichen Wechselkurses beseitigt werden könnten. Von dem Inhalt der beiden Conclusa ließ der Kaiser außer den Parteien auch dem König von Preußen und dem Kurfürsten von Sachsen Mitteilung machen.[1])

So war denn die Reise Wulffs nach Wien nicht fruchtlos geblieben, und da er auch in den geheimen, persönlichen Angelegenheiten seines Herrn, deren Ziel aus den Akten nicht erkennbar ist, eine rege Thätigkeit entwickelt hatte, so konnte er mit erleichtertem Herzen die Rückreise antreten. Aber es schien, als ob

---

[1]) A.-Berlin, a. a. O., 30. Oktober 1710.

mit seiner Abreise von Wien alles wieder ins Stocken geraten sollte. Das Jahr 1711 war schon längst herangekommen, und die nach zwei Monaten bereits fällig gewesenen Einwendungen Gothas standen noch immer aus. Der Tod Kaiser Josephs im April dieses Jahres bot eine erwünschte Gelegenheit zu neuer Verschleppung. Ja, mit der Thronbesteigung Kaiser Karls trat überhaupt ein günstiger Umschwung für Gotha ein; denn als im folgenden Jahre, am 12. April 1712, wieder eine Entscheidung fiel, bedeutete sie einen entschiedenen Sieg der Gegner Wulffs. Fürst Leopold sollte die Dokumente nach Wien abliefern; die Einziehung der als liquid erkannten Wechsel sei unterdessen zu unterbrechen, und die vor dem Vergleich zu Goltz ausgestellten könnten überhaupt nicht unter die liquiden eingerechnet werden. Endlich wurde die frühere Spezialkommission in verstärkter Mitgliederzahl wieder eingesetzt, und den Parteien aufgegeben, innerhalb zweier Monate ihre endgültigen Anträge derselben vorzulegen, eventuell durch Berufung von sachverständigen Handelsleuten den Streit zum Abschluß zu bringen. Folge geleistet wurde diesen Beschlüssen von keiner Seite. Fürst Leopold protestierte gegen die Herausgabe der Dokumente, und die Gothaer hatten natürlich erst recht ein Interesse daran, wieder eine Verschleppung eintreten zu lassen. Ende des Jahres reichte Wulff nochmals eine ausführliche Darlegung an die Kommission ein (7. Dezember 1712), und da er nun schon wußte, daß nur sein persönliches Eingreifen zum Ziele führen werde, so machte er sich im Februar 1713 zum zweitenmal nach Wien auf; unter den ihm mitgegebenen Empfehlungsschreiben befand sich auch eines an den treuen Waffengefährten seines Fürsten, den Prinzen Eugen, welcher alsbald seinem Freunde Leopold erwiderte, er werde sich gerne des Hoffaktors annehmen[1].

Fast gleichzeitig mit Wulff traf in Wien auch die Kunde von dem Ableben des ersten preußischen Königs ein (25. Febr. 1713), ein Ereignis, von welchem zu erwarten stand, daß es gleichfalls

---

[1] A.-Zerbst a. a. O., 4. März 1713.

für diese Streitsache nicht ohne Folgen bleiben würde. War doch der Thronfolger, Friedrich Wilhelm I., von jeher der innigste Vertraute des alten Dessauers, und es war wohl anzunehmen, daß es diesem gelingen würde, den Sohn aus der Reserve heraus= zuführen, welche der Vater bisher bewahrt hatte. Wulff wandte sich in der That sofort um Unterstützung an ihn. Aber auch Gotha suchte den neuen Herrscher in den Prozeß hineinzuziehen, indem es Attestate über die einstigen Kommissionsverhandlungen in Berlin erbat, freilich vergeblich, da die Königlichen Räte, wie früher bereits, so auch jetzt wieder entschieden sich gegen die Er= füllung dieses Ansinnens aussprachen[1]). Dafür wußte es aber beim Kaiser den Erlaß eines neuen Conclusums um einige Zeit hinauszuschieben[2]). Gothas Fürstenhaus war überhaupt, wie die preußischen Vertreter in Wien nach Berlin berichteten, gerade damals am Kaiserlichen Hofe sehr gut angeschrieben, da der Herzog seine Truppen, die aus Italien zurückgekehrt waren, dem Kaiser zur Fortführung des Krieges am Rhein nach Abschluß des Utrechter Friedens überlassen hatte[3]). Wenn die Wulffsche Partei trotz alledem keinen nachteiligen Einfluß auf das Conclusum fürchtete, welches durch des Hoffaktors energisches Betreiben nun doch in Bälde zu erwarten stand, so lag der Grund darin, daß ein neuer Referent ernannt worden war, und hierbei hatte sich — kenn= zeichnend genug für das Rechtsverfahren am höchsten Gerichtshofe — erst herausgestellt, daß dem früheren Referenten nur ein Teil der Akten zugeschickt worden und dadurch das letzte ungünstige Conclusum entstanden war.

Am 20. Juni erschien das erwartete Conclusum wirklich. Es gab die für liquid erkannte Summe wieder für das Wechsel= recht frei, überließ dem Fürsten Leopold nach wie vor die Dokumente unter Sicherheit einer von ihm selber angebotenen Kaution und

---

[1]) A.=Berlin, a. a. O., 5. bis 24. Mai 1713.

[2]) 4. Mai 1713 Relationssistierung auf Bitten Gothas.

[3]) A.=Berlin a. a. O., 17. Mai 1713; s. auch Peck a. a. O. S. 364, Truppenconvention mit dem Prinzen Eugen.

verlangte von Gotha, daß es endlich innerhalb der zwei nächsten
Monate „die rechtliche Nothdurft für die jüdische Liquidation"
beibringe. Der König von Preußen sollte um Ueberweisung der
Berliner Akten nach Wien ersucht werden, und Wulff sollte
ebenfalls die von ihm selbst angebotene Kaution stellen, welche
Fürst Leopold sofort für ihn hinterlegte[1]). Die frohen Hoffnungen,
welche in der Dessauer Partei jetzt wieder auflebten, vermehrte
noch ein Schreiben des Kaiserlichen Oberhofmarschalls Grafen
Schönborn[2]) an den Fürsten, worin versichert wurde, der Kaiser
habe die Beschleunigung des Rechtsspruchs angeordnet, und es
werde nach Kräften für die Ausführung dieser Anordnung gesorgt
werden[3]). Aber Wulff hatte nun schon genügend erfahren, daß
alle noch so schönen Hoffnungen unerfüllt blieben, wenn man nicht
persönlich und unaufhörlich eingriff. Kaum nach Dessau zurückgekehrt, erbat er deshalb von seinem Herrn aufs neue die Erlaubnis, nach einer persönlichen Aussprache mit ihm wieder nach
Wien reisen zu dürfen, und er trat wirklich Ende August zum
zweitenmal in diesem Jahre den Weg an. Sicherlich trug zu diesem
schnellen Entschluß die günstige Konstellation bei, die eingetreten
war; Fürst Leopolds Ansehen war beim Kaiser so gestiegen, daß
dieser ihm am 21. August die Titulatur Durchlaucht verlieh, und
wirklich fiel das bald darauf, am 22. Septbr., erscheinende Conclusum vorteilhaft für die Sache Wulffs aus[4]). Das Gesuch Gothas
um Aufhebung der letzten Verfügungen wurde, „als bei so klaren
Umständen nur zum Aufzug der Sache gereichend", schroff zurückgewiesen und bestimmt, Gotha habe nunmehr auch die bis jetzt
verfallenen Zinsen des liquid erklärten Kapitals, nach eigenem Geständnis mit 1 % pro Monat, sowie die durch die Stundung

---

[1]) A.-Berlin, a. a. O., 17. Aug. 1713.

[2]) Reichsgraf Rudolphus Franciscus Erwin von Schönborn,
Wirklicher Geh. Rat, Oberhofmarschall und Oberkämmerer am Kaiserlichen
Hofe; s. d. zeitgenöss. Univers. Lexikon Bd. 35 (Leipzig-Halle 1743).

[3]) A.-Zerbst, a. a. O. 1. Juli 1713.

[4]) Abgedruckt in d. Vorstellung 1719, Bl. 4.

entstandenen Kosten zu bezahlen. Freilich war man am Kaiser=
lichen Hofe in anderer Beziehung wieder nachsichtiger. Obwohl
die durch das letzte Conclusum festgesetzte Frist von zwei Monaten
längst verflossen war, erhielt Gotha nochmals 14 Tage Zeit zur
Widerlegung der übrigen Forderungen, und auch dieser Termin
wurde später wiederum verlängert. Endlich am 8. Januar 1714,
also nach bereits sechsjähriger Dauer des Prozesses in Wien,
brachte Gotha seine angeblichen Gegenforderungen gegen die
Wulffschen Ansprüche ein und verlangte gleichfalls die Berufung
sachverständiger Kaufleute. Noch vor Ablauf der vorgeschriebenen
zwei Monate hatte der Hoffaktor die Zurückweisung dieser
Forderungen wieder eingereicht. Seine Gegner wurden mit ihrer
Erwiderung hierauf nicht so schnell fertig; sie ließen sich dreimal
die gewährte Frist verlängern und zettelten bis Ende des Jahres
ihren Gegenbericht hin.[1]

Wulffs Geduld wurde überhaupt diesmal auf eine ganz be=
sonders harte Probe gestellt. Mußte er doch den grenzenlosen
Schmerz erleben, daß während seiner Abwesenheit von Dessau seine
treue Lebensgefährtin Zippora im besten Alter von 53 Jahren
aus dem Leben geschieden war, ohne daß er ihr die Augen hatte
schließen dürfen[2]. Es läßt sich nachfühlen, daß es ihn nach
Hause drängte! Dazu kam noch, daß die Exekution der liquiden
Gothaischen Wechsel jetzt wirklich und endlich vor sich gehen sollte,
und daß der Aufenthalt in Wien ungeheure Kosten verursachte,
zumal die ihm mitgegebenen Empfehlungen durch öftere Geschenke
im Andenken der hohen Adressaten erhalten werden mußten[3].
Trotzdem mußte er aus triftigen Gründen seine Ungeduld meistern.
Zunächst wollte er dem neu ernannten Präsidenten des Reichs=
hofrats, dem Reichsgrafen von Windisch=Graetz[4], an welchen

---

[1] S. Vorstellung 1719, Bl. 6.
[2] S. weiter S. 127.
[3] A.=Zerbst a. a. O, 11. April 1714 Schreiben Wulffs an den
Fürsten.
[4] S. über ihn Zwiedineck in A. D. B. (1898) Bd. 43.

ihn Fürst Leopold ebenfalls empfohlen hatte[1]), seine Sache persönlich
ans Herz legen, und dann wartete er auf die Ausstellung eines
besonderen Kaiserlichen Schutzbriefes, um welchen er zur
Sicherung gegen etwaige Nachstellungen seiner Gegner, die fort=
während im Gange waren, eingekommen war. Das merkwürdige
Schriftstück, welches er am 17. April 1714 wirklich erhielt, hatte
folgenden Wortlaut[2]).

Wir Carl der Sechste p. p. Bekennen öffentlich mit diesem
Brief, und Thuen Kund jedermänniglich: Obwohlen alle Unsere
und des Heil. Reichs Stände ihre Unterthanen und Zugehörige
Gemeiniglich in Unsern als Römischen Kaysers Schutz, Schirm,
Protection und Versprechnüs seyn, daß Wir jedoch nichts desto=
weniger aus sonderbahren Unser Kayserlich Gemüth Bewegenden
Ursachen auf des Fürstl. Anhalt. Dessauischen Hof=Faktor und
Judens Moyses Benjamin Wulffen demüthigsten Klage: wie daß
occasione seines an die Fürstl. Sachsen=Gothaische Rent=Cammer
gethanen liquiden und nahmhaften Vorschusses und darnach ge=
betener Wechsel= und Obligations=mäßiger refundirung ihme un=
zählbare Trangsalen zugefüget, und Er ad incitas usque verfolget,
auch ihm in der judicialiter exhibirten Sachsen Gothaischen Facti
Specie sogar mit arrest und Gefangenschaften vor diesem ge=
drohet worden, auch anhero Verschiedene Nachstellungen Beschehen
wären, die der Alhier vorwaltenden Litispendenz ohngeachtet
Beharret, und gar zum effect gebracht werden dürften, selbigen
und all die Seinigen sambt deren Zugehörde und Haabseeligkeit
mit wohlbedachtem Mueth, gutem Rath und rechten Wißen in
Unsern und des Heil. Röm. Reiches sonderbaren Verspruch, Schutz,
Schirm, und Protection empfangen und angenommen haben,
nehmen und empfangen ihn und all die Seinigen, sambt deren
Zugehörde und Haabseeligkeit auch in Unsern und des Heil. Röm.
Reichs Specialen Schutz, Schirm und Protection, alßo daß er

---

[1]) S. A.=Zerbst, a. a. O., ohne Datum.
[2]) A.=Zerbst, A. 19 Nr. 23, I.

und all die Seinigen sambt deren Zugehörde und Haabseeligkeit
auch alle und jede Recht und Gerechtigkeiten, Freyheiten, immuni-
taeten, Sicherheit und Vortheil haben, sich derselben erfreuen,
gebrauchen und genießen sollen, und mögen, wie alle andere Unsere
und des Heil. Röm. Reichs Stände und Unterthanen, so mit dem
Kayf. Schutz, Schirm und Protection begabet und versehen seyn.

Und gebieten darauf allen und jeden Chur-Fürsten, Fürsten,
Geistlichen und Weltlichen Praelaten, Grafen, Freyen, Herren, Rittern,
Knechten, Land Vögten, Haupt Leuthen, Land Richtern, Vice Domben,
Schultheißen, Bürger Meistern, Richtern, Räthen, Bürgern, Gemeinden und sonst allen anderen Unsern und des Reichs Unter-
thanen und Getreuen, in was Würden, Stand oder Wesens sie
seynd, ernst und Vestiglich mit diesem Brief, und wollen, daß
Sie mehr erwehnten Moyses Benjamin Wulffen Juden und all
die Seinigen sambt deren Zubehörde und Haabseeligkeit, solch
Unser und des Heil. Röm. Reichs Schutz, Schirm, Protection und
Sicherheit, aller Orthen ruhig und ungehindert sich gebrauchen,
freuen und genießen laßen, und darwider keines Weges weder
directe noch indirecte Bekhummern, Beleidigen, Beeinträchtigen,
Vergewaltigen, noch Beschwören, als Lieb einem jeden seye, Unsere
und des Reichs schwehre Ungnade und Straf und dazu eine Poen
von Fünfzig Mark Löttigen Goldes zu Vermeiden, die ein jeder,
so oft er freventlich hier wider Thäte, Uns halb in Unsere Kayf.
Cammer, und den andern halben Theil Vorgemeldten Moyses
Benjamin Wulffen Juden, oder denen Seinigen, so hier wider
Beleidiget würden, unnachläßlich zu Bezahlen Verfallen seyn solle.

Ferner und damit ob diesem Protectorio und Schirm-Brief
desto Vester und sicherer gehalten und alle Besorgende unziemliche
Vergewaltigung umb so viel eher und Zeitlicher abgewendet und
vertilget werden; So befehlen Wir auch allen und jeden, sonderlich
aber denen Krayß-Ausschreibenden Chur- und Fürsten und Krayß
Obersten Lbd. Lbd. und Anb. Anb. und dann auch in Specie des
Fürsten zu Anhalt Dessau Lbd. hiemit, daß Sie in Craft Unsers
ihme hiemit gebenden Vollkommenen Kayf. Gewaltsmacht in Unseren

Nahmen und an Unserer statt, ob solch Unserm Protectorio und
Schirm Brief, all seines Inhalts siet, Vest und Kräftiglich halten,
und Impetranten wider all diejenige, welche ihn, die Seinigen,
und all das ihrige dieser Sachen halber, unter was Schirm und
Vorwandt es auch nur immer Beschehe, zu incommodiren suchen
mögten, Beständig und sicherlich schützen, handhaben und conserviren,
Beschieht auch daran Unser Allergnädigster Wille und Meynung
mit Urkund dieses Briefs, Besiegelt mit Unserm Kayf. anhangenden
Insiegel, der geben ist in Unserer Stadt Wien den Siebenzehenden
Monaths-Tag Aprilis nach Christi Unseres Lieben Herrn und
Seeligmachers Gnadenreichen Geburth, im Siebenzehnhundert und
Vierzehenden, Unserer Reiche des Römischen im Dritten, des
Hispanischen im Eylsten, des Hungarischen und Böhmischen aber
im Vierten Jahr.

Carl.

(L. S.)   Gr. v. Schönborn.

Ad Mandatum S. C. Maj. proprium.

G. F. v. Glandorf.

3.

Es war ein nicht zu unterschätzender Erfolg, welchen Wulff
durch die erlangte Ausstellung des Kaiserlichen Schutzbriefes erreicht zu haben glaubte. Aber er sollte bald eines Anderen
belehrt werden und die Erfahrung machen, wie wenig Achtung der
Haß seiner Gegner selbst vor einem Kaiserlichen Protektorium
empfand, wenn es ihre Pläne kreuzte. Bis in den Sommer hinein
verzögerte sich seine Rückkehr von Wien. Noch im Juli meldet
er seinem Herrn von dort aus[1]), daß nunmehr auch Preußen in
die Streitsache eingreifen wolle und dem Gesandten in Wien, dem
Grafen von Schwerin, Auftrag gegeben habe, im Namen des
Königs Friedrich Wilhelm um Beschleunigung des Prozesses ein-
zukommen; aber er befürchte, daß der Einfluß Wartenslebens,

---

[1]) A.-Zerbst, A. 19 Nr. 15, 7. Juli 1714.

als ehemaligen Gothaischen Beamten[1]), diesen Auftrag wieder
zunichte machen werde. Kurz darauf kehrte er von Wien nach
Dessau zurück und fand sich zur Michaelismesse in Leipzig ein,
um nun endlich — was er so lange ersehnt und erstrebt hatte
— auf Grund der erreichten günstigen Conclusa die Rückzahlung
seiner Gothaischen Außenstände und damit auch die Befriedigung
seiner Gläubiger ins Werk zu setzen. Aber er sollte nicht dazu
kommen! Hoffnungsfroh in Leipzig angelangt, wurde er dort
sofort auf Anzeige eines Gläubigers hin in Schuldhaft genommen
und ungeachtet aller Schutz= und Freibriefe, ungeachtet sogar des
neuen Kaiserlichen Privilegs im Gefängnis belassen. Wie die vom
Fürsten Leopold mit allem Nachdruck geführte Untersuchung nachher
ergab[2]), war auch dieser zweite Egersche Handstreich von Gotha
ausgegangen. Ein Leipziger Advokat war von dort aus beauftragt
worden, Beweise für den schlechten geschäftlichen Leumund des
Hoffaktors zusammenzubringen, und hatte sich thatsächlich auf die
Suche begeben, wobei er denn in dem Dessauer Bürgermeister
Köhler[3]) seinen Mann fand. Dieser ließ Wulff wegen Wechsel=
schulden gegen einige seiner Angehörigen am selben Tage vor das
Leipziger Handelsgericht vorladen, an welchem er seinem Termin
in Sachen der Gothaer Schuldverschreibungen beiwohnen mußte,
und ihn, da er sich wegen dieses wichtigeren Termins auf die
Klage nicht einlassen wollte, sofort verhaften. Vor dem wütenden
Zorn des Fürsten Leopold mußte Köhler flüchten; sein Besitztum
wurde mit Beschlag belegt, er selber durfte das Land niemals
mehr betreten. Wulff aber wurde erst gegen Schluß der Messe
aus der Haft entlassen, nachdem der Fürst beim sächsischen Statt=
halter, dem Fürsten von Fürstenberg, die Freilassung erwirkt
hatte. Köhler verwickelte ihn zwar in einen neuen langwierigen
Prozeß, der zunächst vor dem Reichskammergericht zu Wetzlar
viele Jahre hindurch versochten wurde; aber der Schaden, welchen

---

[1]) S. oben S. 53 u. 62.
[2]) A.=Zerbst, A. 19, Nr. 20.
[3]) S. Würdig, a. a. D., S. 88. 89 u. ö.

er dem Hoffaktor jetzt zugefügt hatte, war viel trostloser. Sein
Kredit, seine finanzielle Lage waren durch den ihm gespielten
Streich für lange Zeit hinaus wieder erschüttert, und es ist be=
greiflich, daß aus all' den geschäftlichen Schwierigkeiten, mit denen
er fortan erst recht zu kämpfen hatte, immer der Stoßseufzer
wiederkehrt: Wenn nur das Unglück in Leipzig nicht gewesen wäre!

Nach seiner Freilassung begleitete der Hoffaktor seinen Herrn
nach Pommern, wo neue Verwicklungen mit Schweden be=
vorstanden. Diesen Augenblick, da Wulff den engen Zusammen=
hang mit Wien ein wenig verlieren mußte, benutzten seine Gegner
dort, um zum ersten= und einzigenmal eine Beschleunigung des
Prozesses durch einen Antrag auf sofortigen Schluß des Akten=
laufs herbeizuführen; sie wollten auf diese Weise die weitere
Widerlegung ihrer angeblichen Gegenforderungen unmöglich machen.
Der Antrag wurde angenommen[1]); aber obwohl jetzt der end=
gültige Rechtsspruch hätte vor sich gehen müssen, erlangte Gotha
doch wieder die Einberufung der sachverständigen Kaufleute, zu
deren Verhandlungen ein eigener Vertreter auch von Dessau aus
in Wien eintraf. Die Wahl dieses Vertreters erwies sich freilich
bald als ein Mißgriff schlimmster Art; er war bereits 14 Tage
nach seinem Erscheinen in der Hauptstadt durch Geldversprechungen
für die Gegenpartei gewonnen und erklärte deshalb vor der Kom=
mission: da mündlich kein Verständnis zu erzielen sei, so möchten
doch die Gothaer ihre Einwendungen schriftlich vorbringen. Damit
begannen denn zur Freude Gothas die schriftlichen Erörterungen
von neuem. Ueber jeden einzelnen Liquidationspunkt eröffneten
seine Anwälte ein besonderes Verfahren unter Aufstellung zahl=
reicher Thesen und erbaten zuletzt eine neue Berufung der Sach=
verständigen und Wulffs zur mündlichen Erörterung und Ent=
scheidung der gegenseitigen Forderungen. Wieder machte sich der
Hoffaktor, eine Hochzeit in seinem Hause sogar im Stiche lassend[2]),

---

[1]) 30. Januar 1715; s. hierzu und zum Folgenden d. Vorstellung
1719, Bl. 7 f.

[2]) A.=Zerbst, A. 19 Nr. 20 und hier weiter Abschnitt V, 2.

nach Wien auf; aber, wie vorauszusehen war, verliefen auch diese Verhandlungen fruchtlos, da sich Gotha immer nur auf Akten und Thesen berief. So verging das Jahr 1715, und ebenso wußten auch im folgenden Jahre die Wulffschen Widersacher eine Ent= scheidung immer wieder hinauszuschieben. Die Briefe des Fürsten Leopold an den Kaiser und den Prinzen Eugen, in welchen er beiden zum Siege von Temesvar gratulierte und zugleich um einen endgültigen Spruch bat[1]), hatten erst Erfolg, als auf das Drängen des Sohnes von Wulff hin der preußische Gesandte, Graf von Schwerin, von Berlin aus angewiesen wurde, sich energisch der Sache anzunehmen[2]). Am 23. Dezbr. 1716 wurde infolgedessen Wulff wiederum ein Teil seiner Forderungen mit den aufgelaufenen Zinsen zugesprochen, das Uebrige für eine neue Verhandlung ausgesetzt.

Die Bewilligung dieses Restes hing nunmehr einzig und allein von dem Gutachten der so oft schon angeregten Sachver= ständigen=Kommission ab, um deren Berufung der Hoffaktor von neuem bat, indem er zugleich eine weitere Druckschrift in Wien vorlegen ließ: Summarische, doch allerdings Aktenmäßige Dar= stellung dessen, so in Prozeßsachen zwischen Moses Benjamin Wulff und Sachsen=Gotha vorgefallen und Kayserl. Majestät exhibiert u. s. w.[3]). Indes, obwohl die Gothaer selber einst die Einberufung dieser Kommission vorgeschlagen hatten, suchten sie jetzt auf jede Weise dieselbe zu hintertreiben. Ihre einzige Rechtspolitik in diesem Prozeß war möglichstes Hinausziehen, und sie waren der Wirkung

---

[1]) A.=Zerbst, A. 19 Nr. 15, 26. Aug. 1716.

[2]) A.=Berlin a. a. O., Potsdam, 5. und 17. Novbr. 1716. — In einem Briefe Friedrich Wilhelm I. an Fürst Leopold vom 5. Novbr. 1716 (abgedruckt in den Mitteilungen des Vereins für Anhaltische Gesch. u. Altertumsk. I., Dessau 1877, S. 295) ist von einem Schreiben die Rede, welches Moses nach Berlin überbracht hatte. Der König meint offenbar Elia Moses.

[3]) „Nach dem Wienerischen Exemplar gedruckt zu Dessau durch Joh. Wilhelm Düringen, Hochfürstl. Anhalt. Privil. Hof=Buchdr. 1717"; 2° 11 Bl., 190 Punkte. — Ueber den Buchdrucker f. Würdig a. a. O. S. 156.

Freudenthal, Aus der Heimat Mendelssohns.   7

dieses Mittels so sicher, daß Herzog Friedrich auf die ihm ange=
botene Vermittlung der Herzogin von Radziwil hin „die aller=
härteste und unvermutetste Antwort von der ganzen Welt gab und
dadurch erwies, daß seine Bedienten ihm die Sache ganz falsch
vorstellten".[1] Erneute Schreiben des Fürsten Leopold an den
Prinzen Eugen und den Reichshofratpräsidenten Windisch=Graetz,
unterstützt durch ein direktes Gesuch Preußens an den Kaiser[2]),
bewirkten nur, daß Wulff aufgefordert wurde, die restierenden
Liquidationspunkte beim Reichshofrat anzugeben. Nach vier Tagen
war der Nachweis zur Stelle. Die Gothaer Anwälte, deren Er=
widerung hierauf innerhalb acht Tagen einlaufen sollte, brauchten
etwas länger. Aus den acht Tagen wurden mehr als acht Monate;
statt am 24. Juli 1717 ging ihre Antwort erst am 2. Mai 1718
ein. Vergebens protestierten Wulff und die Anhaltische Regierung
bei Kaiser und Reichshofrat gegen diese von der höchsten Rechts=
behörde gebilligte, unerhörte Verschleppung; vergebens deckte der
Hoffaktor in einer neuen Veröffentlichung vor aller Welt seine
Unschuld und das Treiben seiner Gegner auf[3]), vergebens ließ auf
Bitten des Fürsten Leopold Preußen dreimal, teils auf schrift=
lichem, teils auf mündlichem Wege, durch den Grafen von Schwerin
Vorstellungen in Wien machen[4]). Nichts half, und es war gar
kein Wunder, daß alle Schritte so ohne jeden Erfolg blieben; denn
Gothas Vertretung in Wien lag seit diesem Jahre in so vor=
züglichen Händen, daß es um die weitere Entwicklung aller seiner
Angelegenheiten dort völlig beruhigt sein konnte.

---

[1] Schreiben Fürst Leopolds nach Berlin, A.=Berlin a. a. O.,
28. Juli 1717.

[2] A.=Zerbst, A. 19 Nr. 20.

[3] Titel: Allerunterthänigste Remonstratio ad conclusum den
4. Okt. 1717 [betraf Verschiebung der Entscheidung] deß Hochfürstl.
Anhalt. Deßauischen Hof= und Cammer=Agenten Moses Benj. Wulffens
contra die Hochfürstl. Sachsen Gothaische Rent=Cammer; 4°, 8 Bl.,
o. O. u. J.

[4] A.=Zerbst, a. a. O., 28. Juli und 7. August 1717 Antwort Preußens,
ferner am 3. August, 7. August und 8. Novbr. 1717.

Gustav Adolf Gotter, der Sohn des früher erwähnten Gothaischen Finanzrates und einstigen Freundes von Wulff, hatte seinen Vater 1715 nach Wien begleitet und war seitdem der erklärte Liebling und die einflußreichste Persönlichkeit des ganzen Kaiserlichen Hofes geworden[1]. Jetzt eben hatte Herzog Friedrich dem jungen Mann, dem eine glänzende Laufbahn noch beschieden sein sollte, die gesamte Vertretung des Gothaischen Hauses und Landes am Wiener Hofe übertragen, und die Wulffsche Partei war die erste, welche Gotters Einfluß zu verspüren hatte. Verstand es doch Gotha sogar, noch im selben Jahre Preußen auf seine Seite zu ziehen und das Mißtrauen, welches seit der Clementschen Affäre gerade damals in Friedrich Wilhelm gegen seinen Freund Leopold von Dessau wachgerufen worden war[2], so geschickt auszunutzen, daß der Graf von Schwerin Gegenordre erhielt und angewiesen wurde, für Gotha einzutreten oder wenigstens, da dieser es entschieden ablehnte, eine solch' plötzliche, ungerechtfertigte Schwenkung mitzumachen, sich indifferent zu verhalten[3]. Ungehindert konnten so die Gothaer, kurz nachdem sie endlich ihre Entgegnung eingereicht hatten, die Entscheidung wieder hinausschieben, indem sie mit scheinbar wichtigem Ernste einen ganz wertlosen Leipziger Kurszettel dem Reichshofrat zu eingehender Prüfung einlieferten (27. Mai 1718). Damit begann wieder ein neuer Aktenlauf, und da außerdem ein Conclusum vom 7. Oktober 1718, durch welches endlich die Akten über die von Gotha verlangte Compensation der Forderungen geschlossen werden sollten, von diesem gar nicht beachtet wurde, so schleppte sich der Prozeß erst recht ohne absehbares Ende weiter.

Die Wulffsche Partei verzweifelte fast. Seit dem Jahre 1717 weilte eigens ein Anhaltischer Hofrat in Wien, der nicht nur die

---

[1] S. Beck A., Graf v. Gotter, Gotha 1867, u. derselbe in A. D. B. IX. (1879).

[2] S. darüber Varnhagen von Ense, a. a. O.

[3] Briefwechsel hierüber zwischen Gotha, Berlin und Wien in A.-Berlin, a. a. O.

Interessen Fürst Leopolds in den Seniorats= und anderen Fragen
vertreten, sondern auch dem Hoffaktor kräftig zur Seite stehen
sollte. Er richtete am 3. August ein Schreiben an den Kaiser[1]),
dem es an Schärfe gerade nicht fehlte: Zwei Jahre sei er nun schon
wegen dieser Sache hier; auf 10 Volumina wären die Akten bereits
angewachsen, Wulff habe 18 günstige Conclusa erhalten und trotzdem
etliche 100 Monita einreichen müssen. Es sei ein Despekt des
hohen Reichsgerichts, wie Gotha immer weitere Verschleppungen
mache; sein Vertreter habe es ja offen vor der Kommission erklärt:
Der Jude sollte noch wohl graue Haare bei dem Prozeß bekommen.
Die ganze Welt wundere sich über eine solche Prozeßführung.
Man sollte doch bedenken, daß nicht die Sache eines Juden gegen
den Herzog von Gotha hier geführt werde, sondern die Sache
seiner Gläubiger, vor allem des Fürsten Leopold und seiner
Schwester, die es sehr schmerzlich berühre, daß ihnen solche Schwierig=
keiten in den Weg gelegt würden, wo sie einem treuen und red=
lichen Diener beiständen. Aber auch diese scharfe Sprache verfehlte
ihre Wirkung, und es war unter solchen Umständen nicht zu ver=
wundern, daß Herzog Friedrich II. das wiederholte Anerbieten des
Königs von Preußen, zwischen ihm und Anhalt vermitteln zu
dürfen, entschieden ablehnte und zuletzt den Wunsch aussprach,
Friedrich Wilhelm möge sich nicht mehr in die Sache einmischen.
Der König versprach, diesem Wunsche nachzukommen[2]). Bei der
Spannung, welche zwischen ihm und dem Kaiser bestand und gerade
jetzt durch das Bündnis zwischen Oesterreich, Sachsen und Hannover
(15. Januar 1719) mit seiner Spitze gegen Preußen noch ver=
mehrt worden war[3]), wäre sein Eintreten für Anhalt in Wien
doch nutzlos gewesen, und Gotha andererseits bedurfte Preußens
erst recht nicht; denn so offenkundig standen einflußreiche Reichs=

---

[1]) A.=Zerbst, a. a. O.

[2]) Briefwechsel in A.=Berlin a. a. O., 27. Dezbr. 1718; 10, 14. Januar
u. 15. Febr. 1719.

[3]) S. Stenzel, Gesch. d. preußischen Staats, Hamburg 1841, 3. Teil
S. 291 f.

hofräte ihm völlig zu Diensten, daß Fürst Leopold beim Kaiser um die Entfernung derselben aus der Kommission einkommen mußte[1]. Das Conclusum, welches nun endlich nach mehr als zwei Jahren seit der letzten Entscheidung am 26. Juli 1719 erschien, brachte darum nur einen halben Sieg für Wulff, einen ganzen aber für seine Gegner. Die Compensationsfrage sollte wirklich in den Akten abgeschlossen, das Gutachten der Sachver=ständigen aber so lange ausgesetzt werden, bis dort das Urteil er=gangen sei. Während gegen den zweiten Teil dieses Conclusums Wulff eine neue Druckschrift einreichte[2]), in welcher nochmals ein=gehend das Gothaische Verschleppungssystem dargelegt und die rechtliche Grundlosigkeit der an ihn erhobenen Ansprüche nach=gewiesen wurde, entzog sich die Gegenpartei hinwiederum der Aus=führung des ersten Teils. Und auch diesmal blieben die Bitten des Fürsten Leopold nutzlos. Selbst sein wieder nach Wien ent=sandter Vertreter, Johann Friedrich Graeve[3]), vermochte es nicht zu verhindern, daß die im selben Jahre noch über die beiden Punkte aufs neue erlassenen Conclusa nicht das Geringste an der Sachlage änderten; ja in dem letztverfügten wurde sogar wegen der in der Wulffschen Druckschrift enthaltenen Anzüglichkeiten die rechtliche Ahndung angedroht[4]). Was blieb dem Hoffaktor, nachdem das ganze Jahr 1720 gleichfalls ohne Entscheidung verstrichen war, anderes übrig, als sich selber wieder nach Wien aufzumachen? Doch auch er hatte 1721 kaum einen Erfolg aufzuweisen, und der vom Fürsten Anfangs 1722 dorthin entsandte Obersthofmeister Freiherr von Grote brachte ihm nicht allein keine Hülfe, sondern

---

[1]) A.=Zerbst a. a. O., 20. Januar 1719.

[2]) Titel: An die Römisch Kayserliche p. p. Majestät Allerunterthänigste höchst bemüssigte Vorstellung ad conclusi de 26. Juliy nup. Membrum secundum u. s. w.; 2°, 45 Bl. o. O. u. J. Ueberreicht an den Reichshofrat am 16. Novbr. 1719.

[3]) A.=Zerbst a. a. O., Vollmacht vom 1. Mai 1720.

[4]) Conclusa vom 30. April u. 5. August 1720.

trat ihm aus Gehässigkeit und Neid überall hindernd in den Weg[1]). Zu alledem zog drohend mit einer neuen Wendung des Prozesses eine düstere, unheilschwangere Wolke auf, welche alle seine Aussichten gänzlich zu vernichten schien.

Der Streit um die Bornaschen Dokumente, der in den letzten Jahren zurückgedrängt worden war, trat plötzlich wieder in den Vordergrund. In diesem Jahre 1722 lief nämlich der Wiederkaufstermin ab, welcher 1698 zwischen dem Kurfürsten von Sachsen und Herzog Friedrich von Gotha vereinbart worden war. Gotha wünschte den Rückkauf durch Sachsen, da es zur Besserung seiner Finanzen das einst gezahlte Geld notwendig brauchte, und Friedrich August hatte, diesem Wunsche entsprechend, den Rückkaufstermin auf Bartholomäi festgesetzt, aber — und selbstverständlich hatte hier Fürst Leopold seine Hand im Spiele — nur gegen Vorlegung der Originaldokumente. Obwohl man nun in Gotha den Standpunkt vertrat, daß die Dokumente durch die vom Reichshofrat dekretierten Zahlungen bereits vollständig eingelöst seien, so bot dennoch Herzog Friedrich dem Fürsten Leopold eine Abschlagssumme an. Hätte dieser das Angebot angenommen, so wäre Wulff für immer verloren gewesen; aber Fürst Leopold vergalt die Treue seines Hoffaktors mit der eigenen, und das Anerbieten wurde abgelehnt. Freilich war damit zunächst nichts gewonnen; denn der Herzog wandte sich sofort hülfesuchend an den Kaiser, stellte sich und alle seine Lande als Kaution, falls ihm in der Wulffschen Sache noch etwas aberkannt werden sollte, und erreichte auch diesmal wieder, was er wollte. Durch kaiserliches Conclusum vom 30. Juli 1722 wurde die Kaution angenommen, Fürst Leopold zu sofortiger Einsendung der Dokumente nach Wien aufgefordert, und der Kurfürst von Sachsen benachrichtigt, daß dem Rückkauf Bornas „der Fürstl. Anhalt. Dessauischen oder jüdischen Protestation ungeachtet" nichts im Wege stehe, da die Dokumente eventuell für ungültig erklärt würden.

---

[1]) Briefwechsel Wulffs u. der übrigen Dessauer Räte in Wien mit der Regierung u. dem Fürsten Leopold in A.-Zerbst, A. 19, Nr. 21.

Aber auch für diesen Fall hatte Fürst Leopold sich schon im voraus gewappnet. Schon früher einmal war Wulff von ihm beauftragt worden, die Bornaschen Dokumente dem König von Preußen anzubieten; die damals gepflogenen Verhandlungen hatten jedoch zu keinem Resultat geführt[1]). Seitdem aber zwischen dem Könige und Leopold sich das alte freundschaftliche Verhältnis wieder eingestellt hatte, war das Projekt, wie es scheint, wieder angeregt worden, und Friedrich Wilhelm hatte unter tiefstem Stillschweigen die Dokumente übernommen und seinem Freunde jedenfalls auch Zahlungen darauf geleistet. Dieses Stillschweigen war gewiß geboten; der König hatte dem Herzog von Gotha versprochen, sich nicht mehr in die Sache zu mischen, und in Berlin selbst war ja Wulff seiner Zeit die Pflicht auferlegt worden, die Dokumente nicht außer Landes zu bringen. Ebenso war auch Fürst Leopold durch kaiserliches Conclusum gebunden, sie an niemanden auszuliefern. Er hatte sich jetzt darüber hinweg gesetzt in der Meinung, durch einen geschickten Schachzug seine Ansprüche decken zu können. Aber die Wirkung blieb aus. Wohl erbat sich Leopold sofort nach Veröffentlichung des neuesten kaiserlichen Conclusums in einem Handschreiben, welches er von Guben aus durch einen seiner Hauptleute nach Berlin überbringen ließ, vom König die Erlaubnis, die ihm auch gewährt wurde, von der Thatsache der geheimen Verpfändung in Wien den nötigen Gebrauch machen zu dürfen.[2]) Ehe jedoch der preußische Bevollmächtigte dort im Besitz der nötigen Ordres war, hatte der Reichshofrat, über die erneuten Gesuche Preußens, Leopolds und seiner Schwester hinweggehend, ein zweites Conclusum erlassen (17. Septemb. 1722), auf Grund dessen die Bornaschen Dokumente für ungültig erklärt, und Fürst Leopold und seine Schwester auf die Gothaische Kaution verwiesen wurden. Der Kurfürst von Sachsen ward gleichzeitig zur Rückzahlung des

---

[1]) S. daselbst, ohne Datum ein Schriftstück, in welchem alle Vorteile auseinandergesetzt werden, welche die Uebernahme der Dokumente dem Könige bringen würde.

[2]) A.-Berlin a. a. O., 15. August 1722.

Kaufgeldes aufgefordert, und ihm die Zusicherung gegeben, daß alle
Verpflichtungen, die etwa künftighin aus dem Dokumentenstreit er=
wachsen würden, einzig und allein vom Herzog von Gotha zu
tragen seien.

Nicht ohne Absicht war dieses kaiserliche Conclusum so streng
gehalten, daß es sogar verlangte, Friedrich August solle über die
Ausführung innerhalb zweier Monate dem Kaiser Bericht erstatten;
denn auf den Kurfürsten setzte nun die Wulffsche Partei ihre ganze
Hoffnung, obwohl er sich bisher ziemlich ablehnend gegen sie ver=
halten hatte. Schon nach dem ersten Conclusum hatte er dem
Fürsten Leopold mit Bedauern aussprechen lassen[1], er könne in
dessen Angelegenheit jetzt nichts anderes mehr thun, als zur Be=
schleunigung des Urteils in Wien beizutragen; man dürfe es ihm
zuletzt doch nicht verdenken, wenn er vor allen Dingen auf seine
eigene Sicherheit bezüglich Bornas bedacht sei, zumal der Herzog
von Gotha nach dem Wortlaut der gegenseitigen Abmachungen gar
kein Recht gehabt, die Dokumente zu verpfänden. Dennoch hoffte
man in Dessau, das Auftauchen des Königs Friedrich Wilhelm als
Mitbesitzers derselben würde ihn bewegen, die bereits begonnene
Auszahlung des Kaufschillings so lange wenigstens zu unterbrechen,
bis in Wien ein rechtskräftiges, endgültiges Urteil gefällt wäre.
In diesem Sinne äußerte sich vertraulich nicht nur der preußische
Bevollmächtigte in Wien zu dem dortigen sächsischen, sondern
Friedrich Wilhelm ließ auch durch den Generalmajor v. Schwerin
dem Kurfürsten in Warschau persönlich ein Schreiben überreichen,
welches auf Ansuchen Preußens von der Dessauer Regierung ent=
worfen worden war[2]. Der König erklärte darin, er betrachte trotz
des kaiserlichen Conclusums die Dokumente nicht als ungültig,
denn bei solcher Rechtsprechung sei zuletzt niemand mehr im
Lande seiner Dokumente sicher; der Kurfürst möge die Zahlungen
an Gotha solange einstellen, bis die Dokumente in seinen Händen

---

[1] A.=Zerbst, A 19 No. 21, 13. Oktober 1722.
[2] Dies und das Folgende in A=Berlin a. a. O.

seien, oder bis er sich wenigstens mit ihm, als dem Besitzer der=
selben, verglichen habe. Zugleich ging von Berlin auch nach Gotha
ein Schreiben ab (20. Oktober 1722), in welchem der König,
Fürst Leopold und dessen Schwester gemeinsam feierlichst Protest
erhoben und eine Erklärung Gothas an Preußen verlangten. Ja,
als dem ungünstigen Vorbericht des Grafen von Schwerin die ab=
lehnende Erklärung des Kurfürsten folgte (21. und 31. Oktob. 1722),
die Auszahlung sei bereits beendet, und Gotha habe überhaupt kein Recht
zur Verpfändung der Dokumente besessen, so ging noch am selben Tage
ein zweites Schreiben nach Gotha (31. Oktober), in welchem der
König es ganz offen aussprach: er erachte sich durch die kaiserliche
Ungültigkeitserklärung nicht für gebunden und werde sein Recht
auf jede gesetzliche Weise suchen. Um diesen schroffen Ton etwas
zu mildern, wurde dem Herzog ein gütlicher Vergleich mit dem
Könige und Wulff angeboten, und Friedrich Wilhelm fügte zu der
ihm vorgelegten Unterschrift, welche die Worte „Ew. freundwilliger
Vetter und Gevatter" enthielt, eigenhändig noch hinzu: und Bruder.
Trotzdem wies der Herzog jeden Vergleich zurück, da auch er nur
sein Recht suche. Ein nochmaliger Versuch, welchen Preußen auf
Bitten Anhalts machte, blieb ebenso erfolglos[1]); der Herzog beklagte
sich vielmehr beim Kaiser, Fürst Leopold habe den König von
Preußen gegen ihn gehetzt, so daß der alte Dessauer eine Mahnung
aus Wien hinnehmen mußte, keine anderen Schritte zu unter=
nehmen, als solche auf dem Wege des ordentlichen Rechts[2]). Aber
Friedrich Wilhelm ließ seinen Freund nicht so leicht im Stich.
Wiederum ging ein Schriftstück von Berlin nach Gotha, welches
die Anklagen gegen Wulff nicht nur Punkt für Punkt widerlegte,
sondern auch in den schärfsten Ausdrücken sich erging (16. Febr.
1723). Es ist der letzte Versuch, heißt es darin, ob Ew. Lbd.
etwa nach besserer Information nun mehr reflexion annehmen
wolle, wie es Ew. Lbden eigene Gloire und

---

[1]) Das. 17. Oktober, 30. November, 4. und 29. Dezember 1722.

[2]) Das., gegeben Laxenburg 12. Juni 1723.

wahres Interesse dem reiferen Nachdenken gewißlich klar
an die Hand geben wird. Die Vertreter Gothas seien wie in
Berlin, so auch in Dresden auf und davon gegangen und
hätten die Sache nur nach Wien gebracht, um sie zu aeter=
nisieren. Ew. Lbden mögen bedenken, daß, wenn auch der
Prinzipal-Creditor ein Jude ist, dennoch die Gerechtig=
keit weder Person noch Religion ansehet. Die Antwort
Gothas blieb auch auf diese Mahnung unerschütterlich dieselbe.
Erst auf ein nochmaliges Schreiben hin bequemte es sich wenigstens
dazu, dem gerade nach Berlin gehenden Generalfeldmarschall
v. Seckendorf einige mündliche Aufträge in der Angelegenheit
mitzugeben (26. Februar, 27. und 28. März 1723).

4.

In Wien war unterdessen die rechtliche Untersuchung der
Wulffschen Forderungen ihren Schneckengang weitergekrochen. Der
Hoffaktor war nach mehr als anderthalbjährigem Aufenthalt dort=
selbst zu Anfang des Jahres 1723 wieder nach Dessau zurück=
gekehrt. Die am kaiserlichen Hofe schwebenden Angelegenheiten
seines Herrn hatte er nach Kräften geordnet; für sich selber brachte
er wenig Erfolg nach Hause. Die Gotha geglückte Rückerstattung
des Bornaschen Kaufschillings und die Ungültigkeitserklärung der
Dokumente hatten seinen Hoffnungen den furchtbarsten Schlag ver=
setzt. Und doch war er noch nicht ganz entmutigt! Die Heidel
berger Fakultät hatte ein günstiges Gutachten für seine Sache ab=
gegeben[1]); wichtiger aber war es, daß der König von Preußen nun=
mehr in Wien offen erklären ließ, er betrachte die Sache des
Fürsten Leopold als die seinige, und seine Vertreter sollten fortan
Hand in Hand mit denen Anhalts vorgehen. Das geschah auch.
Ein gemeinsamer Protest gegen die Ungültigkeitserklärung der
Dokumente wurde eingereicht, und man suchte ihn wirksam dadurch
zu unterstützen, daß man nach der Entfernung einiger parteiisch

------

[1]) A.-Berlin a. a. O., ebenso alles Folgende.

für Gotha eingenommener Reichshofräte strebte. Aber auch das
gemeinsame Vorgehen führte nicht zum Ziel; das am 15. Juni 1723
ausgegebene Conclusum wies vielmehr den eingelegten Protest
ohne weiteres ab. Damit war das Schicksal der Wulffschen Sache
endgültig besiegelt; die einzige Waffe, mit welcher der Hoffaktor
in diesen zwanzig Jahren sich gegen die Macht seiner Feinde hatte
halten können, der Besitz der Dokumente, war ihm genommen.
Was Gotha schon von Anbeginn der Zwistigkeiten, schon in Berlin,
verlangt hatte, die Rückgabe seines Pfandes, war ihm nun geworden, scheinbar unter dem Titel des Rechts, in Wirklichkeit aber
nur durch die ungeheuerlichen Kniffe, mit denen es den Streit
bis zu diesem Zeitpunkt hingeschleppt hatte. Jetzt, da die Borna-
sche Frage gelöst war, hatte es jedes Interesse an dem Prozeß verloren, und war er auf die lange Bank geschoben worden, so lange
dieses Interesse noch bestand, so durfte er nunmehr erst recht ver-
schleppt und hinausgezogen werden. Ernstlicher Widerstand war
nicht zu befürchten; hatte sich doch der Einfluß des Gothaschen
Vertreters, der Einfluß Gotters, unterdessen von Jahr zu Jahr
so sehr gesteigert, daß er zu dieser selben Zeit 1723 zum kaiserl.
Hofrat ernannt und im folgenden Jahre sogar in den Reichs-
freiherrnstand erhoben wurde.

Unter solchen Verhältnissen fing auch das Interesse Wulffs
an, merklich zu erlahmen. Sein behauptetes Recht war ihm nicht
geworden, und was ihm wirklich zugesprochen worden war, das
hatten die ungeheuren Prozeßkosten und die lange und häufige
Abwesenheit vom Hause längst aufgezehrt. Gotha, das für den
Prozeß keinen besonderen Anwalt angenommen, hatte nach eigener
Angabe bis zum Jahre 1714 bereits 80000 Thaler für die Kosten
dieser Streitsache aufgebracht; wie viel mochte da erst der Hoffaktor verausgabt haben! Um den letzten Rest seiner Forderungen
zu retten, mußte er nunmehr erwirken, daß die Frage der Gothaischen Gegenliquidation und Kompensation, welche durch den
Dokumentenstreit seit fast drei Jahren zurückgedrängt worden war,
wieder eröffnet und durch die immer noch nicht durchgesetzte Ein-

holung des Gutachtens der Sachverständigen erledigt werde. Daß auch hier wieder ein endloser Kampf bevorstand, ließ sich voraus= sehen, und es war wirklich nicht zu verwundern, daß die Spann= kraft Wulffs sich erschöpfte, und daß er ihren Rest und denjenigen seiner äußeren Mittel lieber im eifrigen Dienst seines Herrn, als im nutzlosen Kampf gegen einen anderen verwenden wollte. Freilich mußte er in Wien wenigstens noch sein Möglichstes thun, und die Unterstützung, welche ihm die Regierungen zu Berlin und Dessau boten, war immer noch ein ermutigender Lichtblick in allem Dunkel. Aber ihrem gemeinsamen Bemühen, die Wiederaufnahme des Prozesses nach der bezeichneten Richtung hin durchzusetzen, stellte Gotha einen passiven Widerstand entgegen, der noch hartnäckiger war als der frühere; es rührte und regte sich einfach nicht. Am 3. Aug. 1723 verlangte Preußen die Wiedereröffnung des Liquidationsverfahrens. Am 8. Mai 1725, also nach fast zwei Jahren, forderte Preußen wiederum auf Bitten Anhalts die Beschleunigung des Verfahrens, und selbst die Herzogin von Radzivil versuchte auf ihre Weise ein= zugreifen[1]. Sie ließ durch einen Franziskanermönch, welcher aus Braunschweig, der Heimat der Kaiserin Elisabeth Christine, nach Wien reiste, dieser letzteren und dem Reichshof= rat=Präsidenten ihre Sache ans Herz legen und dann durch Ver= mittlung des Beichtvaters der Kaiserin ihr noch einmal ein Schreiben zustellen, auf welches hin diese auch Hülfe versprach. Sogar der päpstliche Nuntius war gewonnen worden und hatte sich bereit erklärt, dem Kaiser einen von den preußischen Beamten entworfenen Bericht unter mündlicher Empfehlung seines Inhalts zu überreichen. Auch darin wurde in kräftigen Worten die end= gültige Regelung der Liquidationsfrage verlangt: es gäbe sonst kein Exempel in der Welt, wie eine solche Sache hingezogen werde, nur damit Wulff, der jetzt etliche 60 Jahre sei, dazwischen hin= sterbe; seitdem Gotha den Bornaschen Kaufschilling wieder besitze,

---

[1] S. Alles Folgende in A.=Berlin, a. a. O., Berichte aus Wien nach Berlin vom 24. April 1725, 17. November 1725, 12. Januar 1726.

lasse es trotz aller Proteste die Hauptsache völlig liegen und sei zu keiner Relation zu bringen. Auch andere hohe Persönlichkeiten nahmen sich auf Bitten der Herzogin von Radzivil und ihrer Schwester, der Markgräfin von Schwedt, am Wiener Hofe der Wulffschen Sache an[1]). Aber sie alle vermochten Gotha nicht zu zwingen, sich auf die Liquidationsfrage einzulassen. Am 11. März 1726 wandte sich Anhalt wieder mit derselben Bitte an den Kaiser, am 19. Juni ebenso der Hofrat Raumer in Dessau, welcher einer der Gläubiger Wulffs geworden war. Sie erreichten nur, daß ihre Eingaben ad acta genommen wurden. Auch der Protest Anhalts und der übrigen Gläubiger hiergegen wurde einfach nur wieder den Akten einverleibt[2]), und ebenso wenig führten die Verhandlungen mit dem zum Referenten bestellten Hofrat Danckelmann, einem Sohne des ehemaligen preußischen Ministers, den man für besonders Gotha freundlich gesinnt hielt, zu irgend einem Resultat. Was konnte es bei einem solchen Rechtsverfahren nutzen, daß selbst der Vicepräsident des Reichshofrats, Graf Wurmbrand[3]), vertraulich Preußen erklärt hatte[4]): bei ihm habe ein für allemal der Jude Recht, und diese Meinung werde er auch nie ändern! Es war alles umsonst, und Wulff mußte unbedingt den Versuch machen, auf andere Weise sich mit seinen drängenden Gläubigern auseinanderzusetzen und eine Regelung seines Kredits herbeizuführen.

Daß ihm dies, besonders in der Leipziger Neujahrsmesse 1726, wirklich gelang, hatte er in erster Reihe einem alten Gönner, dem langjährigen Vertrauten seines Herrn, dem sächsischen General-Feldmarschall und Minister Flemming[5]), zu danken. Auf dessen

---

[1]) A.-Zerbst, A 19 No. 20.

[2]) A.-Zerbst, a. a. O., Conclusa v. 11. Juli 1726 u. 7. Jan. 1727.

[3]) Johann Wilhelm Graf von Wurmbrand, seit 1697 Reichshofrat, wurde 1722 Vicepräsident und 1728 Präsident des Reichshofrats; s. d. gen. Universal-Lexikon, Bd. 59 (Leipzig—Halle 1749).

[4]) A.-Berlin, Bericht aus Wien vom 27. Juli 1723.

[5]) Ueber Flemming s. Flathe in A. D. B. VII (Leipzig 1878).

Betreiben erhielt der Magistrat zu Leipzig vom Kurfürsten Friedrich August den Auftrag, eine Kommission zur Ordnung des Wulff= schen Kreditwesens einzusetzen, vor welcher der Hoffaktor sich mit einer großen Anzahl seiner Gläubiger friedlich verglich. Flemmings Anteilnahme ging sogar so weit, daß er selber Wulff Gelder vor= schoß, um ihn aus einem Arrest in Dresden zu befreien, welchen wieder einmal ein ungeduldiger Kreditor über ihn verhängt hatte[1]). Auch mit dem Fürsten Leopold scheint Wulff sich völlig auseinandergesetzt zu haben; die übrigen Gläubiger aber, die noch nicht befriedigt waren, unter ihnen auch die Herzogin von Radzivil, wandten sich 1727 wiederum an den Kaiser und baten um Durchführung der Liquidation, da ihr Schuldner kein anderes Mittel mehr wisse, ihnen ihr Guthaben zurückzuerstatten[2]). Sie hofften jetzt um so eher erhört zu werden, als nach dem Tode des Grafen von Windisch=Graetz der bisherige Vicepräsident, Graf Wurmbrand, zum Präsidenten des Reichs= hofrats ausersehen und dazu auch wirklich 1728 ernannt wurde, derselbe, der sich so günstig für die Sache Wulffs ausgesprochen hatte. Zu gleicher Zeit war zum erstenmal das Verhältnis zwischen dem Kaiser und Preußen ein besseres geworden und führte Ende 1728 sogar zum sogenannten ewigen Bündnis von Berlin[3]). Auch von dieser Wendung erhoffte man eine günstige Rückwirkung. Aber die frohen Aussichten wurden plötzlich durch den Verlust eines anderen einflußreichen und eifrigen Parteigängers völlig vernichtet; der preußische Minister Ilgen, der den Prozeß vom ersten Augen= blick als Mitglied der Berliner Kommission bis jetzt als einfluß= reicher Leiter der auswärtigen Angelegenheiten ununterbrochen auf der Seite Wulffs und Anhalts mit durchgefochten hatte, starb hochbetagt am 6. Dezember 1728, und kaum hatte er die Augen geschlossen, so schwenkte Preußen nach der Gothaischen Seite ab.

---

[1]) S. Briefwechsel zwischen Flemming und Wulff in A.=Dresden, Loc. 717.

[2]) A.=Zerbst a. a. O., 14. Oktober u. 15. Dezember 1717.

[3]) S. Stenzel a. a. O., S. 561 ff.

Die Erklärung dafür lag nahe; Gotter hatte durch sein Auftreten
und seine Persönlichkeit auch den König Friedrich Wilhelm so sehr
zu bezaubern gewußt, daß er auf dessen ausdrücklichen Wunsch im
Mai dieses Jahres 1728 nach Berlin berufen und zum Wirkl.
Geheim. Staatsrat ernannt wurde, ohne deshalb aus dem Gothaischen
Dienste auszuscheiden. Ihm war es sicherlich auch zuzuschreiben,
daß endlich der Herzog von Gotha selber eine Verständigung mit
Preußen juchte. Es war schon früher der Vorschlag gemacht
worden, Herzog Friedrich solle den König an Geldes Statt durch
Überlassung eines Regiments Dragoner befriedigen. Jetzt hatte
der Herzog dem König vier „große Kerle" versprochen, wenn er der
Sache in Wien wenigstens einfach ihren Lauf ließe, und er hatte
zwei davon bereits eingeliefert [1]. Nun gab es freilich nichts,
womit man das Herz eines Friedrich Wilhelm schneller gewinnen
konnte, als durch die Befriedigung dieser seiner Leidenschaft für
große Leute, welche er in sein Leibregiment stecken konnte [2], und
er gab deshalb sofort Befehl zu entsprechenden Informationen
nach Wien. Aber seine Vertreter dort waren mit diesem Stimmungs=
wechsel durchaus nicht einverstanden. Wie konnten sie diese plötz=
liche Schwenkung mit ihrem bisherigen, entschiedenen Auftreten
für Anhalt vereinigen, und sollten sie gerade jetzt die Waffen
strecken, da Graf Wurmbrand ihnen ausdrücklich versichert hatte,
die Wulffsche Sache werde im neuen Jahre 1729 endgültig er=
ledigt werden? Die Vorstellungen, welche sie nach Berlin richteten,
wurden wirksam durch den energischen Protest unterstützt, welchen
die Herzogin von Radzivil an den König abgehen ließ [3]; auch
Wulffs Bittgesuch, worin er bei glücklichem Ausgang des Prozesses
6000 Thaler für das neubegründete Militär=Waisenhaus in
Potsdam zu stiften versprach, blieb nicht ohne Eindruck. Die
erlassene Verfügung wurde aufgehoben (26. März 1729), und ein
neues Rescript, das nach Wien ging, und für welches die Dessauische

---

[1] A.=Berlin, a. a. O., ebenso das Folgende.
[2] Andere Beispiele j. Stenzel a. a. O., 350 ff.
[3] A.=Berlin, 15. Januar 1729.

Regierung ihren ganz besonderen Dank aussprach (30. März), befahl, den Prozeß nach wie vor so zu betreiben, als ob die Sache des Fürsten von Anhalt diejenige des Königs sei. Diesem Befehl kamen die Wiener Beamten wohlweislich mit allergrößter Schnellig= keit nach, indem sie sofort wieder ein Gesuch an den Kaiser um Beschleunigung des Verfahrens abgehen ließen. Denn sie ahnten, die Freude würde nur von kurzer Dauer sein, und Gotter zuletzt doch seinen Willen durchsetzen. So kam es auch. Vergebens protestierten die Wiener Vertreter (13. April): man dürfe Gotter nicht nachgeben, da er sich in dieser Sache weniger als preußischer Diener, als vielmehr noch unter dem Einfluß Gothas stehend er= weise, und es müsse bei der bisherigen Handhabung nach wie vor verbleiben. Aus Berlin erging der Bescheid: es sei nie die Absicht des Königs gewesen, die Sache zu befördern, sondern immer nur der Justiz ihren Lauf zu lassen (30. April), — eine Spitz= findigkeit, welche die in Wien auf feine Weise ironisierten (25. Mai): sie wollten dazu nichts bemerken, sondern danach handeln und der Sache ihren Lauf lassen. Aber ehe diese neue Stellungnahme Preußens rechten Einfluß auf die weitere Entwicklung des Pro= zesses gewinnen konnte, trat ein Ereignis ein, welches der ganzen Lage eine völlig unerwartete Wendung gab, der Tod Wulffs am 29. August 1729.

Geschwächt und ermattet durch das Übermaß von Sorgen, welche der Zwist mit Gotha ihm eingebracht hatte, war Wulff trotzdem in den letzten Jahren, in welchen der Prozeß völlig zum Stillstand gekommen, wieder in großen geschäftlichen Unternehmungen für den Fürsten Leopold und andere Herrscher thätig gewesen. Diese Unternehmungen hatten ihn fortwährend in Atem gehalten, und die zu ihrer Ausführung notwendigen Reisen ihn nicht nur durch die deutschen Lande, sondern selbst nach Polen hineingeführt [1]. Diese erneuten Strapazen nahmen ihn jedoch so mit, daß er Ende 1728, als durch Wurmbrand die günstige Erledigung seiner Streit=

---

[1] A.-Zerbst, A 19, No. 15.

sache in Aussicht gestellt worden war, seine Absicht, nach Wien zu reisen, nicht mehr auszuführen imstande war. Einer seiner Schwiegersöhne sollte ihn dort vertreten, und es war noch einmal ein schmerzlicher Hieb für den so oft gebeugten Mann, daß dessen Bitte um Geleit und Schutz vom Reichshofrat abgewiesen, und ihm so die Reise unmöglich gemacht wurde[1]. Ohne daß ihm völlig sein Recht geworden, für welches er so lange im eigenen, wie im Interesse seiner Gläubiger gestritten hatte, war nun der Hoffaktor in ein Sein eingegangen, in welchem ihm dieses Recht nicht mehr entzogen werden konnte, wo vielmehr, wie es in leicht verständlicher Anspielung auf seinem künstlerisch schön gearbeiteten und wohlerhaltenen Grabstein[2] heißt, „der Herr inmitten Deines Lagers weilt, Dich zu retten und Deine Feinde vor Dich hinzugeben[3]." Besonders betroffen über seinen unerwarteten Tod waren die noch unbefriedigten Gläubiger, unter denen sich auch die Herzogin von Radzivil mit einer Summe von über 50 000 Thalern befand. Es war begreiflich, daß sie alsbald die Bitte nach Wien richtete, auf das wider Gotha ausfallende Urteil Arrest legen zu dürfen[4]. Aber die Aussichten, die sich ihr eröffneten, waren keine günstigen. Den Wulffschen Erben fehlten die Mittel zur Fortführung des Prozesses, und er scheint thatsächlich völlig im Sande verlaufen zu sein. Noch ein Vierteljahrhundert später, 1754, wollte ein Enkel Wulffs in Berlin den Versuch wagen, die rückständigen Forderungen von Gotha zu erzwingen, und er rechnete hierbei auf die Vermittlung Friedrichs des Großen. Aber die aus Dessau dazu erbetenen Bornaschen Originaldokumente waren nicht aufzufinden[5], und der Versuch unterblieb offenbar. Sie haben sich

---

[1] A.-Zerbst, A 19 No. 20, 7. Dezbr. 1728 und 14. Februar 1729, und Conclusum vom 18. Februar 1729.

[2] Dessauer Friedhof No. 10. Die Wulffschen Familiengräber sind durch die gleichartige künstlerische Ausführung der Grabsteine leicht kenntlich. Man vgl. die Abbildung zu S. 127.

[3] 5. B. M., 23, 15.

[4] A.-Zerbst, a. a. O., 21. April 1730.

[5] A.-Zerbst, A 19 No. 15.

Freudenthal, Aus der Heimat Mendelssohns.　　　　8

nachträglich gefunden und liegen noch heute unbeschädigt und wohl=
verwahrt im fürstlichen Archiv, zusammen mit den zahlreichen
Akten und Briefen über den Prozeß, deren Durchsicht neben allen
trüben Schattenbildern doch in den leuchtenden Gestalten des
Fürsten Leopold und seines Hoffaktors ergreifende Vorbilder
unentwegter Gerechtigkeit und Treue fast auf jedem Blatte immer
wieder aufweist.

Am 29. August 1729 war Moses Dessau, wie ihn die
Seinigen nannten, aus der Welt geschieden. Acht Tage später, am
6. September, wurde jener zweite Moses Dessau geboren, dessen
Name und dessen Ruf nach Recht und Gerechtigkeit auch an Fürsten=
höfen mächtiger und bedeutungsvoller widerhallen sollte, als der
seines anverwandten Namenträgers, des Hoffaktors Moses Ben=
jamin Wulff.

In der Mitte Grabsteine der Familie Gans und Ochs (Fürth).

Zu S. 136.

IV. Abschnitt.

Die Familie
des Hoffaktors Moses Benjamin Wulff.

8*

1.

Die Freistätte, welche Moses Benjamin Wulff nach seiner Vertreibung aus Berlin einst in Dessau gefunden hatte, war allmählich der Mittelpunkt der Wulffschen Familie geworden, an welchem sich zahlreiche Glieder derselben zusammenfanden. Vor allem waren es die Eltern, Simcha Bonem und Debora, welche gemeinsam mit dem Sohne ihren Wohnsitz in Dessau aufgeschlagen hatten. Sie durften sich daselbst noch ein Jahrzehnt hindurch des neuen Glückes freuen, das ihrem Hause die Gunst des Anhaltischen Fürstenhofes beschied, und konnten, befreit von Sorgen und Nöten, sich gänzlich ihren Herzensneigungen hingeben: Debora der Ausübung uneingeschränkter Wohlthätigkeit, der Gatte hingegen dem eifrigsten Studium religiöser Wissenschaft, wozu sich ihm reiche Gelegenheit bot. Die von seinem Sohne Moses errichtete jüdische Buchdruckerei, deren Geschichte im letzten Abschnitt noch eine besondere und eingehende Darstellung finden wird, zog nemlich eine ganze Zahl von Gelehrten nach der kleinen Residenzstadt, und als 1696 auch der Enkel seines berühmten Schwagers Sabbatai Cohen, Isaak b. Moses Cohen, in Dessau erschien, um ein vom Großvater nachgelassenes Werkchen eherechtlichen Inhalts unter dem Titel Geburath Anaschim zum Druck zu bringen[1], verewigte der Herausgeber auch den Namen des Simcha Bonem in der Einleitung des Buches mit dankbarem Gedenken. Noch im selben Jahre, am 29. Oktober 1696, starb Debora, und bald darauf, am 18. April 1697, endete auch ihr Gatte sein vielbewegtes Leben[2].

---

[1] S. weiter Abschnitt V, 1.

[2] Grbst. No. 36 und 37; jüd. Daten: 2,3. Cheschwan 457 und 5,27. Nissan 457.

Noch heute rühmen die wohlerhaltenen Epitaphien der Gattin wohl=
thätigen Sinn, sowie des Mannes Ansehen und sein eifriges
Gesetzesstudium.

Daß neben Simcha Bonem auch sein Bruder Salomon aus
Hildesheim in Dessau die letzte Ruhestätte gefunden hat, ist be=
reits früher erwähnt worden[1]. Aber selbst Abkömmlinge ihrer
Schwester, welche in die berühmte Familie Wahl eingeheiratet
hatte[2], waren aus dem Osten dahin eingewandert. Ein Sohn
dieser Schwester, der Gattin des Juda b. Meir Wahl, welchem
die Eltern den Namen des ruhmvollen Stammvaters Saul Wahl
beigelegt hatten, war mit seiner Ehefrau Sisa (Susanna), der
Tochter des Menahem Man aus Kalisch, in Dessau bereits an=
sässig, noch ehe Moses Benjamin Wulff von Berlin aus seinen
Wohnsitz hier hatte aufschlagen müssen. Schon 1682 und seitdem
regelmäßig besuchte „Susanna Saulin" die Leipziger Messen, und
1696 erhielt ihr Gatte die fürstliche Erlaubnis, die erste Brannt=
weinbrennerei im Lande anlegen zu dürfen[3]. Als er im Jahre
1717 starb, konnte seine Grabschrift nicht nur seine stolze Ahnen=
tafel, sondern auch die Frömmigkeit seines Herzens und die edle
Reinheit seiner Gesinnung den späteren Geschlechtern rühmend ver=
künden[4]. Seine thätige Gattin, die noch 1729 in den Meß=Ver=
zeichnissen zu Leipzig als Vertreterin der Familie Oppenheim
in Dessau erscheint, folgte ihm erst im Jahre 1730 in den Tod[5].
Von ihren Kindern werden Wolf Saul und eine Tochter Rahel
Sara erwähnt[6]. Die letztere hat ihre ewige Ruhestätte Seite an

---

[1] Oben S. 26.

[2] Oben S. 12.

[3] Würdig a. a. O., S. 331, wo Saul Wolff offenbar identisch mit
Saul Wahl (oder dessen Sohn Wolf Saul). Hiernach ist Lindner, von
Würdig selbst S. 237 ohne Korrektur angeführt, zu berichtigen.

[4] Grbst. No. 47; st. 2,26. Tammus = 5. Juli 1717.

[5] Grbst. No. 46; st. 6, 9. Cheschwan 491 = 20. Oktober 1730.

[6] Ein weiteres Glied der Familie Wahl in Dessau, Herz Wahl,
erwähnt Löwenstein, Gesch. d. Juden in d. Kurpfalz (Frankfurt 1895),
S. 229.

Seite mit dem Vater Moses Mendelssohns erhalten[1]),
während hinter ihrem Grabe dasjenige der Schwester
Mendelssohns, Jente, liegt, deren barmherzige Liebesthätigkeit
an Lebenden und Toten die verwitterten Zeilen ihrer Grabschrift
noch entziffern lassen[2]). Auf einen weit engeren Zusammen=
hang zwischen den beiden Familien, als diese Äußerlich=
keiten ihn geben, weisen aber die gemeinsamen Namen:
Sisa, der Name der Mutter Moses Mendelssohns[3]),
Saul, der Name seines Bruders[4]), während er selber
sicherlich zur Erinnerung an den kurz zuvor verstorbenen
Moses Benjamin Wulff den Namen Moses erhielt[5]),
den Namen des großen Stammvaters der Familie, des
Moses Isserles. Vermutlich ist es also die Familie des
Saul Wahl, welche das Verbindungsglied zwischen den
Häusern Mendelssohn, Wulff und Moses Isserles
darstellt.

---

[1]) Grbst. No. 456; st. 1,11 Nissan = 11. April 1756. Grbst. No. 457
ist die Ruhestätte des Vaters von Moses Mendelssohn; st. a. Sabbat,
2. Siwan = 10. Mai 1766.

[2]) Grbst. No. 392; das Datum der Inschrift: st. Sabbatausgang, in
der Nacht des 9. Ab. und wurde Sonntag, 9. Ab. 530 (1770) begr., ist
fehlerhaft. 1770 fiel der 9. Ab. auf Dienstag; dagegen wurde 1769 der Fast=
tag am Sonntag begangen. Vergleiche übrigens hierzu Mendelssohns
Schreiben bei Kayserling a. a. O., Anhang No. 8, S. 494. — Die bei=
gegebene Abbildung zeigt die Grabstätte des Vaters
Mendelssohns, links daneben diejenige der Rahel Sara und
dahinter den Grabstein der Jente.

[3]) Den hebr. Namen s. in der von Euchel verfaßten hebr. Biographie
Mendelssohns (Toledoth Rabbenu ha=Chacham Mosche ben Menahem, Berlin
1789), S. 5.

[4]) Öfters in den Briefen erwähnt; s. auch Kayserling a. a. O., S.
266 f.

[5]) Die Vermutung Auerbachs (Gesch. d. isr. Gem. Halberstadt usw.),
S. 67 Anm. 3., Moses Wulff sei der Großvater Moses Mendelssohns, be=
ruht nur auf der Gleichheit der beiden Namen Moses Dessau und entbehrt
jeder Begründung.

Dem Kreis der genannten älteren Anverwandten des Hof=
faktors und ihrer Nachkommen hatten sich aber auch jüngere
Generationen angeschlossen, vor allem die Kinder seines Bruders
Gerson Wulff. Gerson b. Simcha Bonem Wulff war gleich seinen
Eltern und Geschwistern zuerst in Berlin ansässig und scheint, da
er auf dem Epitaph seines Sohnes Wolf als R. Gerson Allendorf
bezeichnet wird[1]), nach der Verbannung seiner Angehörigen aus
Berlin in Allendorf — ungewiß, in welchem — Zuflucht gefunden
zu haben. Als er um 1716 starb[2]), waren seine Kinder längst
wieder in die Hauptstadt zurückgekehrt und hatten das alte An=
sehen der Familie bereits zurückerobert. Neben Loeb Gerson war
es ganz besonders Wolf Gerson, der eine geachtete Stellung ein=
nahm. Durch seinen Onkel Moses Benjamin Wulff stand er in
geschäftlichen Beziehungen sowohl zum Berliner als zum Dessauer
Hofe. So weilte er z. B. im Jahre 1725 im Auftrage beider
Fürstenhäuser mehrere Wochen zur Regelung einer Landabtretung
am markgräflichen Hofe zu Ansbach[3]). In Dessau hielt sich
Wolf Gerson so häufig auf, daß er von seinen Glaubensbrüdern
einfach Wolf Dessau genannt wurde[4]). Seine Gattin war eine
Schwester des Samuel Heide, des Schwiegersohnes von Ruben
Fürst, und Ruben Fürsts andere Tochter Hendel hatte als seine
Gemahlin der Bruder des Wolf Gerson, R. Isaak Itzig b.
Gerson, heimgeführt[5]). Ein Jahr nach der im Hause des Ruben
Fürst 1706 erfolgten Veröffentlichung der Edelschen Novellen=
sammlung waren zwei der Herausgeber, Ruben Fürst und Samuel

---

[1]) Berliner Grbst. No. 1047; der Grabstein ist seit kurzem völlig zer=
fallen und deshalb entfernt worden.

[2]) Ergiebt sich aus der Approbation des Isaak b. Gerson zu Seser
ha-Chajim, Cöthen 1717.

[3]) A.=Zerbst, A 19 No. 15.

[4]) Wolf Dessau st. zu Berlin 18. Okt. 1750, seine Gattin 27. Febr.
1777 (Grbst. No. 1047 u. 1048). Ihre Kinder ruhen ebenfalls auf dem
alten Berliner Friedhof. Ein Enkel, Levin b. Gerson b. Wolf (Levin
Gerson Wulff) st. daselbst 1835.

[5]) S. oben S. 19.

Heide, bereits durch den Tod dahingerafft. Den dritten, Isaak
b. Gerson, berief sein Onkel Moses Benjamin Wulff nach Dessau.
In dem großen Manufakturgebäude, welches der Hoffaktor hier
sich mit Unterstützung der fürstlichen Regierung erbaut hatte[1]),
war neben der bereits erwähnten jüdischen Buchdruckerei der
Wissenschaft noch eine andere Stätte errichtet worden. Wie alle
frommen und reichen Israeliten, hatte auch der Dessauer Hoffaktor
sein eigenes Lehrhaus, und all' die Gelehrten, welche auf ihren
Wanderzügen die Stadt berührten oder der Druckerei ihre Arbeiten
zur Veröffentlichung überbrachten, durften in diesem Lehrhaus,
monatelang völlig ausgehalten durch die Freigebigkeit der Wulff=
schen Familie, ungestört ihren Studien obliegen oder die Druck=
legung ihrer Werke abwarten. Aber auch ständige Stiftsgelehrte
waren vorhanden, und Moses Wulff mochte stolz darauf sein, daß
er an ihre Spitze einen seiner nächsten Anverwandten, seinen Neffen
Isaak Gerson, stellen konnte. Er zog den jugendlichen Gelehrten
aus der Vereinsamung des Fürstschen Hauses nach Dessau und
übertrug ihm die Leitung seiner Lehrklause, die jener bald mit
dem Rabbinat der Dessauer Gemeinde und des Anhalt=Dessau=
ischen Landes vereinigte. Als 1708 der bisherige Inhaber dieser
Würden, der durch seine Schrift Jr Benjamin bekannte R.
Benjamin Wolf, nach Metz übersiedelte[2]), berief das Vertrauen
der Gemeinde Isaak Itzig Gerson oder Josef Isaak Gerson, wie
er späterhin sich nannte, zu seinem Nachfolger, und er blieb in
dieser Stellung bis zu seinem Tode am 4. November 1735, länger als
ein Vierteljahrhundert zum Segen seiner Glaubensbrüder wirkend[3]).

---

[1]) S. Würdig a. a. O., S. 218 und 384; jetzt Steinstraße 5—8.

[2]) S. über ihn Dembitzer, Kelilat Jofi, II S. 25 ff.; Cahen in Revue
des Etudes juives Bd. VIII (1884), S. 267 f.; Brann, Gesch. d. Rabbinats
in Schneidemühl (Breslau 1894), S. 25. — Ein näheres Eingehen
auf die in diesem Werke vorkommenden Dessauer Rabbinen
und Gelehrten ist unterblieben, weil eine biographische zu=
sammenhängende Schilderung derselben als Fortsetzung der
vorliegenden Studien beabsichtigt ist.

[3]) Grbst. 11; jüd. Datum 6, 19. Cheschwan 496. Seine Galtin

Aber auch noch andere Glieder der Fürstschen Familie hatte
die Verbindung mit dem Hause Wulff nach Dessau gezogen.
Chajim Fürst, ein Bruder Ruben Fürsts, wird schon 1701 als
Dessauer Meßbesucher in den Leipziger Listen geführt und starb
daselbst, fromm und hochbetagt, am 15. April 1732[1]). Unweit
von ihm hat eine Tochter seines Onkels, des Dajan Jeremias
Fürst aus Hamburg[2]), Röschen mit Namen, ihre letzte Ruhestätte erhalten[3]). Ihr nebenan schlummernder Gatte Gerson
Bendit[4]) ist vermutlich identisch mit Gerd Levi aus Hamburg,
der, schon seit 1688 Besucher der Leipziger Messen, sich die
besondere Gunst des Kurfürsten Friedrich August von Sachsen
erwarb. Dieser berief ihn von Hamburg nach Leipzig, ernannte
ihn am 23. Mai 1710 und dann durch förmliches Patent vom
30. August 1713 zum sächsischen Münzlieferanten mit einem
Jahresgehalt von 100 Thalern und verlieh ihm, was das wichtigste
war, als einzigem Juden das Privileg, auch außerhalb der
Meßzeit seinen ständigen Wohnsitz in Leipzig nehmen zu
dürfen[5]). Nach seinem Tode ging dieses Vorrecht trotz aller
Proteste, welche besonders der Leipziger Magistrat erhob, auch auf
seinen Sohn Levi Gerd über[6]). Dieser und ein anderer früh
verstorbener Bruder Chajim haben gleichfalls in Dessau, nahe
bei ihren Eltern, die letzte Ruhe gefunden[7]), — wie ja überhaupt

---

Hendel starb 18. November 1765 (2,5. Kislew 526) zu Berlin (Grbst.
No. 1054).

[1]) Grbst. 118; jüd. Datum 3, 20. Nissau.

[2]) S. oben S. 18.

[3]) Grbst. 130; st. 3,29. Tammus = 30. Juli 1715.

[4]) Grbst. 131, fast gänzlich abgebröckelt und unleserlich.

[5]) A.-Dresden, loc. 2270.

[6]) Das. loc. 25192 Vol. I und loc. 31012 Vol. II und IV.

[7]) R. Loeb b. Gerson st. 3, 17 Kislew 555 = 9. Dezember 1794; Grbst.
Nr. 139. Sein Bruder Chajim b. Gerson st. sehr jung bereits 4, 6. Elul
= 7. September 1712; Grbst. 146. Von der Überführung des letzteren nach
Dessau berichten A.-Leipzig LI, 87.

die in Leipzig verstorbenen Juden nach dieser nächst gelegenen Gemeinde zur Beisetzung verbracht wurden.[1]).

In denselben Familienkreis gehörte der 1737 zu Dessau verstorbene Rabbi, Lehrer und Vorbeter Moses b. Jokel[2]), dessen Töchter in Berlin, Limut und Hendel, in ihren Epitaphien als Enkelinnen des Simon Wolf Wilner und als Mitglieder des Fürstschen Hauses bezeichnet werden[3]). Mitten aber in diesem Kreise stand das Haus Moses Benjamin Wulffs selber, gleich denen seiner Anverwandten von wahrer Frömmigkeit und inniger Liebe durchzogen. Der Hoffaktor selbst war nicht nur gläubigen und religiösen Gemütes, sondern befand sich auch hinsichtlich seines Wissens nicht gänzlich außerhalb der Reihe seiner gelehrten Ahnen. Gesteht doch der kenntnisreiche Herausgeber der Novellensammlung Beth Jehudah, Abraham, welcher dieses Werk seines Vaters, des Kalischer Rabbiners Jehuda b. Nissan, zum Druck nach Dessau gebracht hatte, in der Vorrede ein[4]): er habe an dem fürstlichen Tische des Moses Wulff zahlreiche gute und treffende Worte aus dessen Mund vernommen, und die Wulffsche Lehrklause, deren so mancher Besucher rühmend in seinen Schriften gedenkt[5]), bildete für den

---

[1]) S. Zum Jubiläum S. 140 Anm. 3.

[2]) Grbst. No. 15; st. 25. Adar II = 28. März 1737. Seinen Vater vermute ich in dem schon seit 1680 in Dessau ansässigen Jakob Jokel b. Jakob Nathan aus Hildesheim, der 5, 16. Cheschwan 479 = 10. November 1718 verstarb, Gr. No. 106. Ein Sohn des Moses b. Jokel scheint Nathan b. Moses zu sein, der seit 1754 als Rabbiner von Dresden bezeichnet wird und, wie sein Vater, in der Nähe der Wulffschen Gräber zur Ruhe kam; er starb am 19. Dezember 1761 = 7,23. Kislev 522, Grbst. No. 17. Eine Tochter des Dresdener Rabbi, Edel, Gattin des R. Eisel, liegt unter Grab No. 196; das Datum der Inschrift ist abgefallen.

[3]) Berliner Grbst. No. 1424: Limut, Fr. Hirsch, st. 5,20. Ijar = 6. Mai 1779; das. No. 1735: Hendel, Fr. Samuel Halberstadt aus Dessau st. 6,17. Ab = 11. August 1786. Ihr Gatte, Samuel b. Chajim Halberstadt, war bereits 1743 in Dessau verstorben (Grbst. No. 211).

[4]) Beth Jehudah (Dessau 1698), Schluß der zweiten Einleitung; über das Werk s. weiter Abschnitt V, 1.

[5]) Z. B. Moses Graf (Wajakhel Moscheh, Dessau 1699), Ascher Anschel

Besitzer selber die friedliche Stätte, an der er, vertieft in die Gottes= lehre, alle Sorgen draußen vergessen durfte. Solcher Dienst des Herrn im Himmel ging dem Hoffaktor sogar über den Dienst der Erdenfürsten. Vor der Erfüllung seiner Religionsvorschriften mußte alles andere zurücktreten, und gar oft berichten an seiner Stelle die fürstlichen Vertreter in Wien nach der Heimat, weil es gerade Sabbat oder Festtag sei, und Wulff selber darum nicht schreiben könne. Von frommen, gottesdienstlichen Spenden, mit denen er die Bethäuser und heiligen Gerätschaften schmückte, hat sich noch ein Damastmantel erhalten, welchen er seinem hohen Gönner, dem Fürsten Johann Georg, zum Geschenke machte, um die in dessen Besitz befindliche Thorarolle damit zu bekleiden[1]). Auch die Er= richtung der Buchdruckerei in seinem Hause war nichts anderes als solch' eine fromme Gottesspende, welche der Gesamtheit seiner Glaubensbrüder zu Gute kommen sollte[2]), und es blieb nicht die einzige Wohlthat, die er seinen Religionsgenossen erwies. Das Ansehen, welches der Hoffaktor in Dessau und an den anderen Höfen genoß, bot ihm oft genug Gelegenheit, wirksam für seine Brüder einzutreten und ihnen Schutz und Hülfe zu schaffen. Manche unglückliche Familie dankte ihm die Erlaubnis zu sicherer Niederlassung in Dessau und zu ungestörtem Handel und Erwerb[3]). Aber er ging auch andererseits ohne Rücksicht und Schonung gegen diejenigen vor, welche durch ihr Verhalten den Gottesnamen entweihten und über die Gemeinden Schmach und Schande brachten[4]). Wer die Religion herabsetzte, zu welcher er selber sich

---

(Schemenah Lachmo, Dessau 1701), Moses Meseritz (Schaare Dura, Zeßnitz 1724); vgl. hierzu den fünften Abschnitt.

[1]) Jetzt im Haus= und Staatsarchiv zu Zerbst. Von der in schönen, großen Buchstaben geschriebenen Thorarolle ist nur ein Teil noch übrig; das umgelegte Wickelband stammt aus dem Jahre 1649.

[2]) Vgl. weiter Einleitung zum Abschnitt V.

[3]) S. z. B. Würdig a. a. O., S. 336 und öfters in A.=Zerbst.

[4]) Mehrfache Bittgesuche um Wegschaffung betrügerischer Juden und verdächtiger Einwanderer in A.=Zerbst.

jederzeit von ganzem Herzen offen und frei bekannte, selbst durch einen Scherz nur herabsetzte, gegen den kannte er keine Nachsicht, mochte es Jude oder Nichtjude sein. Als sich ein Dessauer fürst=licher Kanzleikopist einmal den geschmacklosen Spaß erlaubte, Wulff einen Gevatterbrief zu einer Taufe feierlich überbringen zu lassen, war dieser so empört, daß er eine Untersuchung einleiten ließ, welche sogar bis an das Leipziger Konsistorium ging, und der Hoffaktor gab sich nicht eher zufrieden, bis der Anstifter neben einer Geldstrafe zu „de= und wehmütiger Abbitte" verurteilt worden war[1]. Bezeichnend für den Charakter Moses Wulffs ist auch die Thatsache, daß er niemals ein Vorstandsamt in der Gemeinde angenommen hat. Es widerstrebte ihm, eine Stellung zu bekleiden, deren Obliegenheiten getreulich zu erfüllen, ihm seine geschäftliche Thätigkeit und häufige Abwesenheit nicht gestattete, und sicherlich wollte er auch dem Verdacht nicht ausgesetzt sein, als ob er sein äußeres Ansehen, wie so mancher in gleicher Stellung, zur abso=luten Alleinherrschaft über seine Brüder auszunutzen beabsichtige. Er kannte den empfindlichen Sinn seiner Glaubensgenossen, wie er überhaupt, so treu und fest er auch zur väterlichen Religion hielt, doch nicht blind war gegen die bedenklichen Fehler, die sich in die jüdischen Anschauungen jener Tage eingeschlichen hatten. Er konnte es nicht sein! Ein Mann, der so vieler Herren Länder bereiste, der in so zahlreichen, fürstlichen und vornehmen Kreisen sich fortwährend bewegte und tagtäglich mit intelligenten, gebildeten und auf allen Gebieten einflußreichen Männern in engste Berührung kam, konnte doch unmöglich den rigorosen Standpunkt teilen, welcher in dem Besitz allgemeiner Bildung und profaner Kenntnisse eine bedenkliche und darum streng zu meidende Gefahr für den Bestand der jüdischen Religion erblickte. Und in diesem Manne floß noch dazu das Blut seiner Ahnen, das Blut des frommen und doch so hochgebildeten Moses Isserles! In der That, wenn Briefe am deutlichsten den Geisteszustand eines Menschen

---

[1] Würdig a. a. O. S. 483.

kennzeichnen, so erweisen die zahlreichen Wulffschen Schreiben ihren Verfasser als einen in jeder Hinsicht gebildeten und kenntnisreichen Mann. Schon die bloße Thatsache, daß er die Korrespondenz mit dem Hofe und der Regierung zu Dessau eigenhändig in deut= scher Sprache und deutscher Schrift geführt hat, erhebt ihn weit über das Bildungsniveau seiner Glaubensbrüder, deren aller= größter Teil dazu nicht im Stande gewesen wäre. Sogar auf rein religiösem Gebiete verleugnet Moses Wulff seine auf= geklärtere Denkweise nicht; er veranstaltet beispielsweise die Heraus= gabe einer Uebersetzung der gebräuchlichen Klagegebete mit dem aus= drücklichen Hinweis, es solle damit dem üblichen, verständnislosen und gedankenlosen Heruntersagen dieser Gebete und der hierdurch entstehenden Unordnung im Gottesdienst ein Ende gemacht werden[1]. Welch' wichtige Vorzeichen für die späteren Bestrebungen eines Moses Mendelssohn, den Kulturstand seiner Brüder zu heben und zu bessern! Aus dem Boden der Heimat haben seine Anschauungen die erste Nahrung gezogen! Denn hier waren Streifen des neuen Morgenrots schon lange vorher aufgedämmert, ehe die Sonne seines Geistes das Dunkel völlig scheuchte und der Entwicklung des Judentums wieder zu einem frischen, lichten Frühlingstag verhalf.

Von demselben Geiste beseelt, stand dem Hoffaktor als treue Lebensgefährtin seine Gattin Zippora zur Seite, die Tochter seines Onkels Baruch Minden[2]. Im gleichen Jahre wie ihr Gatte geboren, von frühester Kindheit an mit ihm bekannt, ver= traut und erzogen, hatte sie nach damaliger Sitte schon im jugend= lichsten Alter den Herzensbund mit dem Vetter durch die eheliche Gemeinschaft besiegelt. Kaum 17 Jahre alt, war sie dem ebenso jugendlichen Verwandten als Gattin angetraut worden und teilte seitdem nicht nur seine guten und trüben Schicksalstunden, sondern auch sein Schaffen und Arbeiten. Als Moses Wulff mit dem Gedanken umging, den ganzen Talmud in Dessau auflegen zu

---

[1] Kinoth (Dessau 1698), Vorwort des Uebersetzers Arje Jehuda Loeb; s. weiter Abschnitt V, 1.

[2] Vgl. oben S. 28 f.

lassen, war es seine Gattin, welche den wichtigen Kontrakt hierüber zum Abschluß brachte[1]); ebenso vertrat sie den vielbeschäftigten Hoffaktor auf den Leipziger Messen, als deren Besucherin sie oft genug genannt wird. Aber auch an dem Ruhm des Wulffschen Hauses mit seiner Gastfreundlichkeit, Wohlthätigkeit und Hülfsbereitschaft für alles Gute und Edle hatte Zippora den größten Anteil, und keiner der gelehrten Wanderer, welcher dort für Wochen und Monate Aufenthalt gefunden hatte, verabsäumte es, in seinen Lobeserhebungen und Dankbezeugungen, anspielend auf ihren Namen, des „reinen Vögeleins" zu gedenken, welches das häusliche Nest so traulich und behaglich zu gestalten wußte[2]). Es war darum eine tiefe Wunde, welche ihr frühzeitiger Tod dem Gatten schlug. Erst 53 Jahre alt, starb Zippora am 28. Februar 1714, während ihr Mann gerade zur Beschleunigung seines Prozesses wieder einmal in Wien weilte. In schlichten Worten verkündet noch heute ihr Grabdenkmal, daß sie alle ihre Lebenstage nachgegangen sei den göttlichen Geboten und dem Wohlthun[3]). Herrlicher noch war aber der Nachruhm, welchen sie in einer Schar wohlerzogener Kinder zurückließ, in deren Familien die edlen Traditionen der Eltern und Ahnen sich fortpflanzten.

2.

Von den Kindern, welche der Ehe des Moses Wulff und der Zippora entsproßten, verstarb Dreſel, die Namenträgerin der Stammmutter des Geschlechts[4]), bereits in jugendlichem Alter[5]). In

[1]) A.-Zerbſt, C, 9e No. 23. Vgl. hierzu: Zum Jubiläum S. 82.
[2]) S. die bereits erwähnten Dessauer Drucke.
[3]) Grbſt. No. 26; jüd. Datum 13. Adar 474. — Die hier beigegebene Abbildung zeigt rechts ihren Grabstein, links denjenigen ihrer Tochter Dreſel und im Hintergrunde noch ein wenig sichtbar den ihrer anderen Tochter Mirjam, der Gattin des Aron Levi. Der Stein im Vordergrunde gehört nicht zu den Wulffschen Familiengräbern.
[4]) S. oben S. 10.
[5]) Grbſt. No. 27; ſt. 1,28. Ijar = 17. Mai 1711.

überschwänglichen Worten preist die Inschrift ihres Grabdenkmals
den edlen und reinen Charakter der früh Verstorbenen, und von
dem Schmerz des Vaters über den Verlust dieser geliebten Tochter
hat er selber in ergreifendem Berichte an seinen Fürsten Zeugnis
abgelegt[1]). Neben Dresel fand drei Jahre später ihre Mutter die
letzte Ruhe.

Eine andere Tochter war an Simson Moses Aub verheiratet, denselben, welcher vergeblich die Weiterführung des Prozesses in Wien anstelle seines Schwiegervaters versuchte. Er trat
erst spät in die Wulffsche Familie ein, während bereits seit 1695
eine dritte Tochter die Gattin des Menahem Man b. Moses
aus Cleve, Magnus Moses genannt, geworden war. Das
Ehepaar hatte zuerst in Dessau selbst seinen Wohnsitz aufgeschlagen und besuchte von da aus teils einzeln, teils gemeinsam
regelmäßig die Messen im nahen Leipzig. Aber Magnus Moses
bewies nicht nur denselben geschäftlichen Eifer, sondern auch das
gleiche literarische Interesse, wie die Familie seiner Gattin. Er
war es, der gemeinsam mit seiner Schwiegermutter die Verhandlungen über den Talmuddruck führte, und ebenso gehörte er zu
den rühmlich gepriesenen Mitgliedern des Wulffschen Hauses,
welche Isaak b. Moses die Herausgabe des Werkes seines Großvaters Sabbatai Cohen ermöglichten[2]). Im Jahre 1700 verlegte Magnus Moses seinen Wohnsitz von Dessau nach Halle.
Hier war durch die Gründung der Universität und den Zuzug
zahlreicher, fürstlicher und vornehmer Studierender die Niederlassung leistungsfähiger Bank- und Kaufhäuser Bedürfnis geworden. Schon seit mehreren Jahren war deshalb die Familie Wulff
durch ihren Senior, Baruch Minden, dort vertreten[3]). Gerade
jetzt aber hatte Moses Wulff sich mit dem Hofe zu Gotha in enge

[1]) Vgl. oben S. 51.

[2]) Geburath Anaschim (Dessau 1697), Einleitung.

[3]) Vgl. oben S. 25 f. Der von Löwenstein, Geschichte d. Juden in
der Kurpfalz, S. 218 erwähnte N. Samuel b. Benjamin Bunem aus
Halle ist vielleicht auch ein Mitglied der Wulffschen Familie.

142

Verbindung gesetzt, gerade jetzt war er am Berliner Hofe wieder in Gnaden aufgenommen worden. Unter solchen Verhältnissen hoffte er in dem so günstig gelegenen Halle seinen geschäftlichen Wirkungskreis bedeutend vergrößern zu können. Die studierenden Fürstlichkeiten hatten bisher ihre Gelder von Leipzig aus bezogen. Wulff bat in einem Schreiben an König Friedrich I., daß diese Gelder fortan direkt an das von ihm in Halle eröffnete Bankhaus eingezahlt würden; ebenso habe er als Lieferant des Herzogs von Gotha und anderer Höfe eine Niederlage aller Waren welche der Hofstaat erfordere, und die er direkt von Holland und Hamburg beziehe, in Halle errichtet, um den vornehmen Studenten die bisher erschwerte Anschaffung von außerhalb zu erleichtern[1]. So erhielt denn der Hoffaktor die gewünschten Niederlassungs= patente für seine Kinder, und 1700 siedelten zur Unterstützung für Baruch Wulff seine Enkelkinder Magnus Moses, der Schwiegersohn, und Elia Wulff, der Sohn des Hoffaktors, nach Halle über, um gemeinsam die in der Steinstraße eröffneten Bank= u. Kaufhäuser zu verwalten. Während Elia nach zwei Jahren wieder nach Dessau und Baruch Minden nach Berlin zurückkehrten, blieb Magnus Moses mit den Seinigen für die Dauer in Halle ansässig. Er übernahm die Stellung eines Juweliers des Hauses Sachsen= Merseburg, welche Berend Wulff innegehabt hatte[2], und fand sich regelmäßig zu allen Messen in Leipzig ein, späterhin begleitet von seinen Söhnen Jakob Nathan und Benjamin[3]. Als Vorsteher und Führer der Gemeinde, welche sich allmählich an seinem Wohn= sitz herausgebildet hatte, starb Magnus Moses daselbst am 10. Juli 1724; seine Grabschrift, deren Wortlaut der gelehrte Historiograph des Saalkreises, Johann Christoph von Dreyhaupt, in deutscher Uebertragung erhalten hat, zeugt — in dichterischer Sprache — von der allgemeinen Trauer um den Heimgang

[1] A.=Berlin, R XXI No. 203, ohne Datum.

[2] A.=Leipzig LI, 4.

[3] Ueber Jakob Nathan als Gönner des Grammatikers Salomon Hanau s. weiter Abschnitt V, 3.

Freudenthal, Aus der Heimat Mendelssohns.   9

eines so frommen, wohlthätigen und weit und breit geachteten
Mannes[1]).

Nicht geringerer Achtung erfreute sich ein anderer Schwieger=
sohn des Hoffaktors, Aron Isaak Levi, der Gatte seiner Tochter
Mirjam, welcher in Dessau seinen Wohnsitz hatte und gleichfalls
als regelmäßiger Meßbesucher in Leipzig genannt wird. Auch ihm
hat das literarische Interesse, welches er bezeugte, ein Denkmal ge=
setzt; Moses Meseritz, der Korrektor des 1724 in Jeßnitz neu
aufgelegten Schaare Dura, erwähnt unter den Mitgliedern der
Wulffschen Familie dankend den Namen des Aron Levi. Von der
Frömmigkeit und schrankenlosen Wohlthätigkeit seiner Gattin weiß
noch heute deren Grabdenkmal zu berichten[2]). Bekannter aber als
die Eltern sind einige ihrer Nachkommen geworden. Ihr Sohn
Baruch Aron Levi war Silberlieferant für Sachsen; er erhielt
1754 das Privileg, als zweiter Jude neben Levi Gerd sich in
Leipzig ansiedeln zu dürfen, und wurde 1769 zum Hoffaktor des
sächsischen Kurfürstenhauses ernannt[3]). Sein Verwandtschafts= und
Bekanntenkreis war ein außerordentlich großer. Simon von
Geldern sucht ihn Anfangs 1770 auf seinen Irrfahrten als An
verwandten in Leipzig auf[4]); Moses Mendelssohn kennt ihn
persönlich[5]), und Kinder von ihm lassen sich nicht nur in Leipzig
und Dessau, sondern auch in Frankfurt am Main, Züllichau,
Kopenhagen und Amsterdam nieder[6]). Noch bedeutender wurde
die Familie seiner Schwester Debora. Sie war die Gattin des
Abraham Fränkel in Berlin geworden, eines Bruders des
bekannten Lehrers Mendelssohns, des Dessauer und Berliner

---

[1]) Dreyhaupt a. a. O. II, 497; der 19. Tammus 484 ist nicht =
24. Juli, wie Dreyhaupt angiebt, sondern = 10. Juli 1724.

[2]) Grbst. No. 9; das Todesjahr ist nicht mehr zu entziffern. Ein
Grabstein ihres Gatten ist nicht vorhanden.

[3]) A.=Dresden, Loc. 2270 Vol. l.

[4]) Kaufmann D., Aus Heinrich Heines Ahnensaal, S. 308.

[5]) Kayserling a. a. O., S. 499.

[6]) A.=Leipzig, LI, 62 u. 63. Baruch Aron Levi ist in Dessau begraben;

Rabbiners David Fränkel[1]). Aus ihrer Ehe wurde am 30. Juni
1739 Moses Fränkel geboren[2]), in welchem sich der Charakter
und die Gelehrsamkeit seiner Stammfamilien väterlicher= und
mütterlicherseits aufs würdigste fortsetzten. Seit dem 18. Juni
1764 mit Gitel[3]), der Tochter des Abraham Markuse aus
Strelitz, des Freundes Moses Mendelssohns[4]), vermählt, seit
1786 an der Spitze der frommen Brüderschaft in Berlin stehend,
siedelte Moses Fränkel 1787 nach der Heimat seiner Mutter, nach
Dessau, über, wo er als Rabbinatsassessor und Lehrer und zu=
gleich als Leipziger Meßrabbiner bis zu seinem Tode[5]) wirkte.
Seine Gutachtensammlung und sein Kommentar zum Buche Koheleth
haben seinen Namen auch in der Literatur bekannt gemacht[6]). Sein
Sohn David Fränkel hat als Direktor der Franzschule in Dessau,
wie als Herausgeber der Sulamit in der Emanzipationsgeschichte des
Judentums ganz besondere Bedeutung erlangt. So vereinigt selbst
in diesen letzten Ausläufern der Geist der Familie, wie einst im
ersten Urahn, religiöses und profanes Wissen, Religiosität und
Bildung, Herzensfrömmigkeit und Denkfreiheit in schönster Harmonie.

Wetteifernd mit all' diesen Familien an jenem inneren und
äußeren Glanz, welcher schon das Haus des Moses Isserles er=
füllte, blüht endlich auch der Stammbaum der beiden noch übrigen

Grbst. No. 28, Inschrift unleserlich. Seine Gattin Malta st. 4. März 1804
= 1,21. Adar; das. Grbst. No. 8.

[1]) Ueber die Familie Fränkel s. Landshuth, S. 35 f. u. S. 59, und
Kaufmann, Letzte Vertreibung a. a. O., S. 211 ff.

[2]) Horwitz L., Gesch. d. Herz. Franzschule in Dessau (Dessau 1894,
Separatabdr.), S. 7 hält fälschlich Moses Fränkel für einen Sohn David
Fränkels.

[3]) Sie st. 20. Februar 1806 zu Dessau; Grbst. Nr. 13.

[4]) Ueber seine Familie s. Landshuth, Gebetbuch a. a. O., Anhang
No. 48 ff., wo jedoch vieles zu ergänzen ist.

[5]) Er st. 25. Februar 1812; sein Grabstein (No. 48) enthält die ganze
Ahnentafel.

[6]) Beer Mosches (Berlin 1803) und Biurim de=Dibre Koheleth (Dessau,
o. J.).

9*

Kinder des Hoffaktors auf, derjenige seiner Tochter Sara und seines einzigen Sohnes Elia.

Für seine Tochter Sara hatte Moses Benjamin Wulff einen Gatten aus der alten und bekannten Aerztefamilie Wallich sich erwählt. Zu den Stammsitzen dieses Geschlechtes, in dessen Mitte die glänzende Vereinigung religiöser und medizinischer Gelehrsam=keit traditionell war, gehörte seit langen Zeiten die Gemeinde Coblenz[1]). Hier war seit 1689 R. Simon, der Sohn des R. Me=nahem Manlich Wallich), an die Stelle seines Vaters als Arzt und als erster Vorsteher der Gemeinden Coblenz, Trier und Um=gegend getreten, um seitdem 40 Jahre hindurch als ausgezeichneter „Schtadlan" die Interessen seiner Glaubensbrüder allen Fürsten und Behörden gegenüber zu wahren[2]). Dem vornehmen Manne stand eine ob ihrer vorzüglichen Kindererziehung gerühmte Gattin zur Seite, und auf ein Kind dieses Hauses fiel die Wahl Wulffs als Schwiegersohn. Isaak Wallich, der Gatte von Sara Wulff, hatte, den Familiengrundsätzen getreu, zunächst eine streng religiöse Erziehung erhalten und sich gründliche Kenntnisse in den talmu=dischen Disziplinen erworben. Dann hatte er Medizin studiert und war im Jahre 1675 zu Leyden auf Grund einer Arbeit über Atembeschwerden, de respiratione difficili, zum Doktor promoviert worden[3]). In Dessau, wo sich Isaak Wallich seit seiner Ver=heiratung niedergelassen hatte, bot sich ihm reichlich Gelegenheit, alle seine Kenntnisse zu verwerten. Er praktizierte daselbst als Arzt und stand zugleich als Führer und Vorsteher, wie seine Ahnen, mit an der Spitze der Gemeinde. Seine Mußestunden aber ver=wendete der mit dem Ehrentitel Rabbi ausgezeichnete Gelehrte zu

---

[1]) S. Levin im Jüd. Literaturblatt 1881, No. 33.

[2]) Ueber die Bedeutung von Schtadlan s. Auerbach, Gesch. d. Gem. Halberstadt a. a. O., S. 20 und Kaufmann D., Samson Wertheimer S. 12.

[3]) S. Haller, Bibl. med. III, 388 u. Fränkel D. F. H., Zur Gesch. d. Med. in d. Anhalt. Herzogt. (Dessau 1858). — Kaufmann erwähnt in Revue d. Et. Juiv. XVIII, 295 einen Isaak Wallich aus Frankfurt am Main, welcher 1683 in Padua zum Doktor promoviert wurde.

eifriger schriftstellerischer Thätigkeit; doch scheinen seine Arbeiten, unter welchen sich eine religionsgesetzliche Abhandlung über den Bau der Stiftshütte mit dem Titel Jerioth ha=Ohel befand, nicht zum Druck gelangt zu sein. Vom Jahre 1708 an findet sich Isaak Wallich, zumeist von seiner Gattin begleitet, regelmäßig zu den Messen in Leipzig ein. Leider war die Ehe der beiden nur von kurzer Dauer. Am 14. Mai 1716 starb Isaak Wallich plötzlich im blühendsten Alter zum Schmerze der Seinigen hinweg, lange vor seinem Vater, welcher erst am 25. Dezember 1729 dem Sohne in die Ewigkeit folgte. „Ausgezeichnet durch Weisheit und Gottesfurcht, bewandert im ganzen Schrifttum, hervorragend als Schriftsteller, ein Führer der Gemeinde, also ging er in das himmlische Lehrhaus ein", so rühmt noch heute sein Grabstein die Bedeutung dieses Mitgliedes der Wulffschen Familie. Seine Gattin, welche als „Sara Wallichin" auch nachher noch unter den Leipziger Meß=besuchern erscheint, verließ späterhin, wie die meisten Glieder des Wulffschen Hauses, die Dessauer Heimat und schlug in Berlin ihren Wohnsitz auf. Hier starb sie am 6. Oktober 1754, nachdem sie länger als ein Menschenalter hindurch dem so früh dahin=gegangenen Gatten die Treue bewahrt hatte, welche sie ihm einst gelobt[2]. Nach so manchem Schicksalsschlag, der ihre Familie be=troffen, war ihr das Glück beschieden, die erneute Blüte noch mit=zuerleben, welche das Wulffsche Haus ihrem Neffen und Schwieger=sohne Benjamin, dem Sohne ihres Bruders Elia und Gatten ihrer Tochter Lea, verdanken sollte.

Elia, der einzige Sohn von Moses Benjamin Wulff, war ungeachtet der angesehenen Verbindungen, welche seine Schwestern eingegangen, der Stolz und die Hoffnung des Vaters. In einem nach dem Tode seiner Gattin an den Fürsten Leopold gerichteten Briefe hat der Hoffaktor seinem Sohne das schönste Lob gespendet, welches väterlicher Mund erteilen kann: seine Kinder bildeten jetzt seinen einzigen Trost, vor allem sein Sohn Elia, der zu ihm sehr

---

[1] Grbst. No. 14; jüd. Datum 2,22. Jjar 476.

[2] Berliner Grbst. No. 1213; jüd. Datum 1,20. Tischri 515.

treu und fromm sei[1]). In Dessau selbst geboren[2]), von Kindheit
an mit der Thätigkeit des Hoffaktors und mit den vornehmen
Kreisen seines Verkehrs vertraut, war er der berufene Vertreter
des Vaters und selbst in die verschwiegensten Geheimnisse ein=
geweiht. Wo Moses Wulff, sei es infolge seiner häufigen Ab=
wesenheit, sei es infolge anderweitiger Inanspruchnahme, nicht selber
eintreten konnte, da mußte Elia den Vater ersetzen, mochte es sich
um Aufträge der Höfe oder um Geschäfte auf den Messen oder
um Prozeßführungen handeln. Elia war dem Hoffaktor unent=
behrlich, und es nimmt darum nicht Wunder, daß er ihn nach
zweijährigem Aufenthalt in Halle wieder zu sich nach Dessau
zurückbeorderte. Ebenso natürlich war es, daß Fürst Leopold auch
den Sohn zu seinem Hoffaktor ernannte und ihn zuletzt so
häufig mit der selbständigen Ausführung geschäftlicher Angelegen=
heiten betraute, wie den Vater selbst. Elia Wulff besaß sein
eigenes Haus in Dessau[3]), war Pächter des Elbzolls[4]) und
bekleidete schon als junger Mann die von seinem Vater zurück=
gewiesene Stellung eines Vorstehers der Gemeinde, in welcher er
sich in den Jahren 1711 und 1715 ganz besonders die Erweiterung
des Gotteshauses und des Friedhofs angelegen sein ließ[5]). Die
schönste Bethätigung religiösen Sinnes aber erblickte auch er gleich
den übrigen Angehörigen seines Hauses in freigebiger Wohlthätig=
keit und bereitwilliger Unterstützung der jüdischen Wissenschaften.
„Elia gleicht seinem Vater; auch sein Haus ist, wie dasjenige
Abrahams einst, offen für jeden Wanderer, ob hoch, ob niedrig",
so rühmt der bekannte Rabbiner der Dreigemeinde Altona=Hamburg=

---

[1]) A.=Zerbst, A 19 No. 15.

[2]) Das. C 15 No. 2.

[3]) Würdig a. a. O., S. 478, wo jedoch 1773 Druckfehler sein muß.

[4]) Das. S. 217, wo jedoch richtig zu stellen ist, daß 1703 bis 1709
Moses Wulff, der Vater, und 1732 Elias, der Sohn, Zollpächter waren.
Außerdem war Elias Wulff — nach A.=Zerbst, A 19 No. 15 und No. 23
— bereits 1725 wieder im Besitz der Pacht, die zwar reichen Gewinn, aber
auch manchen unerquicklichen Prozeß ihm einbrachte.

[5]) Gemeindeakten Dessau.

Wandsbeck, Ezechiel Katzenellenbogen, seinen Dessauer An=
verwandten, mit welchem gemeinsam er auf seiner Ahnentafel den
Namen des Stammvaters Moses Isserles zählte[1]). Im Jahre
1723 ermöglichte Elia Wulff die Herausgabe des kabbalistisch
durchhauchten Lurischen Andachtsbuches in Jeßnitz[2]); im folgenden
Jahre widmete Moses Meseritz ihm sein Lob[3]), und 1742 ließ er
einen Teil der von seinem Vater in Dessau einst begründeten
Druckerei von neuem dort aufrichten und unter anderem den großen
Kommentar David Fränkels zum jerusalemischen Talmud aus ihr
in die Öffentlichkeit gehen[4]).

Auch an der Seite des Sohnes stand, wie einst an der des
Vaters, eine gleichgesinnte und sogar gleichnamige Lebensgefährtin.
Zippora, die Gemahlin Elia Wulffs, entstammte der alten und
angesehenen Familie Gans, deren weitverzweigten Stammbaum das
Familieninteresse Simons von Geldern teilweise der Nachwelt
erhalten hat[5]). Zipporas Großmutter Jente, die Schwägerin
der berühmten Memoirenschreiberin Glückel von Hameln, war,
ehe sie die Gattin des Oberhoffaktors Leffmann Behrend in
Hannover wurde, daselbst mit Salman b. Sußmann Gans
verheiratet gewesen. Ein Sohn aus dieser Ehe, Nathan Gans,
und Sprinze (Speranza), die Tochter des Moses Goldzieher
aus Hamburg, wurden die Eltern von Zippora, der Gattin
Elias[6]). Die Verbindung ihrer Familie mit Dessau war nicht
neu. Samuel Gans, ein Bruder ihres Vaters Nathan, hatte
bereits seine Frau Rahel aus Dessau heimgeführt[7]), und einige
andere Glieder des Hauses Gans besitzen auf dem Dessauer Fried=
hof Grabsteine, deren Schmuck noch heute weithin sichtbar das

---

[1]) Approbation zu Korban Ahron, Dessau 1742; s. weiter Abschnitt V, 3.
[2]) Sefer ha-Kawanoth, Jeßnitz 1723, s. weiter Abschnitt V, 2.
[3]) Schaare Dura, Jeßnitz 1724, s. weiter das.
[4]) S. weiter Abschnitt V, 3.
[5]) S. Kaufmann, Aus Heinrich Heines Ahnensaal, S. 297f.
[6]) Das. S. 300, 3⁴.
[7]) Das. S. 300, 2, wo es Abraham Dessau heißen muß.

Wappen der Familie, eine Gans, bildet[1]). In das Hauswesen aber, welches Zippora an der Seite ihres Gatten Elia führte, gestattet eine alte Halberstädter Familienchronik durch glücklichen Zufall einen interessanten Einblick[2]). Isaak Behrend aus Hannover[3]), ein Enkel des genannten Oberhoffaktors Lessmann und Sohn des auf der Reise von Nikolsburg nach der Heimat in Leipzig verstorbenen und in Dessau bestatteten Moses Jakob Behrend[4]), zugleich Schwiegersohn von Berend Lehmann in Halberstadt, befand sich kurz vor dem Passahfeste 1720 auf dem Wege nach Leipzig, als er plötzlich auf Befehl des Fürsten Leopold verhaftet und nach Dessau transportiert wurde. Der Arrestant, der sich keiner Schuld bewußt war, verlangte zu Elia Wulff ge= führt zu werden, und dieser eilte sofort zur Fürstin Louise nach Oranienbaum, um von ihr in Abwesenheit ihres Gemahls die Freilassung des Gefangenen zu erwirken. So durfte Isaak Behrend wenigstens den Sederabend im Hause Elias verleben, und er erzählt mit Rührung, wie der Hoffaktor die Feier streng nach Vorschrift und Gebrauch abgehalten habe, und wie es über= aus lustig und froh dabei zugegangen sei. Bald darauf wurde er gegen ein Lösegeld freigelassen und überreichte voller Dankbarkeit 100 Gulden zur Verteilung für die Armen an Zippora. Die

[1]) Grbst. No. 178: Jehuda Loeb b. Pesach, genannt Gutkind, aus der Familie Gans, st. 2,14. Siwan = 28. Mai 1714. — Grbst. No. 233 Jüngling Reuben, Sohn des noch lebenden Abraham Gans, st. 2,2. Tebeth 478 = 6. Dezember 1717. — Neben Grbst. 178 ein völlig gleicher (No. 177) mit der Figur eines Ochsen: Frau Hendele, T. d. verst. R. Ephraim aus der Familie Schor, gest. 6, 7. Chejchwan 474 = 27. Oktober 1713; der Gleichheit des Steines nach wohl die Frau des Jehuda Loeb Gans. — S. übrigens Philippson Ph., Biogr. Skizzen (Lpzg. 1864), S. 151. — Auf der beigegebenen Abbildung sind ungefähr in der Mitte die Grabsteine mit den beiden Tierfiguren leicht kenntlich.

[2]) J. M. Jost, eine Familien-Megillah, im Jahrb. f. Gesch. d. Juden und d. Judent. Bd. II, Lpzg. 1861, S. 44 ff.

[3]) S. über ihn Auerbach a. a. O., S. 82; Kaufmann, Samson Werth. S. 86 u. Heinrich Heines Ahnensaal, a. a. O.

[4]) Vgl. über ihn: Zum Jubiläum S. 140.

streng religiöse Feier im Hause, der frohe und heitere Ton, die Vermittlung der Wohlthätigkeit gerade durch die Hausfrau, das sind kleine Züge, die harmonisch zu einem schönen Ganzen zusammenstimmen. Und gerade damals war der äußere Glanz des Wulffschen Hauses schon stark verblichen! Der unglückliche Prozeß mit Gotha hatte ungeheuere Summen verschlungen und den Kredit des Geschäftes völlig zertrümmert. Der plötzliche Tod des Vaters vermehrte die Verwirrung noch. Ihm waren die alten Gönner auch in den Zeiten der Not beigesprungen, weil sie auf seine nie in Verlegenheit zu setzende Gewandtheit und reiche Erfahrung jederzeit wieder ihre Hoffnungen setzten. Der Sohn aber war ihnen immer nur der Gehülfe des Vaters gewesen, der zur Ausführung zu bringen hatte, was die schöpferische Kühnheit jenes erdachte; fehlte diese, so schien die Aussicht auf einen endgültigen Sieg, welche doch schon dem Vater immer und immer wieder entzogen worden war, völlig zu schwinden. So ererbte Elia Wulff nur die Trümmer des einstigen Glanzes, an dessen Neubegründung er sich vergeblich abmühte. Als 1753 einer der alten und noch nicht befriedigten Gläubiger seines Vaters sich nach Dessau an den Fürsten Dietrich wandte[1] und diesen, welcher damals die Vormundschaftsregierung führte, ersuchte, Elia zur Bezahlung der väterlichen Schulden anzuhalten, ließ der Fürst erwidern: Elia besitze selber kein Vermögen mehr und werde vielmehr von seinem Sohne Benjamin in Berlin erhalten. Ein Jahr später, am 17. März 1754, schloß der durch die erlebten Aufregungen schon seit mehr als einem Jahrzehnt geschwächte und sieche Mann für immer die Augen[2]. Aber auch in den weniger glücklichen Zeiten, bis an sein Lebensende, stand, wie sein Grabstein rühmt, sein Besitz wie sein Haus offen für die Gelehrten und für jeden Dürstigen. Für solches Thun schien ihm als Lohn ausreichend, daß er den alten Glanz der Familie wenigstens bei seinen Kindern wieder aufblühen sehen durfte, noch dazu in derselben Stadt,

[1] A.-Zerbst, A 19 No. 15.
[2] Grbst. No. 12; jüd. Datum 1, 23. Adar 514.

welche einst sein Vater in Not und Elend hatte verlassen müssen.
Dort in Berlin, im Kreise der Ihrigen, folgte auch Zippora
einige Jahre später, am 18. November 1759, dem Gatten in die
Ewigkeit nach[1]).

3.

Elia Wulff und seine Gattin hatten ihrer glücklichen Ehe
zwei Söhne und zwei Töchter entsprossen sehen. Die letzteren
waren beide in der Heimat selbst, in Dessau, verheiratet. Esther
starb freilich in blühendem Alter noch vor den Eltern hinweg[2]).
Lea, die andere Tochter, hatte sich mit R. Nathan b. Moses
aus Kalisch vermählt, welcher im Jahre 1745 vom Fürsten
Leopold zum Oberkantor in Dessau ernannt wurde; die Gemeinde
gedachte mit seiner Berufung den Wünschen des einflußreichen Hof=
faktors Calman Isaak Schach zu bieten, welcher seinen Schwieger=
sohn in dieses Amt eingesetzt wissen wollte[3]). Die feindlichen
Parteien einigten sich jedoch sehr schnell, und da Nathan Moses
bald darauf das Unglück hatte, seine Stimme zu verlieren, so
mußte er sich die Anstellung seines Rivalen als Unterkantors erst
recht gefallen lassen. 1756 wird sein Name noch als derjenige
des Oberkantors erwähnt; über seine weiteren Lebensschicksale ver=
lautet dann nichts mehr[4]). Für die Literatur des Judentums hat
er sich dadurch ein Verdienst erworben, daß er als Korrektor des
Werkes Korban Ahron fungierte, welches 1742 die Druckerei

---

[1]) Berliner Grbst. No. 961; jüd. Datum 1, 28. Cheschwan 520

[2]) Grbst. No. 365; 7, 1. Nissan = 27. März 1751. Der Name des
Gatten ist nicht mehr lesbar.

[3]) A.=Zerbst, C 15 No. 35a. Vgl. auch Salfeld in Mitt. d. Ver. f.
Anhalt. Gesch. u. Altert. I., Jahrg. 1877.

[4]) Landshut hat unter seinem Nachlaß die interessante, aber ohne
Quellenangabe niedergeschriebene Notiz, Moses Mendelssohn habe
seinen Sohn Nathan nach diesem Oberkantor benannt. Aus
Kalisch stammte auch Eisa, die Gattin Saul Wahls in Dessau! S. oben
S. 118 f.

seines Schwiegervaters Elia Wulff verließ[1]). Seine Gattin Lea
starb als Witwe am 27. Mai 1791 in Berlin[2]), woselbst ihre
beiden Brüder, welche die Namen der Urgroßväter Baruch und
Simcha Bonem wieder trugen, schon seit längerer Zeit sich an=
sässig gemacht hatten.

Baruch Wulff, zumeist Baruch Dessau genannt, war schon
bei Lebzeiten seines Großvaters Moses Benjamin in Berlin thätig
und zwar als Vertreter des Itzig Daniel[3]), dessen bekannter
Sohn Daniel Itzig später in noch engere Verbindung zum Hause
Wulff treten sollte. Es gelang Baruch gar bald, sich empor
zu arbeiten und zuletzt in die Reihe der angesehensten Gemeinde=
mitglieder einzutreten, in deren Mitte sein Name im Jahre 1772
das Berufungsschreiben R. Hirschels zum Rabbiner von Berlin
ziert[4]). Er starb am 30. März 1778[5]), seine Gattin Börel hoch=
betagt erst am 13. August 1794[6]). Weit größer war freilich die
Rolle, welche sein Bruder Simcha Bonem in Berlin spielte.

Simcha Bonem, meist Bonem Dessau oder Benjamin
Wulff genannt, besuchte noch im Jahre 1731 als Dessauer
Gemeindemitglied die Leipziger Messen, erhielt aber bereits am
28. August 1733 ein Hauptprivileg für die preußische Residenz=
stadt, welches ihn zur Ansetzung aller Kinder ohne besondere Ab=
gaben berechtigte[7]). Er muß also schon damals nicht ohne Einfluß
und Ansehen gewesen sein. An seinem neuen Wohnort entwickelte
er nunmehr eine eifrige Geschäftsthätigkeit, welche von glänzendem
Erfolg begleitet war. 1751 überwies ihm Friedrich der Große

---

[1]) S. weiter Abschnitt V, 3.
[2]) Grbst. No. 2603; jüd. Datum 6, 23. Ijar 551.
[3]) So in den Leipziger Meßverzeichnissen.
[4]) Landshuth, S. 80.
[5]) Grbst. No. 929; jüd. Datum 22. Nissan 538.
[6]) Grbst. No. 471; jüd. Datum 7, 13. Ab 554. Eine Tochter Sisa,
Gattin des Wolf Lissa in Halberstadt, st. daselbst 7, 2. Elul = 28.
August 1756; Grbst. No. 311.
[7]) Geiger II, 78.

Grund und Boden zur Anlage einer Parchentfabrik[1]). Seine
Vermögensverhältnisse waren damals sicherlich ganz ausgezeichnete;
er hätte sonst nimmer daran denken können, den berüchtigten
Prozeß seines Großvaters mit Gotha wieder aufzunehmen und zu
endlichem Abschluß zu bringen. Der Plan ward, wie bereits erwähnt, wieder zu nichte[2]). Aber das Schreiben des kurmärkischen
Kammerdirektors Groschop in dieser Angelegenheit nach Dessau
ist für das Ansehen, welches Benjamin Wulff genoß, ein deutlicher
Beweis; der Kammerdirektor meint, Wulff wolle mit Hülfe des
Münzfaktors Ephraim Friedrich den Großen für die Angelegenheit interessieren, und charakterisiert Ephraim mit den
drastischen Worten: diesem Vogel sei bis dato alles geglückt,
Wulff aber mit den nicht weniger drastischen: kein Windbeutel
ist dieser Jude hier nicht!

Als Gattin hatte Bonem Dessau seine Base Lea heimgeführt,
die Tochter des früh verstorbenen Dr. Isaak Wallich. Auch er
selbst schied in bestem Mannesalter aus dem Leben, nur zwei
Jahre später als sein Vater, für dessen Unterhalt er in frei-
gebigster Weise bis zu dessen letztem Atemzug gesorgt hatte.
Benjamin Wulff starb am 18. Mai 1756[3]), seine Gattin Lea
am 1. Dezember 1767[4]), zwei Kinder, einen Sohn und eine Tochter,
zurücklassend, welchen es beschieden war, den vom Vater neu ge-
schaffenen Glanz der Familie zu noch herrlicherer Fülle entwickeln
zu dürfen. Ihre Häuser waren gar bald die vornehmsten und
bedeutendsten der hauptstädtischen Judenschaft.

Isaak Benjamin Wulff, der Sohn des Simcha Dessau,
von seinen Glaubensbrüdern Eisek Dessau genannt, nimmt sowohl in der Geschichte des Berliner Fabrik- und Handelswesens,
als auch in der Geschichte der dortigen jüdischen Gemeinschaft eine
hervorragende Stelle ein. Seine Schwester Mirjam wiederum

---

[1]) Das. II, 93.
[2]) S. oben S. 113 nach A.-Zerbst, A 19 No. 15.
[3]) Grbst. No. 959; ft. 33. Dmertag 516.
[4]) Grbst. No. 986; ft. 3. 10. Kislev 528.

wurde die Gemahlin des nicht minder angesehenen und bekannten Daniel Jtzig[1]).

Schon während des siebenjährigen Krieges hatte sich Jsaak Benjamin Wulff durch ein großes Darlehen, welches er der Stadt Leipzig vorgeschossen, Anspruch auf deren Dank erworben. Er erntete ihn freilich nicht. Der Leipziger Magistrat bekundete zwar ausdrücklich den guten Leumund und die vorzüglichen Dienste, welche Wulff der Stadt erwiesen hatte, widersetzte sich aber dennoch 1762 der von jenem ausgesprochenen Bitte um einen Freipaß zur Niederlassung daselbst[2]). Dafür erhielt der Zurückgewiesene einige Jahre später 1765 in Berlin die besondere Auszeichnung eines Generalprivilegs mit dem Rechte christlicher Kaufleute[3]). Seit 1772 war Jsaak gemeinsam mit seinem Schwager Jtzig Pächter des Brennholzhandlungs-Oktrois[4]); zwei Jahre später eröffnete er mit seinem Neffen und Schwiegersohn Moses Daniel Jtzig eine größere Seidenfabrik zu Berlin und eine kleinere zu Potsdam, denen 1777 noch eine dritte und zwar auf Wunsch Friedrichs des Großen in Bernau folgte[5]). Mit dem Privileg der letzteren wurde ihm zugleich trotz des Widerspruchs der Konkurrenten das Recht eingeräumt, auch Sammt fabrizieren zu dürfen. 26 Stühle waren bei Gründung des Seidengeschäftes aufgestellt worden; 1779 war ihre Zahl auf 63 angewachsen, so daß der Wert der von ihnen gelieferten Ware 80000 Thaler betrug. Der Absatz belief sich in der Margarethenmesse des Jahres 1783 zu Frankfurt a. d. O. auf 10740 Ellen. Neben diesen Fabriken besaß Jsaak Wulff noch eine Kattunfabrik von 80 bis 90 Stühlen,

---

[1]) Die von Landshuth, Gebetbuch Anhang S. 18 und Toledoth S. 85 gegebene Familienabstammung ist falsch.

[2]) A.-Dresden, loc. 25192 Vol. II.

[3]) Geiger, I S. 103; II S. 145.

[4]) Das. II S. 95.

[5]) Schmoller u. Hintze, die preußische Seidenindustrie im 18. Jahrh. Bd. II (Berlin 1892); s. die einzelnen Stellen hierüber und über das Folgende im Register daselbst unter Wulff.

welche er persönlich leitete, während die Führung des Seidengeschäftes mehr in den Händen seines Schwiegersohnes lag. Nach
dem frühzeitigen Tode desselben im Jahre 1783 wollte Wulff die
Seidenfabrikation gänzlich eingehen lassen. Aber er stieß dabei
auf den energischen Widerstand des Königs, der nicht allein der
von ihm so stark begünstigten Seidenindustrie halber, sondern auch
im Interesse der dabei beschäftigten Arbeiter die Fortführung unter
strengen Strafandrohungen anbefahl und durchsetzte. Nur die zu
Bernau bestehende Fabrik durfte 1784 durch Kauf in andere
Hände übergehen.

In der Gemeinde gehörte Eisek Dessau mit zu den erwählten
Ältesten; sein Name findet sich regelmäßig unter den offiziellen
Schriftstücken[1]), und 1786 überreichte er gemeinsam mit seinen
Kollegen beim Regierungsantritt Friedrich Wilhelm II. dem
Könige die Huldigungsadresse der Berliner Juden[2]). Mit Moses
Mendelssohn, seinem Landsmann, war Wulff bekannt und ver-
traut. Auf seiner Fabrik trank Mendelssohns Gattin 1772
Brunnen, und 1776 gehörten beide Männer zu den Begründern
der von dem Weisen näher beschriebenen Heiratsgesellschaft[3]).
Einige Jahre später, 1782, suchte Mendelssohn durch David
Friedländer die Hülfe Wulffs, um die zwischen seinem Freunde
Wessely und dem Berliner Oberrabbiner Hirschel drohenden
Verwicklungen friedlich auszugleichen und der neuen geistigen Be-
wegung innerhalb des Judentums ihre Freiheit zu sichern[4]). Auch
sonst zeigte sich Isaak Benjamin Wulff ganz im Sinne seiner
Ahnen als Förderer dieser Bestrebungen, wie der jüdischen Literatur

---

[1]) S. Landshuth, S. 65, 80, 85, und David Friedländer, Aktenstücke
die Reform der jüd. Kolonieen betr. (Berlin 1793) S. 183.

[2]) König a. a. O., S. 320. Über die feierliche Begrüßung der
Prinzessin von Oranien, der Schwester des Königs, durch ihn s. Zeitschr.
Bd. III, 201, Anm. 1.

[3]) Kayserling a. a. O. S. 500 und 559; Steinschneider in Zeitschr.
Bd. V, 164. Eisek Dessau war Kassierer der Gesellschaft, wie aus dem im Besitz M. Brauns befindlichen Quittungsbuch eines Vereinsmitgliedes hervorgeht.

[4]) Mendelssohns Werke, Bd. V, S. 593f.

überhaupt. Das in seiner Heimat Dessau neubegründete jüdische Gymnasium, welches später der Franzschule einverleibt wurde[1]), fand an ihm einen hülfsbereiten Wohlthäter[2]), und in den Pränumerandenverzeichnissen der besonders in Berlin verlegten Schriften kehrt der Name Eisek Dessau regelmäßig wieder. Reich an Ehre und Ansehen, die er höher schätzte als seine äußeren Glücksgüter, starb Isaak Benjamin Wulff am 22. Januar 1802[3]), aus seiner Ehe mit Hendel Borchardt[4]) eine Reihe von Kindern zurücklassend, welche fast sämtlich sein Geschlecht durch Verbindungen mit dem Hause seiner Schwester Mirjam fortsetzten.

Diese, im Februar 1727 in Dessau geboren, war ungefähr seit Anfang des Jahres 1748 die Gattin des später so reichen und angesehenen Daniel Itzig. In einfachen und bescheidenen Verhältnissen hatten sie ihre Ehegemeinschaft begonnen; aber der Aufschwung ließ nicht lange auf sich warten. Die Thätigkeit, welche der Gatte zusammen mit dem Hause Ephraim als Münzunternehmer entwickelte[5]), legte rasch den Grund zum späteren Reichtum, und der Mann, der am 18. März 1722 als Sohn des aus Grätz in Berlin eingewanderten Pferdehändlers Itzig b. Daniel Jafe geboren worden[6]), war zuletzt Besitzer einer großen

---

[1]) S. Horwitz L., a. a. O., S. 27 f.

[2]) Hebr. Rechnungsbericht vom Jahre 1787, gedruckt in der jüd. Freischule zu Berlin; ergänze Steinschneider in Zeitschrift Bd. V, S. 172.

[3]) Grbst. No. 750; jüd. Datum 6, 19. Schebat.

[4]) Grbst. No. 2615; st. 6. Mai 1825 als 86jährige Greisin.

[5]) Geiger II, 140, 144; König a. a. O. 286, 290. Ritter I., David Friedländer (Berlin 1861), S. 21.

[6]) Itzig b. Daniel Jafe starb 1741, seine Frau Kela, die Mutter Daniel Itzigs, hochbetagt erst 1778 zu Berlin (Grbste Nr. 952 u. 953). Die Eltern der letzteren starben ebenfalls in Berlin: Anschel b. Elia Menahem aus Eschwege 1738 und Hanna, T. des R. Jakob aus Eschwege, 1748 (Grbste Nr. 585 u. 586); eine zweite Tochter derselben Jütchen (starb 1768, Gr. 1150) war an Menahem Man in Berlin verheiratet (st. 1760, Gr. 941), einen Sohn des Hamburger Arztes Simcha (Israel Emdens Selbstbiographie a. a. O., S. 114). — Geschwister von Daniel Itzig waren: Moses Jafe in Breslau; Meyer

Lederfabrik in Potsdam, des Eisenhüttenwerks zu Sorge und
Voigtsfeld, welches er 1782 an das königliche Hüttendepartement
verkaufte, verschiedener Häuser in Berlin und mehrerer Rittergüter
außerhalb der Hauptstadt[1]) und Teilhaber an zahlreichen anderen
geschäftlichen Unternehmungen[2]). Und doch haftete an dem Namen
Daniel Itzigs nicht ein Schatten jenes bösen Leumunds, in welchen
die Münzlieferungen seinen Genossen Ephraim gebracht hatten.
„Von edlem Charakter und unbescholtenem Wandel", wie ein Zeit=
genosse[3]), „von bekanntem anständigem Wohlverhalten und uneigen=
nützigem Betragen", wie König Friedrich Wilhelm II. selber sich
über ihn aussprach[4]), stand er in unentwegter Gunst bei seinen
Mitbürgern und bei seinem Fürsten, und seine Familie erlangte
sogar als einzig in seiner Art ein förmliches Naturalisations=
patent, durch welches ihre einzelnen Mitglieder und Nachkommen
zu wirklichen Bürgern erhoben wurden[5]). In der Gemeinde be=
kleidete Daniel Itzig das höchste Amt, das eines Oberlandesältesten.
Und er gehörte voll und ganz zu seinen Glaubensbrüdern, denen
vor allem seine Wohlthätigkeit und Opferwilligkeit zu Gute kam.

---

und Jakob in Berlin (der letztere st. schon 1737, Gr. 533); Hanna
Frau des Gad b. R. Hirsch Cohen (sie st. 1797, Gr. 954, ihr Gatte
1772) und Bela, Frau des Moses Fließ oder Moses Isaak (voll=
ständiger Name: Moses Chalfan Levi b. Isaak Eisek aus Schöne=
fließ). Bela st. 1773, ihr Gatte 1776; es ist derselbe Moses Isaak, dessen
Testament getaufte Descendenten von der Erbschaft ausschloß und dadurch
jenen bekannten Prozeß hervorrief. Näheres hierüber in Ztschrft. III, 205 ff.
und Zusätze S. 395.

[1]) Testament und Familienstiftung Daniel Itzigs; die Durchsicht der
Alten ermöglichte die freundliche Erlaubnis des jetzigen Kurators der Stiftung,
des Herrn Justizrat von Simson in Berlin.

[2]) Schmoller und Hintze, a. a. O., Bd. I (Berlin 1892) S. 412 f. und 445,
Bd. II. S. 142 u. 153. Als Fabrikbesitzer wird Daniel Itzig auch von
Geiger, II, 93 und König a. a. O., S. 294 erwähnt.

[3]) Ztschrft. III, 196 aus einer „Charakteristik von Berlin, Phila=
delphia 1784".

[4]) Geiger, II, 147.

[5]) Das., I, 104 und II, 147.

Zahllose Waisen wurden von ihm mit ansehnlicher Mitgift ausgestattet[1]); aber auch für die geistige Hebung und Ausbildung
der jüdischen Armen war er thätig, und von ihm und der Familie
Ephraim ging 1761 jener Plan zur Stiftung einer Armenkinder-
schule aus, welcher erst später in weit größerem Maßstabe durch
die Errichtung der von seinem Sohne Isaak verwalteten und von
ihm selbst reich unterstützten jüdischen Freischule zur Verwirklichung kam[2]). Daß seine Hülfsbereitschaft aber auch über die
konfessionellen Schranken hinausging, bewies er, als er der Kirche
des Dorfes Schöneberg, woselbst er ein Gut gekauft hatte, eine
neue Glocke zum Geschenk machte[3]).

Gleich edler und wohlthätiger Sinn zeichnete seine Gattin
Mirjam aus. Nicht nur, daß sie die treue Mutter und gediegene
Erzieherin einer reichgesegneten Schar von 16 Kindern war[4]), sie
vertrat auch — wie eine damalige Zeitung zu berichten weiß[5]), in
welcher ihr Thun als aneiferndes Vorbild für die Jugend ohne
Unterschied des Glaubens vorgeführt wird, — Mutterstelle an
allen ihren Verwandten, von denen jede bei ihrer Verheiratung
eine reichliche Aussteuer erhalte; so habe sie vor kurzem in ihrer
Geburtsstadt Dessau drei derselben ausgestattet und die Segens-
wünsche der dortigen Judenschaft, wie die Hochachtung der Christen
verdient! In der Spendenliste des Dessauer Beth-Hamidrasch
wird ihr Name gleichfalls neben dem ihres Gatten und Bruders
mit noch besonders reichlicher Gabe aufgezählt. Aber auch in
ihrem Hause selber fanden die ausgezeichneten Traditionen ihres

---

[1]) Satanow in seinem Geburtstagslied zu Daniel Itzigs 77. Ge-
burtstag 1799; f. Steinschneiders Hebr. Bibliographie IV, 72 und derselbe
im Verzeichnis der hebr. Hdschrft. d. Königl. Bibliothek zu Berlin, 2. Abt.
(1897) Nr. 255, 20 b.

[2]) Geiger I, 84; II, 134 f. Ritter a. a. O., S. 39 u. 41.

[3]) König, a. a. O., S. 331.

[4]) Die Kinder des Daniel und der Mirjam Itzig f. im Anhang Note II.

[5]) Dessauische Zeitung für die Jugend und ihre Freunde, 1782, Korrespondenz aus Berlin vom 25. August.

Freudenthal, Aus der Heimat Mendelssohns.   10

Geschlechtes, der Wulffschen Familientafel, sichtbaren Ausdruck; es herrschte in ihm jene Vereinigung von Religion und Wissenschaft, von Frömmigkeit und Bildung, von Treue zum Väterglauben und weitgehendem Kulturinteresse, welche den glänzendsten Vertreter dieses neuen jüdischen Entwicklungsstromes häufig und gerne in seine Räume führte und Moses Mendelssohn zuletzt zum Hausfreund der Itzigschen Familie werden ließ[1]). „Gott segne und erhebe aufs höchste das mächtige Haus, in welchem man so Großes hält auf Lehre und Gebet, und alle eine Stütze finden, die mit der Gotteslehre und ihrem Studium sich beschäftigen," so preist in dankbarer Erinnerung Jehuda Jüdel das Haus des Daniel Jafe mit seiner goldenen Leuchte Mirjam[2]). Und in der That, in diesem Hause war nach frommer Sitte dem Studium der religiösen Wissenschaften eine Stätte in einer eigenen Lehrklause begründet, und den Gelehrten, welche hier Einkehr hielten[3]), stand zugleich eine durch ihre Schätze berühmte Bibliothek[4]) hebräischer Werke in Drucken und Handschriften[5]) zur Verfügung. Aber hier

---

[1]) Kayserling a. a. O., S. 249. David Friedländer widmet Mirjam, „seiner ehrwürdigen Mutter und seiner verehrenswerten Schwiegermutter", sein Andachtsbuch, Gebete d. Juden (Berlin 1786).

[2]) Einleitung zu Chedwath Jakob; s. oben S. 24.

[3]) Vgl. z. B. Vorrede des Josef b. Meir Theomim zu seinem Kommentar zum Joreh Deah, Peri Megadim. Auf Wunsch Daniel Itzigs schrieb Israel Samocz seinen Kommentar zum Kusari; s. Cassel D., Lehrbuch d. jüd. Gesch. u. Lit. (Leipzig 1879), S. 497.

[4]) Zunz. 3. Gesch. und Lit. S. 241, woselbst auch die Bibliothek des oben erwähnten Schwagers von Daniel Itzig, Moses Fließ, genannt wird. — In seinem Testament hatte Daniel Itzig ursprünglich eines seiner Häuser in Berlin zu einer Synagoge bestimmt, in deren Räumen auch die Bibliothek für alle Zeiten Aufstellung finden sollte. Mit Rücksicht auf den später eingetretenen Vermögensrückgang einiger seiner Kinder mußte er die getroffenen Bestimmungen wieder aufheben, deren Verwirklichung für die jüdische Wissenschaft von größtem Segen gewesen wäre. Die Bibliothek sollte auf Grund der Nachtragsklauseln verkauft werden.

[5]) Eine Handschrift aus derselben s. in Neubauers Handschriftenkatalog der Bodleiana, Nr. 644.

erhielten auch die Kinder des Hauses, Söhne wie Töchter, eine
die zeitgenössischen jüdischen Anschauungen und Verhältnisse weit
überragende, „geschmackvollere und hellere[1]," allgemeine Bildung
und Erziehung, und in den glänzenden Räumen des Itzigschen
Palastes sammelten sich nicht nur die glaubensgenössischen,
sondern auch die christlichen Freunde, Schüler und Nacheiferer des
zweiten Sokrates, genossen die Gastfreundschaft der Eltern, plauderten
mit den Söhnen und umschwärmten die Töchter, welche „die An=
mut ihrer Schönheit durch ihre Talente, besonders für Musik, und
durch einen feingebildeten Geist erhöhten"[2], und schon frühzeitig
als „Freundinnen der Muse" besungen wurden[3]. Besonders die
begabten, jungen jüdischen Gelehrten, welche dort aus= und ein=
gingen, waren unermüdlich im begeisterten, poetischen Preise der
Itzigschen Familie und suchten vor allem die Hochzeitsfeste der
Kinder durch ihre mehr oder weniger gelungenen Lieder zu ver=
herrlichen. Und in der That, diese Hochzeitsfeste waren des Sanges
wert; die auf ihnen geschlossenen Verbindungen ketteten die vor=
nehmsten jüdischen Familien der beiden Hauptstädte Berlin und
Wien an das Haus des Daniel Itzig und schufen dem hier vor=
waltenden Geist manche neue glänzende Stätte. Aber es waren
auch meist in vollster Wahrheit reine Familienfeste; denn ein
großer Teil der Kinder, darunter fast alle Söhne, suchten ihr
Eheglück in demjenigen Hause, dessen Geist schon von vornherein
völlig derselbe war wie der ihres Elternheims, im Hause ihres
Onkels Isaak Benjamin Wulff, des Bruders ihrer Mutter
Mirjam[4].

Die hervorragendste Rolle unter diesen Söhnen spielte Isaak
Daniel Itzig, der Gatte seiner Base Edel Wulff. Von Friedrich
Wilhelm II., bei welchem er in hoher Gunst stand, zum Ober=

---

[1] König a. a. O. S. 290.
[2] Schreiben des Philosophen Hennigs über das Itzigsche Haus;
s. Geiger L., Berlin Bd. I, 1893, S. 383.
[3] Kayserling, die jüd. Frauen (Leipzig 1879), S. 220 f.
[4] S. Anhang Note II.

10*

hofbankier und Chausseebauinspektor oder Hofbaurat ernannt[1]),
ließ auch er sich, wie sein Vater, das Wohl seiner Glaubensbrüder
und besonders die Besserung ihrer sozialen und kulturellen Lage
ganz im Sinne seines Lehrers Moses Mendelssohn eifrigst
angelegen sein. Mit seinem Schwager David Friedländer, dem
Gatten seiner Schwester Blümchen, stand er als Generaldepu=
tierter an der Spitze der preußischen Judenschaft, um die von
derselben erstrebte Reform ihrer bürgerlichen Stellung zur Ver=
wirklichung zu bringen[2]). Die jüdische Freischule in Berlin sah
in ihm ihren Mitbegründer und ersten Vorsteher[3]), der bis zu
seinem frühzeitigen Tod, welcher ihn im Alter von 56 Jahren am 7. Juli
1806 hinwegraffte, mit lebhaftestem Interesse und Eifer seines Amtes
waltete und es an pekuniären Opfern nicht fehlen ließ[4]). Diesem
Interesse entsprang auch die Einrichtung einer eigenen Druckerei
für die Schule[5]), ein Plan, bei dessen Ausführung Isaak Daniel
Itzig erst recht in die Fußstapfen seiner Ahnen mütterlicherseits
wieder eintrat. Der unermüdliche und uneigennützige Eifer dieses
getreuen Schülers eines Moses Mendelssohn fand denn auch die

---

[1]) L. Geiger II, S. 147 und in Ztschrft. III, S. 190 ff.; an letzterer
Stelle ist Israel Daniel offenbar schon im Kalender selbst Druckfehler. —
Ein Bildnis des Isaak Daniel brachte der Meassef, Jahrgang 1789; vgl.
das. S. 377.

[2]) L. Geiger I, S. 123f., II, S. 159f. und die dort angegebene Literatur.

[3]) Kassierer der Freischule waren sein Bruder Bonem (s. ihn im
Anhang a. a. O.) und sein Schwager Jakob Eisek Wulff; der letztere,
geb. 1758, gest. 1833, war mit Hanna Salomon, einer Schwester des
Gatten der Sara Itzig, seit 1789 in zweiter Ehe verheiratet und verlor auch
sie schon 1802. Mitvorsteher der Freischule war ferner David Fried=
länder, mit dem zusammen Isaak Daniel Itzig am 27. Mai 1783 einen
Aufruf um Geldspenden zur Vergrößerung der Schule und des Unterrichts=
programm veröffentlichte. (Im Besitz M. Brauns).

[4]) Geiger, L. I, S. 84 ff. und II, S. 136. Ritter a. a. O. S. 39 u. 41.

[5]) Zur Geschichte dieser Druckerei s. Steinschneider in Ztschrft. V, 167 ff.
In den Drucken derselben wird Itzig Jafe d. i. Isaak Daniel Itzig oft
erwähnt. Vgl. auch das von den Arbeitern der Druckerei ihm gewidmete
Gedicht; Benjacob a. a. O., S. 88, Nr. 666.

bereitwillige Anerkennung der Zeitgenossen und vor allem der gleichdenkenden und gleichstrebenden Freunde. Als die von den Mendelssohnianern begründete Gesellschaft der Literaturfreunde sich 1787 unter Erweiterung ihrer Ziele in eine Gesellschaft zur Beförderung des Guten und Edlen umwandelte, wußten die Mitglieder keinen würdigeren an die Spitze zu stellen als Isaak Daniel; er wurde zum Oberdirektor der Gesellschaft erwählt, und willig unterstellten sich die ausgezeichneten literarischen und sonstigen Führer des Meassimkreises als Hauptdirektoren seiner Oberleitung[1]). So wirkten eine Reihe von Jahren hindurch Vater und Sohn, Daniel und Isaak Itzig, zu gleicher Zeit für die innere und äußere Emanzipation der jüdischen Gesamtheit, und dem Enkel, Moritz Jonathan, dem Sohne Isaak Itzigs, war es beschieden, als einer der ersten mit seinem Blute die Freiheit besiegeln zu dürfen, welche allmählich das Vaterland ohne Unterschied allen denen einräumen mußte, die Gut und Leben für seine Befreiung mit eingesetzt hatten. Der Abkömmling des Moses Isserles starb am 13. Mai 1813 zu Leipzig an den Wunden, welche er in der Schlacht bei Lützen als freiwilliger Jäger erhalten hatte, und wurde in der Heimat seiner Ahnen, in Dessau, zur letzten Ruhe bestattet[2]). Daß auch er an Geist und Charakter seiner Ahnen nicht unwürdig war, das bezeugt das Kondolenz= schreiben, welches sein Vorgesetzter, Kapitän von Rexin, an seinen gleichfalls verwundeten Bruder richtete, und das hier nochmals seine Stelle finden möge[3]):

---

[1]) Für Königsberg wurden als Hauptdirektoren ernannt: Isaak Euchel, Mendel Breßlau, Simon Zacharias (Steinschneiders Zweifel Cat. Bodl. 7223 erledigen sich damit) und Sanwil Friedländer; für Berlin: Joel Löwe und Baruch Lindau. — Ein Exemplar des Rund= schreibens des neu gegründeten Vereins vom 1. Tammus 1787, in welchem zugleich die Verlegung des Druckortes des Meassef nach Berlin angekündigt wird, besitzt gleichfalls M. Brann.

[2]) Grbst. No. 221.

[3]) Aus einem Feuilleton von Ludwig Geiger: Achim von Arnim und Moritz Itzig, in der Frankfurter Zeitung vom 8. Februar 1895.

Ew. Wohlgeb.! Besonders hoch zu verehrender Herr!

Der Verlust, welchen die Jägercompagnie des Füsilierbataillons vom 2. Garde-Regiment durch den Tod Ihres Herrn Bruders erlitten hat, ist für mich um so schmerzlicher, je seltener in unsern Tagen die Beispiele von so gewissenhafter Pflichtausübung und von strenger Verfolgung eines vorgesetzten edlen Zwecks geworden sind. Nehmen Ew. Wohlgeb. in wenigen Worten das innigste Bedauern, welches ich bei diesem für Sie so beugenden Fall empfinde, als ungeheuchelt auf und da ich weder Wortgepränge liebe, noch in demselben excellieren kann, so beschränke ich mich von dem Seligen zu sagen, daß ich ihn als Soldat hochgeachtet, als Philosoph bewundert, als Mensch innigst geliebt habe. Nie hat er mir einen trüben Augenblick verursacht, der Himmel tröste seine Hinterbliebenen!

Im Geiste dieser Ahnen wandelte von den übrigen Sprößlingen des Hauses Wulff-Itzig, um nicht alle zu nennen, ganz besonders noch die „geistvolle, liebenswürdige und edle" Fanny, seit 1777 die Gattin des Barons Nathan Adam von Arnstein in Wien[1]), welche in ihren glänzenden, von den hervorragendsten Gelehrten, Künstlern und Staatsmännern besuchten Salons des öfteren in geräuschloser, aber nachdrücklicher Weise als Schützerin ihrer Glaubensbrüder auftreten konnte[2]).

Freilich nicht in allen Verbindungen, welche ihre Geschwister

---

[1]) A.-Dresden, loc 2270 Vol. II, III und IV. Der Vater, Adam Isaak Arnsteiner, Kays. und Königl. Hoffaktor, bittet daselbst, d. d. Wien 28. Sept. 1773, um einen Freipaß für sich und seine Familie zu einer Reise nach Berlin, wo sich sein Sohn verheiratet. 1781, 1. Juli wünschen er und Daniel Itzig gemeinsam wiederum einen solchen Paß: sie hätten vor 4 Jahren, also 1777, die Erlaubnis erhalten, zur Trauung ihrer Kinder nach Dresden kommen zu dürfen und wollen jetzt eine Familienzusammenkunft hier abhalten. 1777, 11. August, bittet auch der schon genannte Abraham Marcuse aus Berlin um einen Freipaß zur Trauung seiner Tochter mit einem Sohne des Adam Arnsteiner, die gleichfalls in Dresden stattfinden soll.

[2]) Vgl. Grätz, Gesch. d. Juden, Bd. XI, S. 158 u. 326; über Fannys Salon s. Kayserling a. a. O., S. 221 f.

und Angehörigen geschlossen hatten, hielt dieser durch so viele Generationen immer wieder vererbte, ausgezeichnete und rühmliche Ahnensinn Stand. Solange die würdigen Eltern, Daniel Itzig und Mirjam, noch am Leben waren[1]), trat der Mangel desselben wenigstens nicht äußerlich in die Erscheinung. Aber die Befürchtungen, denen Daniel Itzig selbst schon Ausdruck gab, daß der gerade damals in so furchtbarer Weise um sich greifende Abfall vom väterlichen Glauben auch seine Nachkommenschaft anstecken würde, waren nicht so unbegründet, und es ehrt seine Gesinnung, daß er sich nicht scheute, sogar die Hülfe seines Fürsten anzurufen, um seinen letztwilligen Verfügungen über diesen Punkt unanfechtbare Rechtsgültigkeit zu sichern[2]). Doch diese Vorsichtsmaßregeln schützten höchstens die Kinder, nicht mehr die Enkel vor der drohenden Gefahr, welche, soweit nicht rein äußerliche, niedrige Beweggründe im Spiele waren, ihren Hauptabfluß immer wieder aus einer gänzlich verkehrten Auffassung des Begriffs der Aufklärung nahm. Es ist schmerzlich, sagen zu müssen, daß der Stammbaum eines Moses Isserles zuletzt in manchen Zweig ausmündet, welcher nicht mehr des Ahnherrn Kraft besaß, dem Sturm der Zeit= verhältnisse zu widerstehen, sondern, losgerissen von den alten Aesten, auf anderem Boden seine Wurzeln eingrub. Daß er auch hier manch' edle Frucht aufs neue brachte und vielleicht noch bringen wird, verdankt er freilich jener altererbten inneren Triebkraft, die auch im Abzweig nicht gänzlich verloren gehen konnte, und deren Segnungen, ob sie nun engen Glaubenskreisen oder schrankenlos der ganzen Menschheit gelten, in allererster Reihe doch der unver=

---

[1]) Daniel Itzig st. 21. Mai 1799, s. Gattin 1. Dezbr. 1788; Erbst. No. 748 u. 749.

[2]) S. Ztschrft. III, 208 f. Im Testament und in den Bestimmungen der Familienstiftung finden sich jedoch keinerlei diesbezüglichen Auslassungen. Das Gesuch Daniel Itzigs an König Friedrich Wilhelm stammt aus dem Jahre 1785; seitdem hatte er seine letztwilligen Verfügungen mehrfach ge= ändert. Die letzten und endgültigen sind 1797 mit noch einigen späteren Nachträgen abgefaßt.

wüstlichen Lebensfülle des Judentums als Urquell zur Ehre ge=
reichen. Dem subjektiven Gefühlsanteil des jüdischen Geschichts=
forschers mag dieser Gedanke beruhigenden Trost gewähren; seiner
leidenschaftslosen Objektivität muß es genügen, Wurzeln und Geäst
eines mächtigen Stammes in lückenlosem Zusammenhang bloßgelegt
zu haben. Darüber hinauszugehen, liegt dem Bereiche seiner Auf=
gabe fern. Sie führt vielmehr nochmals ergänzend zu dem Manne
zurück, welcher im Mittelpunkt der Stammeskette stand, zu Moses
Benjamin Wulff. Die Entwicklungsgeschichte des von ihm be=
gründeten jüdischen Buchdrucks soll das bisher gezeichnete Bild
seiner Person und seiner Umgebung noch erweitern und zu einst=
weiligem Abschluß bringen!

Stammtafel der Familie Wulff.

Moses Jsserles
b. Jsrael Jsser, 1520—1572,
R. in Krakau, in zweiter Ehe verh. mit
Tochter des R. Gerson T. J. S. 10.

Die übrigen Kinder S. 9, Anm. 5.	**Dresel,** 1561—1601, Frau des Simcha Bonem b. Abraham b. Josef Meisels in Krakau (st. 1624). S. 10.
Jehuda Loeb Meisels, Druckbesitzer in Krakau; s. Anhang Note I.	**Isaak,** Vorsteher in Pinsk. S. 11.
Moses, Schwiegersohn des R. Samuel Edels. S. 11.	**Simon Wolf,** Vorsteher in Wilna, flieht nach Hamburg, st. 1692 in Halberstadt. S 11—24.

Frau des Juda b. Meir Wahl b. Saul Wahl, S. 12.	Jente, Frau des R. Sabbatai Cohen. S. 12.	**Berend Wulff,** (Baruch Minden), Hofjude in Berlin, st 1706. S. 16—26.	**Benjamin Wulff,** (Simcha Bonem) in Berlin und Dessau, st. 1697. S 27—34 u. S. 117.	Salomon in Hildesheim und Dessau, S. 26.
Saul Wahl in Dessau, S. 118.	Rebekka, Frau des Michael Abraham in Berlin, S. 20.	Lea, Frau des Ruben Fürst in Berlin. S. 17.	**Zippora,** S. 22, 28 u. S. 126.　　　**Moses Benjamin Wulff,** in Berlin, Hoffaktor in Dessau, st. 1729. Verheiratet seit 1678.	Gerson Wulff Altendorf, S. 120.
Mirjam, Frau des Ahron Levi in Dessau, S. 130.	Frau des Magnus Moses in Halle, S. 128.	Sara, Frau des Dr. Isaak Wallich in Dessau, S. 132.	**Elias Wulff,** Hoffaktor in Dessau, st. 1754. S. 133 ff.	Die übrigen Kinder S. 127 ff.
Debora, Frau des Abraham Fränkel in Berlin, S. 130.	Baruch Ahron Levi, Hoffaktor in Leipzig, S. 130.	Lea	**Benjamin Wulff,** (Bonem Dessau) in Berlin st. 1756. S. 139.	Die übrigen Kinder S. 138 ff.
Moses Fränkel, Rabbinatsassessor in Dessau, st. 1812. S. 141.	Mirjam, Frau des Oberlandesältesten Daniel Itzig in Berlin. S. 143 ff.	**Isaak Benjamin Wulff,** (Eisek Dessau) Reltester in Berlin, st. 1802. S. 140 ff.		
David Fränkel, Direkt. d. Franzschule in Dessau, Herausgeber der Sulamit. S. 171	**Isaak Daniel Itzig,** Vorsteher der Freischule in Berlin st. 1806. S. 147 ff	**Edel Wulff.**	**Jakob Wulff,** und seine übrigen Geschwister S. 148 u. Anhang Note II.	

Moritz Jonathan Itzig, 1813 bei Lützen verwundet, begr. in Dessau. S. 149.

V. Abschnitt.

Die Wulffsche Druckerei und ihre Geschichte.

1.

Es war nicht die Aussicht auf materiellen Gewinn, welche dem Hoffaktor Moses Benjamin Wulff den Gedanken eingegeben hatte, die schon öfters erwähnte, hebräische Buchdruckerei in seinem Hause anzulegen. Im Gegenteil, die Unterhaltung einer solchen erforderte die größten Geldopfer, welche selbst bei noch so starkem Absatz nimmer eingebracht werden konnten [1]. Der verhältnismäßig kleine Kreis von sachverständigem Arbeiterpersonal, das aus aller Herren Länder zusammengezogen werden mußte und während der Dauer seiner Beschäftigung meistens mitsamt allen Familien= angehörigen von der Wohlthätigkeit des Druckherrn und der ganzen Gemeinde lebte, dazu die durch fortwährende Kriegsunruhen aufs höchste gesteigerten Papierpreise und endlich der langwierige Transport der Bücher zu den großen Verkaufszentren der Meß= plätze, das alles verursachte nicht unbedeutende Kosten, und selbst die rein geschäftlichen Buchdruck=Unternehmungen vermochten sich nur durch die andauernde und reiche Unterstützung zu halten, welche vermögende und angesehene Glaubensbrüder den Verfassern und Verlegern gewährten. Hier bot sich der so gerne geübten, jüdischen Wohlthätigkeit ein weites Feld, das in Wirklichkeit auch eifrig bebaut wurde; denn es galt ja, nicht einem Einzelnen, sondern der Gesamtheit einen Dienst zu erweisen, indem man die jüdische Wissenschaft fördern und das Studium der religiösen Lehre verbreiten half. Kein einziger von jenen Männern, welchen göttliche Schicksalsgnade zu äußerem Besitz und zu besonders angesehener Stellung unter den Ihrigen verholfen hatte, ließ es sich darum

---

[1] S. hierzu: Zum Jubiläum, a. m. O.

nehmen, in dankbarer Gesinnung eine heilige, eine religiöse That zu vollbringen, indem er jenen Besitz in den Dienst der Gottes= lehre stellte; ja es war sein höchster Stolz, wenn durch die Ein= tragung seines Namens in das goldene Buch der Wissenschaft sein Ansehen gleichsam erst die rechte Weihe empfing und fortan von erhabenerem Schimmer umflossen war. Während die einen in so glänzender Weise, wie man es beispielshalber von Berend Lehmann in Halberstadt gewohnt war, die vollständigen Kosten der Drucklegung größerer Werke, sogar einer ganzen Talmud= ausgabe, auf eigene Rechnung übernahmen, leisteten die anderen höhere oder niedrigere Zuschüsse oder kauften zahlreiche Exemplare der hergestellten Werke, um sie unter Gelehrte und Studierende zu verteilen oder den Lehrklausen der Gemeinden zu überlassen. Alle diese frommen Gönner jüdischer Wissenschaft suchte der Dessauer Hoffaktor durch die Errichtung einer eigenen Druckerei zu überstrahlen; religiöse Gelehrsamkeit sollte nicht nur in seinem Hause gepflegt werden, sondern auch von seinem Hause dauernd hinausgehen in die Öffentlichkeit, Segen bringend den Glaubens= brüdern für die Gegenwart und Zukunft und ihm selber zugleich als heilige Pflichterfüllung geltend. Moses Benjamin Wulff hat sich mit eigenen Worten hierüber in der Einleitung zu seiner Buß= gebet=Ausgabe[1]) deutlich genug ausgesprochen: „Bisher hat mir der Herr geholfen, daß auch ich meinen Teil beitragen durfte zur Reihe derer, welche da für die Gesamtheit Wohlthaten ausüben; so möge er mir die Gnade erweisen, daß ich noch viele Bücher ohne Ende drucken darf, auf daß dadurch meine Sünden getilgt, und die Tage der Erlösung gesandt werden!"

Freilich trafen zur Verwirklichung eines solchen Planes die Umstände nirgends günstiger zusammen als bei ihm. Die Nähe von Leipzig verringerte den Kostenaufwand in nicht zu unter= schätzender Weise, und von der fürstlichen Huld, welche der Hof= faktor in Dessau so reichlich genoß, durfte sich manche wichtige

---

¹) Selichoth, Dessau 1696.

Förderung des beabsichtigten Unternehmens erwarten laſſen, zumal
die Reſidenzſtadt ſelber in gewerblicher Hinſicht vorausſichtlich
ziemlichen Nutzen daraus ziehen konnte. In der That gewährte
das Privilegium, welches Moſes Benjamin Wulff für ſeine
Buchdruckerei am 14. Dezember 1694 von der Fürſtin Henriette
Katharina erhielt, ihm neben anderen Rechten völlige Zoll= und
Abgabenfreiheit für Waren und Arbeiter, ja ſogar auch das
Vorrecht zur Anlegung einer deutſchen Druckerei, falls er darauf
Anſpruch machen würde. Das Privilegium, welches einzig in
ſeiner Art daſteht, hatte folgenden Wortlaut: [1])

Wir Henriette Catharine von G. G. Fürſtin zu Anhalt, ge=
bohrne Souveraine Princeſsin von Oranien, Herzogin zu Sachſen,
Engern und Weſtphalen, Gräfin zu Ascanien, Frau zu Zerbst
und Bernburg x. x. alß vormündin und Regentin vor Unß und in
führend vormundſchaft Unſeres ſehr vielgel. Sohnes Printz Leopolds
zu Anhalt Liebd. geben hiermit kund und zu wißen; Nachdem Unß
Unſer Hof=Jude und Factor Moses Benjamin Wolff unterthänigſt
vorgeſtellt und zu vernehmen gegeben was maßen, dem Publico
zum beſten er eine hebräiſche Buchdruckerey alhiero bey Unſerer
Reſidenzſtatt Dessau, was ſolches mit Unſerer gnädigſten Concession geſchehen möchte, anzulegen geſonnen; mit dem unter=
thänigſten erſuchen, wir wolten gnädigſt geruhen, ihm über ſolche
hebräiſche von ihm anzuſtellende Druckerey, alß welche ſowol in
anſehung des hierdurch mit auswärtigen Kaufleuten und Buch=
händlern zu hoffenden Commercy, alß auch der dabey unter=
ſchiedliche Leute zuzuwendenden arbeit, nahrung, verdienſtes der
Stadt zuträglich fallen könnte, ein ſchriftliches Privilegium auf
ihn und ſeine Erben gnädigſt zu ertheilen; daß wir dannenhero
in erwegung ſolcher umbſtände ſeinem unterthänigſten petito in
Gnaden deferiret und ihm das geſuchte Buchdruckerey Privilegium
auszuſtatten resolviret. Wir thun auch ſolches hiermit auf ſol=
gende puncta alſo und dergeſtalt, daß

---

[1]) A.=Zerbſt, C. 9 o. Nr. 22, I.

1) Erstlich ermelte Moses Benjamin Wolff für sich, seine Erben und Erbnehmer von nun an berechtigt seyn sollen, gedachte hebräische Buchdruckerey alhiero zu Dessau in seinem am ende der Hospitalgaße in der Sandvorstatt neuerbauten manufactur Hause, oder wo und an welchem orthe es ihm sonst hiernechstens bequem fallen möchte, beßermaßen anzulegen und im stande zu erhalten, nebst der Heil. Schrift alten Testaments allerhand bey der Judenschaft bishero übliche und unter Christl. Obrigkeit zu= läßige und andere Gebet=Bücher, über das auch Zeitungen und avisen, wie solche in der Leipziger ordinari gazetten, oder andere dergleichen im Deutsch Röm. Reich gedruckten courrenten pflegen ausgegeben zu werden, in hebräischer Sprache zu drucken, zu Verhandeln, und zu Verkaufen; Jedoch mit der Praecaution und Bedingung, daß in allen denjenigen Büchern und Schriften, so in selbiger Druckerey aufgeleget und edirt werden, nichts ent= halten seyn, das der Christl. Religion, Unsern Landesherrlichen respect und autoritaet, dem gemeinen interesse, auch denen Reichsgesetzen und guten Sitten zuvvieberlaufen, bey strafe der Cassation dieses gnädigen privilegii, der confiscirung aller solcher nachtheilige Bücher und vorbehaltener absonderlicher will= führlicher ahntung.

2) Fürs andere setzen, Verordnen und versprechen wir hier= mit, daß gedachter Moses Benjamin Wolff und seine Erben und Erbenherrn alleinig dieser hebräische Buchdruckerey in Unserer Residenzstatt Dessau von diesem bündl. Antheil zu operiren berechtiget seyn und sonst niemanden dergleichen Drucker=Officin in Unsern Landen, Stätten, Flecken und Dörfern anzulegen ge= stattet werden sollen.

3) Wobey doch drittens ihm frey und unbenommen stehet diese Druckerey mit aller gerechtigkeit und freyheit zu verkaufen, entweder halb oder ganz zu veräußern, auch selbige sonsten auf andere Weise an jemand zu überlaßen, denen dann gleichmäßige freyheit renoviret werden soll.

4) Viertens ist er befugt einen oder mehr Compagnons,

welche eben der Freiheyt zu genießen haben, anzunehmen und mit gesamt Hand dieses Werk zu treiben.

5) Nicht weniger auch fünftens nach seinem gefallen und gelegenheit zu behuf dieser Druckerey und Etabelirung des Werkes benötigte Arbeiter anzunehmen, alß da sind Buchdrucker, Schriftsetzer und Gießer, Buchbinder p. und andere dergleichen mehrere, sowol Christen alß Juden, welche sich hierzu gebrauchen laßen wollen und capabel dazu erfunden werden.

6) Es soll auch zum Sechsten diese angenommene arbeits Leute zeitwehrender ihrer bey dieser Druckerey habende arbeit, so viel ihre person und Handtierung betrift, von allen Bürgerlichen imposten, contributierenden oneribus publicis, Sie mögen nahmen haben wie sie wollen, befreyet seyn und bleiben. Es wäre dann, daß sie eigene Wohnhäuser, welche nicht exemt seyn können, erkaufen und besitzen oder andere nahrung dabey treiben.

7) Zum Siebenden wird Er, Moses Benjamin Wolff, umb beßerer richtigkeit halber mit denen hierzu anzunehmenden Leuten im fürstl. Ambte zu contrahiren haben; Sonsten aber ihm frey=stehen, wenn Sie nicht richtig, treu und aufrichtig befunden werden oder sich wiederspenstig weisen solten, dieselben eigenen gefallens noch ohne jemandes wiederrede abzuschaffen und andere an deren Stelle wieder anzunehmen.

8) Fürs achte, im fall es sich begeben solte, daß zwischen ihm und seinen Compagnons oder anderen, mit denen er dißfalß contrahiret, oder auch denen Arbeits Leuten einiger streit in sachen diese Druckerey betreffende entstunde, So soll selbiger vor kein ordentliches Judicium gezogen noch durch einen weitleuftigen Process mit Verstattung dilationen aufgehalten und ihnen dadurch Versäumnus und schaden zugezogen werden, Sondern es soll ihnen freystehen, in solchen Fällen zween Commissarien, entweder aus Unserem Fürstl. Regierungs Collegio, oder sonsten, auszubitten, welche dann die Sache ohne formalen process in Summarische Verhör ziehen und solche, wie in Handelßgerichten sonst zu ge=schehen pflegt, abthun und beylegen sollen.

9) Neuntens sollen alle zu dieser hebräischen Druckerey nötige und von andere orthen anzuschaffende materialia, oder auch aus der Druckerey kommende undt auswärtig zu Verführende Wahren von allen imposten an Zoll, accise, Fuhr= Weg= und Brücken= geleithe, auch andere gaben, frey bleiben, und deßwegen von ihnen nichts exipiret werden, nur daß darunter kein unterschleif fürgehe.

10) Im fall sich auch zum Zehendten jemandes anhero be= geben und eine deutsche Druckerey anzulegen willens seyn solte, Er aber Moses Benjamin Wolff ebenfalß darzu belieben tragen und mit dergleichen litern trucken laßen wolte, So soll alsdann ihm der Vorzug vor jenen gelaßen werden.

11) Wir wollen Eylftens, und Verordnen hiermit, daß Unsere zur Regierung und Cantzley verordnete Geheime Räthe, Landes= hauptmann, Cantzler und Räthe, wie auch andere Unserer Be= ambte im Lande, und der Statt=Rath alhiero, über dieses Unser ertheiltes Privilegium halten und dahin sehen sollen, damit so= wol gedachter Moses Benjamin Wolff, alß auch seine Erben, consorten, Successoren, besitzer und inhaber gedachten hebräischen Buchdruckerey dabey geschützet und gehandhabet, ihnen auch auf ihr ansuchen mit rechtlicher Hülfe auf bedürfenden fall und übrigens in allen, so zu aufnahm und Erhaltung dieser Druckerey diensam, geführt und an Hand gegangen werden möge, zu deßen uhrkund Wir dieses ausgefertigte Privilegium eigenhändig unterschrieben und mit Unsern Fürstl. angehengten Vormundschaftl. Cantzley Insiegel beidrücken laßen. So geschehen Dessau am 14. December 1694. Gez. Henr. Cath.   gez. F. G. von Raumer.

Von der in diesem wertvollen Privilegium ihm zugestandenen Erlaubnis, auch eine deutsche Druckerei anzulegen, hat Moses Benjamin Wulff keinen Gebrauch gemacht. Als anfangs 1697 der Buchdrucker an der erpachteten Fürstl. Druckerei in Cöthen, Gottfried Teuscher, die Fürstin Henriette Catharina ersuchte, ihm die Errichtung einer Druckerei und eines Buchladens in Dessau unter dem Titel eines Hofbuchdruckers gestatten zu wollen, wurden zwar seine Wünsche hinsichtlich des Ladens und des Titels sofort erfüllt; wegen der Buchdruckerei jedoch sollte er sich erst mit dem Hoffaktor als Privilegbesitzer vergleichen, und dieser nahm keinen Anstand, jenem das zugestandene Vorrecht abzutreten[1]). Auch die andere im Privileg geäußerte Absicht Wulffs, hebräische Zeitungen und Anzeiger herauszugeben, scheint nicht zur Ausführung gekommen zu sein; wenigstens hat sich nichts dergleichen bis heute erhalten. Aber es stimmt zu dem oben gezeichneten Bilde dieses Mannes, daß er derartige, schon in jenen Tagen geschätzte Verkehrs- und Bildungsmittel auch seinen Glaubensbrüdern gerne zugänglich gemacht hätte, eine Absicht, die erst spätere Zeiten zur Verwirklichung geführt haben.

Dafür suchte der Hoffaktor die Arbeiten seiner Druckerei alsbald mit einer Großthat zu eröffnen und ihre Leistungsfähigkeit damit ein für allemal festzustellen. Nichts geringeres als eine vollständige Talmudausgabe sollte als erster Druck aus seinem Hause hervorgehen und dem Nachkommen des großen Talmudmeisters Moses Isserles den Ruhm erwerben, sich gleichfalls um die Wissenschaft des Judentums ein ewiges Verdienst gesichert zu haben. Denn die Ausführung dieses Gedankens hätte wirklich ein Verdienst bedeutet; es fehlte überall an Talmudexemplaren, und alle Versuche, dem fühlbaren Mangel abzuhelfen, waren bisher an den erforderlichen großen Geldmitteln und voraussichtlichen Privilegschwierigkeiten gescheitert[2]). Aber auch in Dessau scheiterte der Plan. Schon hatte Wulff die Kontrakte mit den Druckbesitzern zu Frankfurt an der Oder, dem Professor Becmann und seinem Beirat Michael Gottschalck, abgeschlossen, die gerade die Herausgabe des Talmuds in ihrer Offizin begonnen hatten; selbst das gesamte Druckmaterial

---

[1]) A.-Zerbst, C 9° Nr. 23, Verfügung der Fürstin vom 26. Januar 1697. Das Teuscher ausgestellte Privileg das. in C 9° Nr. 22. — Würdig a. a. O, S. 156 ist nach Obigem zu ergänzen, resp. zu verbessern; desgleichen seine Bemerkungen über den hebr. Buchdruck a. a. O. S. 333 und S. 334, Anm. nach dieser und der weiter folgenden Darstellung.

[2]) Näheres über diese Talmuddruck-Unternehmung f. Zum Jubiläum a. a. O.

war bereits von Frankfurt nach Dessau geschafft worden. Jedoch
zur Ausführung der Arbeit kam es nicht; sie mußte von Monat
zu Monat hinausgeschoben werden, und es blieb zuletzt Wulff
nichts anderes übrig, als den geschlossenen Kontrakt, da er selber
auf Reisen war, durch seine Gattin und seinen Schwiegersohn
Magnus Moses, welche ihn einst beim Abschluß schon vertreten
hatten, nun auch wieder auflösen zu lassen. Die Gründe für
das Scheitern dieses schönen Planes lagen sicherlich nicht nur in
äußerlichen Schwierigkeiten, wie z. B. am Mangel ausreichender
Arbeitskräfte, sondern auch in der Unmöglichkeit, die nötigen
hohen Geldsummen aus den geschäftlichen Unternehmungen heraus-
zuziehen, in welche der Hoffaktor im Namen seiner fürstlichen
Auftraggeber sich eingelassen hatte. Und da diese Unmöglichkeit
von Jahr zu Jahr anwuchs, besonders seitdem Gotha zuerst zu
Wulffs Freude, dann zu seinem bittersten Schmerze seinen
Kredit in Anspruch genommen hatte, so konnte überhaupt die
mit solch' großer Begeisterung ins Werk gesetzte Druckerei nicht in
dem Maße ihre Thätigkeit entfalten, wie ihr Besitzer es gerne
gesehen hätte. Dem entsprach auch die geringe Zahl der Arbeiter,
die zu zweien, höchstens zu vieren das Jahr hindurch Satz und
Druck besorgten[1]) und zumeist ein unruhiges Wanderleben
zwischen den einzelnen Druckorten hin und her führten. Wulff
hatte sie aus der Metropole der jüdischen Buchdruckerkunst, aus
Amsterdam, kommen lassen, von wo auch seine Typen stammten[2]).
Die Amsterdamer Typen waren besonders bekannt und hoch-
geschätzt, weshalb denn auch die Dessauer Drucke stets den
empfehlenden Vermerk „beothijoth Amsterdam" auf ihrem Titel-
blatte tragen[3]). Dieses letztere war, wie üblich, mit einer Umrahmung

---

[1]) Verzeichnis der Arbeiter s. im Anhang.

[2]) Einleitung zum Gebetbuch 1696, in welcher Wulff auch über sein
Druckprivilegium berichtet; s. Cat. Bodl. Nr. 2207.

[3]) Man vgl. über diesen Usus, wie überhaupt zur allgemeinen Orien-
tierung über den jüd. Buchdruck: Steinschneider, jüd. Typogr. in Ersch
u. Gruber Sect. II, T. 28, S. 28 ff.

verziert; die Dessauer Drucke weisen ein Sternen= oder Blumen=
viereck als Titelblattzier auf, oder auch Portale: entweder ein
umranktes Säulenportal, in einen spitzen Turm auslaufend, oder
ein Mauerportal, dessen Höhe der askanische Bär oder ein Löwe,
einen sternbeschienenen Turm ansteigend, ziert. Für die Geschichte
des Wulffschen Buchdrucks, wie überhaupt auch sonst für die Zu=
weisung von Werken ohne Orts= und Jahresangabe an bestimmte
Druckorte und Druckzeiten, ist diese äußere Ausstattung hebräischer
Bücher von nicht zu unterschätzender Bedeutung.

Die vereitelte Talmudausgabe ersetzte als erstes Werk,
welches den Wulffschen Buchdruck im Jahre 1696 verließ, ein
Gebetbuch in vierfach verschiedener Gestalt, teils mit deutscher
— natürlich jüdisch=deutscher — Übersetzung, welche von einem
neunjährigen Mädchen gesetzt war, und mit zahlreichen Zusätzen aller
Art [1]. Gebetbücher waren jederzeit stark begehrt, und es verging
deshalb auch für die Dessauer Presse kein Jahr, in welchem sie
nicht versucht hätte, diesem Bedürfnis durch alle möglichen Aus=
gaben abzuhelfen [2]. Aber Wulff bemühte sich auch, allen diesen
Drucken in irgend einer Weise einen auszeichnenden Wert zu
geben. Bald läßt er neue Gebete einfügen, ganz besonders solche
für die Frauen [3], bald erhebende religiöse Lehrbetrachtungen an=

---

[1] Die bibliographische Beschreibung s. im bibliograph. Anhang Nr. 26.
Die Setzerin Ella, über welche auch S. 176 zu vgl. ist, berichtet im Gebetbuch:

Die teitsche Ausiaus (Typen) hab ich gesetzt mit meiner Hand,
Ella bas Mausche (Tochter des Moses) aus Hulland.
Meine Jahr sein nit mehr as nein,
Zwischen sechs Kindern bin ich ein bas jochidoh (eine einzige Tochter) allein.
Drum wenn Ihr ein Tous (Fehler) gesint,
Su gedenkt, daß es hat neiert gesetzt ein Kind.

[2] S. das Verzeichnis und die Beschreibung der in Dessau gedruckten
Werke im bibliographischen Anhang.

[3] Im Gebetbuch 1696 sind für die Frauen 18 Seiten neuer Gebete
unter dem Titel Minchath Ani, Armenspende, beigefügt; hierzu bemerkt die
ebenerwähnte Setzerin Ella:

11*

schließen, bald wiederum bezüglich des Formats und des Umfangs der bequemen Handhabung Rechnung tragen. In der Ausgabe der Bußgebete, welche gleichfalls 1696 schon erschien, spricht er sich darüber aus, wie es schon längst sein Bestreben gewesen sei, anstatt der alten, unübersichtlichen und mit Druckfehlern übersäten Editionen eine neue, fehlerlose und so übersichtliche herzustellen, daß alles lästige Suchen und Nachschlagen überflüssig würde. Aus ähnlichen Erwägungen heraus veröffentlichte er bald darauf 1698 zum erstenmal eine deutsche Übertragung der Trauergebete für den an die Zerstörung des Tempels erinnernden Fasttag, deren Verfasser er damit zugleich in die Oeffentlichkeit einführte. Es war der Dessauer Thoraschreiber Arje Jehuda Loeb, dessen religiöses Empfinden von jeher aufs tiefste durch die Verständnislosigkeit verletzt worden war, mit welcher die herrlichen Trauerlieder der großen und kleinen Dichter Israels am neunten Ab heruntergeschrieen wurden, so daß statt eines weihevollen und ergreifenden Gottesdienstes nur Lärm und Unordnung den Fasttag auszeichnete. Um solchen Mißständen entgegenzuarbeiten, hatte sich der Thoraschreiber an eine Uebertragung dieser Lieder gemacht und nicht nur den Beifall der Wulffschen Familie, deren er mit begeistertem Lobe gedenkt, sondern auch denjenigen der Berliner und Dessauer Rabbinen gewonnen. Aber auch unter dem Publikum fand seine praktische Übersetzung der Kinoth, welche selbst in der Jargonsprache dichterisches Talent verrät, so wohlgefällige Aufnahme, daß schon 1701 eine Neuauflage hergestellt werden mußte, welcher an ver=

Diese schöne neue Techinaus (Gebete) sein noch kein Mal bei der deutschen Tefilloh (Gebetbuch) woren gedruckt.

Sie heißen Minchas Oni, wie der arme Mann thut Tefilloh (Gebet) bemütig
und gebuckt.

Das werb nit bezahlt, man schenkt es drein;

Ein frumm Jüdenfrau hat es geheißen zu stellen arein.

Haschem Jisborach (der gepriesene Gott) soll sie viel Gut's lassen sauche (würdig) sein.

schiedenen Druckorten später zahlreiche andere nachfolgten[1]). So hatte Arje Jehuda Loeb dem Hoffaktor die Begründung seines literarischen Ruhmes und damit auch die glückliche Entwicklung seines späteren Lebensgeschickes zu danken. Er erhielt die Stellung eines Beglaubigten, d. i. Sekretärs der Berliner Gemeinde und trat dort zu den angesehensten Kreisen in verwandtschaftliche Be= ziehungen[2]). Auf einen seiner Söhne, Hartog Leo genannt, vererbte sich die poetische Begabung des Vaters und erhob ihn zum beliebten Gelegenheitsdichter der Berliner Glaubens= genossenschaft.

Doch Arje Jehuda Loeb war nicht der einzige Autor, welchem Moses Benjamin Wulff zur Veröffentlichung seiner literarischen Arbeiten verhalf. Schon im ersten Jahre ihrer Thätigkeit 1696 gab die Dessauer Presse das Werk eines Mannes heraus, dessen Name bereits damals einen guten Klang in der Ge= lehrtenwelt besaß. Jakob Reischer, noch Rabbinatsassessor in Prag, später berühmt als Rabbiner von Worms und Metz[3]) plante seit langer Zeit die Abfassung eines Kommentars zum gesamten Gesetzeswerk des Schulchan Aruch. Die zahlreichen Schicksalsschläge, welche ihn in Prag verfolgten, ließen jedoch diesen Gedanken nicht in vollem Umfang zur Ausführung kommen; der Gelehrte mußte sich vielmehr begnügen, seine Arbeit zunächst mit demjenigen Teil zu eröffnen, welcher am meisten einer gründ= lichen Erklärung und gesetzlichen Entscheidung bedürftig erschien. Die Praxis des Lebens wies ihn hierbei auf die religionsgesetzlichen Bestimmungen über die Feier des Passahfestes hin. Nirgends, so äußerte er sich selbst[4]), giebt es mehr eine feste und gültige Ge=

---

[1]) Benjacob, Ozar ha=Sepharim (Wilna 1880), S. 528 Nr. 357.

[2]) Näheres über ihn und eine Probe seiner Dicht= und Uebersetzungs= kunst s. im Anhang Note III. Die bibliographische Beschreibung seines Werkes s. im bibliogr. Anhang Nr. 17.

[3]) Ausführlichere Daten zur Biographie von Jakob Reischer s. im Anhang Note IV.

[4]) Einleitung zu Chok Jakob, Dessau 1696.

setzesentscheidung auf diesem Gebiete; die einen erlauben, was die
anderen verbieten. Wie soll man sich da zurechtfinden? Oder
soll man immer nur erschweren und den Einzelnen, selbst in
pekuniärer Hinsicht, auf solche Weise schädigen? So entstand
sein Werk Chok Jakob, die Jakobssatzung, welches einen gründ=
lichen Kommentar zu den Vorschriften des Schulchan Aruch über
das Passahfest bot[1]. Es war freilich dem Verfasser nicht möglich,
die Arbeit in Prag selbst zum Druck zu bringen; wie es scheint,
haben persönliche Verdächtigungen und Gehässigkeiten, welche —
vielleicht wegen der rücksichtslosen Entschiedenheit seiner Behaup=
tungen — gegen ihn angezettelt worden waren, ihn gezwungen,
die Unterstützung des Dessauer Hoffaktors anzurufen. Wie ein
Erlösungsseufzer klingt der Dank, welchen Jakob dem Gotte
Jakobs am Ende der Jakobssatzung dafür ausspricht, daß ihm
der Druck seines Werkes trotz aller Hindernisse doch nunmehr ge=
lungen sei. Eine Rückwirkung derselben mag wohl auch
der auffällige Umstand sein, daß nur zwei rabbinische Approba=
tionen einer so vorzüglichen Schrift beigegeben waren, noch dazu
diejenigen seines Schwiegervaters und Vaters. Dafür hatte der
Verfasser jedoch die Freude, in dem zweiten Teil der Jakobs=
satzung, welcher unter dem Sondertitel Soleth la = Minchah
Nachträge und Erläuterungen zu seinem Erstlingswerke Minchath
Jakob, also „Mehl" zur einstigen „Opferspende", brachte, seinen
einzigen Sohn mit verewigt zu sehen. Simeon Reischer,
damals fünfzehn Jahre alt, fügte nämlich in diesen zweiten Teil
unter der Bezeichnung Schemen la = Minchah, Öl zur Opfer=
spende, selbständige Erklärungen ein, in welchen der jugendliche
Gelehrte seinen Vater und Lehrer gegen die Angriffe zu verteidigen
suchte, welche gegen dessen erste schriftstellerische Leistung gerichtet
worden waren.

Auch in den folgenden Jahren erschienen sogar persönlich
Gelehrte in Dessau, um der neuen Offizin Stoff zur Thätigkeit

---

[1] Die bibliogr. Beschreibung s. im bibliogr. Anhang Nr. 10.

zu überbringen, als erster der schon erwähnte Anverwandte des Wulffschen Hauses, Isaak b. Moses Cohen, mit den eherecht=lichen Studien seines Großvaters Sabbatai Cohen, welche in Anlehnung an den darin behandelten 154. Paragraphen des ehe=gesetzlichen, dritten Teiles des Schulchan Aruch den Titel Ge=burath Anaschim, Männerstärke, führten [1]). Obwohl das Werkchen bereits am 23. Juni 1650 n. St. vom Verfasser vollendet worden war, hatte es dennoch bisher noch nicht seinen Weg in die Öffentlichkeit gefunden. Nun aber hatte der Enkel am Sterbebette seines Vaters das Versprechen ablegen müssen, den großväterlichen gelehrten Nachlaß, sobald als nur irgend möglich, zum Druck zu bringen, und als Isaak Cohen kurze Zeit darauf plötzlich und nacheinander auch den neu gewonnenen Stiefvater, die Mutter und seinen Schwiegervater hinsterben sah, so bestärkten diese furchtbaren Schicksalsschläge, welche den Unglücklichen trafen, ihn erst recht in dem Gedanken, den heimgegangenen Ahnen ein solch' dauerndes Ehrendenkmal zu errichten. Er wandte sich an den allzeit hülfsbereiten David Oppenheim in Nikolsburg, welcher dem schon damals als tüchtigen Gelehrten gerühmten jungen Mann in seinem Lehrhaus bereitwilligst Unterkunft gab und ihm nicht blos eine von Lobeserhebungen überströmende Approbation, sondern auch Geldmittel für sein Vorhaben gewährte. Und da seine Anverwandten in Dessau ebenso bereitwillig sich ihm zur Verfügung stellten, so konnte Isaak Cohen wirklich 1697 sein Ver=sprechen einlösen. Ja, er durfte sogar der nachgelassenen Arbeit des Großvaters auch noch einige Gutachten des Urgroßvaters Meir anhängen, welche von der Gelehrsamkeit und dem Ansehen des bescheiden in kleinen Gemeinden amtierenden Mannes Kunde geben [2]).

Gleichfalls vom Hause des David Oppenheim her, welcher als Verwandter der Wulffschen Familie ihrer Druckerei, wie es scheint,

---

[1]) Über Isaak Cohen und das Werk Geburath Anaschim s. außer oben S. 117 auch besonders den Anhang Note V, 1.

[2]) S. daj. und den bibliogr. Anhang Nr. 6.

seine besondere Gunst schenkte[1]), fand bald darauf ein anderer Ge=
lehrter den Weg nach Dessau, um gleich Isaak Cohen den Wünschen
des Vaters nachzukommen. Es war Abraham, der Sohn des da=
maligen Kalischer Rabbiners Jehuda b. Nissan, ein so begeisterter
Anhänger David Oppenheims, daß er das Rabbinat von Austerlitz,
welches ihm übertragen worden war, wieder mit dem Amt eines
Predigers am großen Lehrhaus zu Nikolsburg vertauschte, nur
um auch weiterhin zu Füßen seines verehrten Meisters sitzen zu
können[2]). Jetzt hatte ihm sein Vater Jehuda b. Nissan, da
er sich selber zu alt und schwach fühlte, die vollständige Heraus=
gabe seines großen talmudischen Werkes ans Herz gelegt[3]), welches
er unter dem Titel Beth Jehudah, Haus Juda, verfaßt hatte,
und der Sohn war beauftragt, vor allen Dingen die nötigen Geld=
mittel hierzu zusammenzubringen. Das fiel Abraham nicht schwer.
Sein Gönner David Oppenheim wußte alle reichen Verwandten
und Bekannten seines Hauses für das heilige Werk zu interessieren;
ob sie in Hannover, in Wien oder in Nikolsburg selber
wohnten, sie mußten alle beisteuern[4]), und, wie immer, schloß die
Familie Wulff den Reigen. Ueber 1800 Thaler, eine für jene

---

[1]) David Oppenheim war durch seine Gattin Gnendel mit der Wulff=
schen Familie verwandt; sie war die Stiefschwester des Nathan Gans, des
Schwiegervaters von Elia Wulff. Vgl. oben S. 135 und Kaufmann, Aus
Heinrich Heines Ahnensaal S. 299. Außerdem war er durch seine häufigen
Reisen, welche ihn auch nach Leipzig führten (s. Zum Jubiläum S. 140),
mit der Familie Wulff näher bekannt und sandte Schriftsteller, welche ihn um
Approbationen angingen, wohl nach der neubegründeten Offizin. Das Vor=
bild des Isaac Cohen, welcher von seinem Hause aus zu den Verwandten
nach Dessau pilgerte, mag wohl noch dazu für die späteren ausschlaggebend ge=
wesen sein; jener zog Abraham b. Jehuda, und dieser wieder Moses Graf nach sich.

[2]) Näheres über die Familie des Verfassers und Herausgebers s. im
Anhang, Note V, 2.

[3]) Ein kleiner Teil des Werkes war bereits 1687 in Sulzbach durch
den älteren Sohn Benjamin herausgegeben worden; s. Benjacob a. a. O.,
S. 73 Nr. 321. Die bibliogr. Beschreibung der Dessauer Ausgabe s. im
bibliogr. Anhang Nr. 3.

[4]) Die Namen der Mäcene s. im Anhang, Note V, 2.

Zeiten an Wert mindestens doppelt zu berechnende Summe, ver=
schlang der Druck der umfangreichen Novellensammlung des Ka=
lischer Rabbiners[1]), und Abraham wußte den Mann, ohne dessen
thätiges Eingreifen die Veröffentlichung nicht möglich geworden
wäre, seinen Lehrer David Oppenheim, nicht höher zu ehren als
dadurch, daß er die gelehrten Erklärungen, welche er aus seinem
Munde vernommen hatte, mit in das Werk des Vaters aufnahm[2]).

Aus derselben Metropole jüdischer Gelehrsamkeit und wiederum
unterstützt von der Familie David Oppenheims wanderte im
Jahre darauf ein Anhänger mystischer Gotteslehren, der
Kabbalist Moses b. Menahem Graf, nach Dessau, um dem
Hoffaktor eine Arbeit auch aus solchem Ideenkreis zum Druck zu
überbringen. Schon in seiner Heimat Prag mit dem Entwurf
eines Kommentars zum Hauptwerk der Kabbala, zum Sohar,
beschäftigt, war er durch denselben furchtbaren Schicksalschlag,
welcher Jakob Reischer aufs härteste betroffen hatte[3]), durch die
Feuersbrunst des Jahres 1689, um seine materiellen wie um
seine literarischen Schätze gekommen. Flüchtig umherirrend fand
er endlich in Nikolsburg Freunde und Anhänger und Ge=
legenheit zu neuem Schaffen und Arbeiten[4]).

Er mußte freilich auch hier die ihm schmerzliche Erfahrung
machen, daß seine Wissenschaft nicht mehr so hoch im Preise stand,
wie in früheren Zeiten, daß die eifrigen Talmudstudien auf der
einen, die Genügsamkeit in der Beschäftigung mit dem einfachen
Bibelwort auf der anderen Seite die Leidenschaft, kabbalistische
Geheimnisse und Rätsel zu erforschen, vermindert hatten. Den

[1]) Kaufmann, Letzte Vertreibung S. 171.

[2]) Außerdem veröffentlichte Abraham b. Jehuda durch die Dessauer
Presse gleichzeitig das Antwortschreiben des David Oppenheim an die
Gemeinde zu Brzesc (datiert 13. Nissan = 25. März 1698 n. St.),
welche ihn zu ihrem Rabbiner berufen hatte, eine Ehrung, die er jedoch
ablehnte. S. Cat. Bodl. Nr. 4836; Jr Tehillah, S. 28 u. 156; Dem=
bitzer a. a. O. II, 94 Anm. und hier im bibliogr. Anhang Nr. 1.

[3]) S. Anhang Note IV.

[4]) Näheres s. im Anhang Note V, 3.

gefundenen Zug der Entwicklung, welcher hierin lag, verkannte seine
kabbalistische Schwärmerei so sehr, daß er für die abweisende
Haltung der Gegner nur einen unendlichen Wortschwall schärfster
Angriffe in ironischer oder ernsthafter Tonart aufzuweisen hat[1]).
Um seinen Anschauungen wieder mehr Boden zu verschaffen, machte
er sich in Nikolsburg an die Abfassung einer für das große
Publikum berechneten Schrift, in welcher er eine Anzahl der
wichtigeren kabbalistischen Lehrsätze, besonders aus dem Gebiete der
Emanationstheorie, nach dem Sohar und vor allem nach den
Lehren des von ihm begeistert verehrten Meisters Isaak Luria
zusammenstellen und ihnen einen eingehenden, jedermann das Ver=
ständnis erleichternden Kommentar beigeben wollte. Mit dieser
Schrift, welche er auf ihren Zweck anspielend Wajakhel Moscheh,
Moses versammelte[2]), betitelte, während er den Begleitkommentar
zur Emanationslehre des Sohar Majweh Moscheh, Moseshülle,
benannte, begab sich der Verfasser, unterstützt und empfohlen von
seinen Nikolsburger Gönnern, auf die Wanderschaft, um weitere
Approbationen und Geldmittel zu sammeln: zuerst nach Süden,
wo er in Wien wiederum an Samuel Oppenheim und
Samson Wertheimer zwei Helfer fand, die er nicht genug zu
rühmen weiß[3]), dann nach Norden hin, wo er in Ungarisch
Brod auf einen gleichgesinnten Freund, den Vorbeter Samuel
b. Salomon Cohen, traf, welcher seinem Buche eine ehrende
Einleitung und der vom Verfasser gegebenen Einführung in die
Geschichte und Theorie der Kabbala einige Bemerkungen einfügte.
    In Trebitsch stellte ihm der Rabbiner David ben Israe
Isserl eine Approbation aus, obwohl er sich in ihr gerade nicht
als begeisterten Anhänger der Kabbala erklärte[4]), und die bald
darauf 1696 in Fürth erscheinende Erstlingsschrift des Moses

---

[1]) Vgl. besonders die zweite Einleitung zu Wajakhel Moscheh.
[2]) Nemlich: die ganze Gemeinde der Israeliten; Exod. 35, 1.
[3]) S. Kaufmann, Samf. Werth., S. 50 u. 56.
[4]) Seine spöttische Bemerkung: er habe nie gewußt, daß diese Dinge
so wertvoll seien, bis er hier die Approbationen seiner Lehrer gesehen!

Graf mit ihrer angehängten, gläubigen Beschreibung einer Nikols=
burger Dämonenanstreibung erwies in der That diese Erklärung
als gerechtsertigt. 1698 tauchte Moses Graf in Dessau zu
längerem Aufenthalte auf, welchen ihm das Wulffsche Haus ge=
währte, machte einen Abstecher nach Halberstadt, um auch hier
sein Werk approbieren zu lassen, und erlebte die Freude, 1699
sein Wajakhel Moscheh wirklich die Dessauer Presse verlassen zu
sehen[1]). Überschwänglich, wie stets, ist auch das Lob, welches er
der Familie des Hoffaktors hierfür ausspricht; er schildert in
glänzenden Worten, wie in diesem Hause eine Anzahl der tüchtigsten
Gelehrten Tag und Nacht sich heiligen Studien ergeben, wie der
Hausherr durch sein Wissen und durch sein Interesse für die
Wissenschaft, durch Wohlthätigkeit, welche er so herrlich noch nie
im Leben habe üben sehen, durch Bescheidenheit, Hülfswilligkeit
und Liebenswürdigkeit sich leuchtend hervorthue und von seiner
edlen Gattin aufs schönste unterstützt werde, wie er endlich durch
seine Druckerei der Gesamtheit unermeßlichen Segen spende, wofür
der Gotteslohn nicht ausbleiben werde.

Ebenso begeistert gedenkt endlich noch ein anderer Schrift=
steller des Wulffschen Hauses und der in ihm genossenen Gast=
freundschaft, R. Ascher Anschel, Rabbiner in Saslaw, dann
Prediger an dem von seinem Vater R. Isaak gestifteten großen
Lehrhaus seiner Heimat Przemysl[2]), welcher im Jahre 1701
eine Predigtsammlung unter dem Titel des einst vom Erzvater
Jakob dem gleichnamigen Sohne Ascher gewidmeten Segenswortes,
Schemenah Lachmo (sett ist seine Speise), durch die Dessauer
Presse veröffentlichen ließ[3]). Er hatte sie bereits im Jahre 1683,
als er noch das Rabbinat zu Saslaw bekleidete, von dem
Brzescer Rabbiner Mardochai Günzburg gelegentlich einer

---

[1]) Die bibliographische Beschreibung desselben s. im bibliographischen
Anhang No. 7.

[2]) Nicht Prenzlau, wie Fürst, Bibl. Jud., S. 57 hat.

[3]) Nach Genes. 49, 20. — Über die Person und das Werk des Ascher
Anschel s. den Anhang Note V, 4.

Hochzeitsfeier zu Ostrog, welcher beide beiwohnten, approbieren lassen. Aber der Druck dieser und anderer seiner Arbeiten mußte unterbleiben, weil gerade in jenen Jahren die Synoden zu Jaroslau wiederholt den Beschluß gefaßt hatten, eine Zeit lang überhaupt keine Druckapprobationen mehr auszustellen und die Veröffentlichung neuer Werke zu hindern[1]. Man gedachte nemlich auf diese Weise der immer mehr um sich greifenden Sucht, als Schriftsteller glänzen zu wollen, entgegenzuarbeiten und auch die Wohlthätigkeit der Glaubensgenossen zu entlasten, für welche das fortwährend gestellte Verlangen, die Druckkosten mitzutragen, zuletzt zu einer unerträglichen Plage werden mußte. Ascher Anschel benutzte diese Vereitelung seiner Wünsche, um seine Aufzeichnungen zu verbessern und zu vermehren, und wagte erst dann wieder an ihre Veröffentlichung zu denken, als sein Lehrer, der bekannte Posener und Frankfurter Rabbi Naftali Cohen, den Bann brach und ihm eine neue Approbation schrieb, freilich mit der ausdrücklichen Entschuldigung, das Werk sei bereits vor Erlaß jener Beschlüsse von anerkannten Gelehrten und von ihm selber begutachtet worden und erscheine jetzt nur in vermehrter Form. Dem Beispiel Naftalis folgten ohne Scheu nunmehr auch andere seiner Amtsgenossen, und zuletzt waren es nicht weniger als dreizehn Approbationen, welche der Predigtsammlung vorangingen[2]. Der Inhalt der letzteren rechtfertigt den großen Apparat all' dieser Empfehlungen nicht[3]. Mit Rücksicht auf die hohen Kosten, deren Betrag Ascher Anschel im Kreise seiner Familie und seiner Heimatgemeinde zusammenbrachte, hatte er gerade dieses Werk als das wenigst umfangreiche zum Druck bestimmt[4]. Vielleicht waren seine anderen Darbietungen tiefer angelegt; die hier zusammengestellten

---

[1] Vgl. Dembitzer, krit. Briefe, Krakau 1891, S. 11; vergl. auch Perles, Gesch. d. Juden in Posen, S. 35 f.

[2] S. dieselben im bibliographischen Anhang No. 20.

[3] Vergl. z. B. die abergläubische Geschichte, Teil V S. 21. — Eine zweite Auflage des Buches ist jetzt nach fast 200 Jahren erfolgt, Podgorze 1897.

[4] Einleitung, Bl. 4. Andere seiner Werke trugen die Titel Nachalath Ascher, zitiert I, 12, 14; II, 4, 10, 14, und Abne Milluim, zitiert I, 30 und II, 27.

Festtags= und Kasualvorträge mit ihren ausführlichen Inhalts= angaben können jedenfalls nur als historische Fundgrube noch irgend einen Wert in Anspruch nehmen. Und selbst ihre Ver= öffentlichung konnte zuletzt, wie der Verfasser eingesteht, nur durch die materielle Unterstützung, welche die Wulffsche Familie noch gewährte, bewerkstelligt werden. Zur Freude des Verfassers durfte er den ersten Teil seiner Predigten sogar mit einer novellistischen Erklärung abschließen, welche sein Sohn Israel bei einem öffent= lichen Vortrage in der großen Synagoge seiner Heimat im selben Jahre unter allgemeinem Beifall abgegeben hatte.

Schon in den beiden folgenden Jahren 1702 und 1703 stellte die Dessauer Presse ihre Thätigkeit ein, so daß sogar ein einheimischer Autor die Druckerei zu Frankfurt an der Ober aufsuchen mußte[1]); es waren die Jahre, in welchen Moses Benjamin Wulff finanziell von Gotha so in Anspruch genommen war, daß er weder Zeit noch Lust noch Mittel zu anderweitigen Unternehmungen besaß. Im nächsten Jahre 1704 ließ er freilich seine Druckerei noch einmal arbeiten, doch nur, weil es nochmals ein edles Gotteswerk galt. Außer einem Sabbatgebetbuch[2]) gab er nämlich, gemeinsam mit seinem Schwager Michael Abraham in Berlin[3]) die Kosten tragend den Kommentar Sajith Raanan, grünender Ölbaum, heraus, durch welchen Abraham Abele Gombiner nicht nur das Verständnis, sondern auch die textkritische Betrachtung des Jalkut fördern wollte[4]). Das Erträgnis dieser Herausgabe sollte der

---

[1]) Der Dessauer Vorbeter David Tebele läßt seine Gebetsamm= lung Tefillath Jescharim 1702 in Frankfurt an der Ober er= scheinen, und der bisherige getreue Setzer in Dessau Chajim Altschul (s. Verzeichnis im Anhang Nr. 1), ist 1703 in Dyhrenfurth thätig.

[2]) Bibliographischer Anhang Nr. 38. Ist der dort genannte Jssachar Baer b. Abraham aus Kalisch vielleicht ein Sohn des Abele Gom= biner?

[3]) S. oben S. 20 f.

[4]) Vgl. die Approbation des Glogauer Rabbiners Arje Loeb. — Dem Werke gehen einige Vorträge über das erste Buch Moses unter dem Titel Schemen Sason (Freudenöl) voraus; die zu den übrigen Büchern

Witwe des Verfassers, der Tante Michael Abrahams, zu gute kommen[1]), und mit dieser hochherzigen Spende — getreu dem Geiste, mit dem es einst begonnen worden war, — schloß der Hoffaktor sein gemeinnütziges Unternehmen, um seine ganze Kraft fortan der Lösung jener Schwierigkeiten zu widmen, in welche der Bruch mit Gotha ihn immer tiefer stürzen sollte. Aber wenn er auch selber auf die Fortführung der heiligen Arbeit verzichten mußte, so durfte er doch wenigstens anderwärts seine Offizin zum Segen der Gesamtheit in weiterer Thätigkeit erblicken.

2.

Der erste Ort, an welchen die Wulffsche Presse auswanderte, war Berlin. Ein Blick auf Titelblatt und Typen der schon erwähnten Ausgabe der Edelsschen Novellen, welche 1706 im Hause Ruben Fürsts besorgt wurde und an Vortrefflichkeit alle bisherigen Ausgaben weit überragte, läßt sofort erkennen, daß Moses Wulff seinem Schwager die Dessauer Offizin überlassen hatte, damit auch dieser den Ruhm eines Mäcens der jüdischen Wissenschaft sich sichern konnte[2]). Vielleicht hätte sie dort noch andere

---

sind, wie die Herausgeber bemerken, verloren gegangen. Vgl. auch bibliographischer Anhang Nr. 8.

[1]) Einleitung des Korrektors Naftali Zebi Hirsch, S. des verstorbenen R. Jirmija aus Berlin (vielleicht der von Auerbach, Gesch. d. J. in Halberstadt, S. 24 Anm. erwähnte R. Jirmija Jakob; vgl. auch Landshuth S. 120).

[2]) Man ergänze hiernach Ztschrft. II, 382. Als Korrektor fungierte nicht nur der dort erwähnte Salomon b. Matatja, sondern auch der oben S. 164 genannte Dessauer Thoraschreiber Arje Jehuda Loeb, damals schon in Berlin. Salomon b. Matatja klagt über die bisherigen mangelhaften Ausgaben und schiebt die Schuld auf das Arbeitspersonal, besonders auf das nichtjüdische, wie er das aus eigener Erfahrung wisse. Es sei hier alsbald die bibliographische Beschreibung des Werkes eingefügt.

Sefer Chiddusche Halachoth des Samuel Edels, zum drittenmal gedruckt, auf Kosten des Ruben b. Natanael Ferscht in

Werke geliefert, wenn nicht der frühzeitige Tod Ruben Fürſts und
ſeines Schwiegerſohnes Samuel Heide alle Pläne geſtört haben
würde[1]).

Ein um ſo eigenartigeres Schickſal war ihr dafür an dem
zweiten Orte beſtimmt, an welchem ſie Aufſtellung fand, in Halle.
Hier hatte ſich in demſelben Jahre der frühere Amſterdamer
Drucker Moſes b. Abraham Abinu, wie ſich ſchon aus der
Bezeichnung des Vaters ergiebt, ein Proſelyt — und zwar vom
Chriſtentum zum Judentum übergetreten, — mit den Seinigen
zur Arbeit niedergelaſſen. Wie er ſelbſt, ſo waren auch ſeine
zehn Kinder, die Söhne ſowohl wie die Töchter, in der Buch-
druckerkunſt erfahren und hatten, nachdem ſie vorher in Amſterdam,
Berlin und Deſſau thätig geweſen waren, zuletzt alleſamt bei

Gemeinſchaft mit ſeinen Schwiegerſöhnen Itzig b. Gerſon und Samuel
b. Joſef Heide aus Hamburg. Berlin 1706, 2° (2) Bl. [Vorwort der
Korrektoren vom 5. und 7. Tebeth 466; Approbationen und Vorwort des
Verfaſſers] + 117 Bl. [Berachoth bis Kidduſchin] + 77 Bl. [Baba
kamma bis Ribbah]. Im Hauſe des Ruben Fürſt. — Approbiert von
David b. Abraham Oppenheim, Rabb. in Prag, früher in Nikolsburg, ein Baum, deſſen Zweige ſich ſogar ins heilige Land erſtrecken!,
9. Cheſchwan 466, Schemaja b. Abraham Iſſachar Baer, Rabb. in
Berlin, 28. Kislew 466, Seeb Wolf b. Samuel Darſchan, Rabb.
in Deſſau, 9. Cheſchwan 466, Joſef b. Jechiel, Rabb. in Flatow und
Verwandter der beiden Schwiegerſöhne des Ruben Fürſt, dat. Berlin
1. Cheſchwan 466, Ahron b. Iſaak Benjamin Wolf, Rabb. am Lehrhaus zu Berlin, 5. Tebeth 466. — Setzer: Chajim b. Katriel aus Krakau,
Moſes b. Pinchas Tauſk aus Prag, Kalonymus Kalman b. Jakob Levi,
Beglaubigten von Berlin.

Vorzüge dieſer Ausgabe nach dem Vorwort der Korrektoren: Strenge
Ordnung nach Traktaten und Kapiteln, Einfügung der Auslaſſungen an
den gehörigen Ort, genaue Verweiſe auf die zitierten Stellen aus Talmud,
Raſchi und Toſaphoth und Säuberung von den bisherigen Druckfehlern.

Am Schluß Verzeichnis derjenigen abweichenden Lesarten des
Maharſcha, welche von den früheren Korrektoren, um die Gleichheit mit
dem Talmudtext herzuſtellen, irrtümlich verderbt worden waren.

¹) S. oben S. 19 u. 120.

der Becmann=Gottſchalckſchen Offizin in Frankfurt an der
Oder Beſchäftigung gefunden[1]). Um unbeläſtigt hier wohnen zu
dürfen, hatte ſich die Familie unter die Jurisdiktion der Uni=
verſität geſtellt, ja der älteſte Sohn Israel Moſes war ſogar
inſcribiert und von dem Rector magnificus von Runckel
in vorgeſchriebener Weiſe vereidigt worden[2]). Aber Moſes
Abraham und die Seinen widmeten ſich nicht nur der Veröffent=
lichung der Werke von anderen, ſondern waren auch ſelbſt
ſchriftſtelleriſch thätig. Mit großem Stolz blickten ſie beſonders

---

[1]) Moſes b. Abraham ſtammte aus Nikolsburg und zwar aus einer
chriſtlichen Familie Haaſe (ſo deute ich die Worte ni = Beth Arnebeth die
Steinſchneider, Cat. Bodl. Nr. 2623, als Haſelburg nehmen will). Von Prag aus
wanderte er nach Amſterdam, trat hier zum Judentum über und übte ſeine
Kunſt 1686 und 1687 bei Uri Phöbus und Cosmann Emrich aus, dann
1689—1694 in eigenem Hauſe und zwar zumeiſt mit dem Druck jüdiſch=
deutſcher Schriften beſchäftigt (vgl. Cat. Bodl. Nr. 2623. 2791. 2914.
5545³. 6636⁴. 7405). In der Zeit der Franzöſiſchen Kriege, in der die Ge=
ſchäftslage zurückgeht, giebt er ſeinen Druckbeſitz auf und geht auf die
Wanderſchaft. Ueber ſ. Familie ſ. Cat. Bodl. S. 2994. Der dort genannte
Sohn Elia liegt in Halberſtadt (Grbſt. Nr. 1692) begraben. Ob Jakob und
Mardochai (a. a. O.) Söhne von Moſes Israel ſind, iſt nicht zu ent=
ſcheiden. Cat. Bodl. Nr. 8263 a, b, c ſind jedoch ein und dieſelbe
Perſon. Von den Kindern arbeiteten Israel und Ella 1696 in Deſſau
(ſ. oben S. 163 u. Setzerverzeichnis im Anhang); letztere iſt übrigens nicht,
wie Steinſchneider meint, 1697, ſondern 1687 geboren. In den folgenden Jahren
verweilt die Familie in Berlin und beteiligt ſich am Druck der Jablons=
tyſchen Bibel. In Frankfurt an der Oder arbeiten ſie an der Berend
Lehmannſchen Talmudausgabe (ſ. Traktat Niddah 1699), an dem
Ma'chſor, das 1700 Hirſch Oͤttingen herausgeben läßt, und in welchem
Ella ausdrücklich ſich zeichnet (Cat. Bodl. Nr. 8093), ſowie an der großen
Lutherbibel und Wegners Opus quatuor linguarum, welche Gottſchalck zugleich
mit dem neuen Talmuddruck privilegiert worden waren; ſ. Zum Jubiläum
S. 89.

[2]) Dies und alles Folgende nach den Akten des Kgl. Univerſitäts=
archivs zu Halle, Sign. M. 3. Das Inſkriptionszeugnis, jedenfalls erſt nach=
träglich ausgeſtellt, iſt vom 24. Februar 1705 datiert. In den Matrikeln
(herausgegeben von Ernſt Friedländer, ältere Univerſ. Matr. I) iſt die In=
ſkription nicht vermerkt.

auf eine von ihnen verfaßte hebräiſche Ueberſetzung des neuen
Teſtaments zurück, welche ſie in Berlin hatten erſcheinen laſſen[1].
„Iſt ſolche Arbeit", äußerte ſich Moſes Abraham ſelbſt darüber,
in keinem Seculo nicht geſchehen und hat S. K. Majeſtät in
Preußen ſelbſten 100 Rthlr. zu ſolchen neuen Teſtament reichen
laſſen. Was nutzen ſolches Werk abſonderlich denen Conversis bey-
bringet, geben wir denen Herrn Theologis zu erachten." In den Augen
der eigenen Glaubensbrüder mochte nun allerdings der Wert
dieſer Schriftſtellerei etwas geringer veranſchlagt werden, als in
denen der chriſtlichen Theologen, und da nach anderen Berichten
Moſes Abraham in einer weiteren Schrift die Kabbala unverblümt
als ein Lug- und Truggebäude hingeſtellt haben ſoll[2], ſo wird
wohl mancher die Ueberzeugungstreue dieſer Proſelyten etwas zweifelnd
und argwöhniſch betrachtet haben. Jedenfalls wurden ſie nicht
mit beſonderem Wohlwollen empfangen, als ſie ſich in der noch
im Entſtehen begriffenen jüdiſchen Gemeinde zu Halle niederließen,
der Sohn von Deſſau aus, wo er im Schlußjahr der Wulffſchen Druckerei noch einmal thätig geweſen war.

Was ſie nach Halle führte, war der Druck der neuen Bibelausgabe, welche J. H. Michaelis in der Offizin des Francke-
ſchen Waiſenhauſes herſtellen laſſen wollte[3]. Moſes Abraham

---

[1] Von dieſer Ueberſetzung iſt in den gebr. Handbüchern nirgends
eine Nachricht vorhanden.

[2] Wolf, Bibl. Hebr. III, 1510b; Moſes Abraham berichtet in der
Einleitung zu der von ihm veröffentlichten Reſponſenſammlung des
Jakob Reiſcher (Schebuth Jakob I, Halle 1709), er habe ein Buch unter
dem Titel Jltube ha-Geullah verfaßt. Vielleicht richtete ſich daſſelbe in er-
wähnter Weiſe gegen die Kabbala.

[3] Francke ſelbſt ſchrieb von dieſer Bibelausgabe, welche in dem von
Michaelis am Waiſenhaus geleiteten orientaliſchen Kolleg vorbereitet
wurde: dergleichen ſei etwa noch zur Zeit nicht ans Licht gebracht worden,
ſowohl die ſorgfältige Zuſammenhaltung mit allen geſchriebenen Exem-
plarien als auch die Unterſuchung nach der Maſora und ingleichen loca
parallela und nützliche Anmerkungen. Segensvolle Fußſtapfen u. ſ. w.
II. Fortſ. Halle 1706, 24. Novbr., S. 6.

hatte Michaelis seine und der Seinen Mithülfe angeboten, und sie
war angenommen worden; ja er erhielt sogar für die erste Zeit
Wohnung im Waisenhause selber, und als die privilegierten
Hallenser Juden nicht gestatten wollten, daß die Drucker ohne
Schutzbrief sich im Innern der Stadt niederließen — das Waisenhaus gehörte zum Dorfe Glaucha — oder gar in beschäftigungs-
losen Zeiten Kleinhandel trieben, griff Israel Moses zu dem alten
Mittel und ließ sich mitsamt seinem Vater vom Rektor der Universität feierlichst inscribieren und vereidigen.   Das war
freilich das gute Recht der Universität, schon deshalb, weil sämtliche Buchdrucker ihr ausdrücklich unterstellt waren und mit zu
den akademischen Bürgern gehörten[1]). Doch den Hallischen Stadtschultheißen, den Regierungsrat König, kümmerte dies gute
Recht sehr wenig; er berief sich einfach darauf, daß nach der
Reichspolizeiordnung vom Jahre 1548 einzig und allein der
Landesherr Juden vergleiten dürfe[2]), und ließ Israel, nachdem
er ihn mehrfach hatte vergeblich auffordern lassen, die in der
Stadt bezogene Wohnung zu verlassen, verhaften und ins Gefängnis werfen.   Zwar erwirkte Michaelis persönlich die Freilassung des Arrestanten, aber der Universität behagte ein solcher
Eingriff des Stadtschultheißen in ihre Rechte durchaus nicht. Sie
beklagte sich bitterlich bei der Königlichen Regierung darüber, und diese
legte dem König Friedrich I. selber die Angelegenheit zur Entscheidung
vor, dessen Antwort freilich ganz anders ausfiel, als die Universität
geahnt hatte.   Er billigte vollkommen das Vorgehen des Stadtschultheißen und befahl in den schärfsten Ausdrücken der Universität
an, nicht nur stichhaltige Gründe für ihr jetziges Verhalten anzugeben, sondern auch fernerhin bei jeder Inskription eines
jüdischen Studenten zuvor die Erlaubnis des Königs einzuholen[3]).

---

[1]) Schrader, Gesch. d. Friedrichs-Universität zu Halle (Berlin 1894)
I, S. 81 und 100, Anm. 7.

[2]) Königs diesbez. Erklärung in d. Akten des Kgl. Staatsarchivs
zu Magdeburg, Sign. XXVIII, 8 (betr. einige Juden, so die hiesige
Universität recipiert, 1707).

[3]) Oranienburg 21. Juni 1707.

Der akademische Senat entschuldigte sich, so gut er konnte, und es erschien daraufhin noch eine Königliche Kabinetsordre (Char= lottenburg, 20. August 1707), welche ausdrücklich bestimmte: „Wie alle Juden, sollen auch die bey der dortigen Universität, es sey wegen der Buchdruckerey oder des Studierens halber sich aufhalten wollen, allemahl bei uns sich hierforderst umb Erhaltung solchen Schutzbriefs angeben und sollen, wenn sie solchen erhalten, unter Euerer der Regierung Jurisdiktion stehen"[1]. Auf Grund dieser Verfügung gestattete die Hallenser Regierung ungeachtet der Bitten der Universität und ihrer Schützlinge den letzteren nicht mehr die Fortsetzung ihrer Arbeiten am Waisenhause. So mußte denn Israel Moses, welcher bei seiner Haftentlassung auch der Juden= schaft das Versprechen hatte geben müssen, keinen Handel, sondern nur seine Druckarbeit betreiben zu wollen, selbst nach Berlin reisen und dort für die Seinigen ein Schutzprivileg auswirken, welches er auch wirklich auf Grund eines Empfehlungsschreibens

---

[1] Vgl. auch Terlinden, Grundsätze d. Juden=Rechts (Halle 1804) S. 59, den Geiger, II S. 5 irrtümlich so verstanden hat, als ob überhaupt keine Juden an der Universität aufgenommen werden sollten. — Die Königliche Verfügung wurde übrigens nur insoweit innegehalten, daß bei Promotionen von Juden zu Doktoren der Medizin um Erlaubnis angefragt wurde. Dies war z. B. 1730 bei dem von Wolf, Bibl. Hebr. IV, 2162c erwähnten Simon Adolphy aus London der Fall, für den am 24. August die Kgl. Erlaubnis unter der Bedingung erteilt wurde, daß er nicht im preußischen Lande praktizire. Unter derselben Bedingung wurde am 22. Februar 1735 die Königliche Zustimmung zur Promotion des Benjamin Lemos aus Hamburg gewährt, des Vaters der Henriette Herz. Er hatte 3½ Jahre in Halle studiert und ließ sich dann einige Jahre in Dessau als praktischer Arzt nieder (s. Fränkel, Z. Geschichte der Medizin in den Anhalt. Herzogt., Dessau 1858, S. 10). Seine erste Gattin, die Mutter der Henriette, stammte gleichfalls aus Halle; sie hieß Hanna, Tochter des seit 1700 in Halle ansässigen Simon Abraham Charleville, und starb 1762 zu Berlin. Ihr Bruder Samuel Simon Charleville erhielt am 3. September 1740 die Erlaubnis, als Doktor der Medizin in Halle promovieren zu dürfen.

12

der Universität erhielt[1]). Es wurde ihnen allen darin das Wohnrecht für Halle eingeräumt und anbefohlen, der Universität getreue Dienste zu leisten, nichts ohne Censur der theologischen Fakultät — die Universität hatte das Censurrecht für das ganze Herzogtum Magdeburg[2]) — zu drucken und jedes Handels und Wandels sich gänzlich zu enthalten. Mit diesem Privileg jedoch waren die jüdischen Drucker durchaus nicht zufrieden, und das war ihnen auch nicht zu verdenken. Die Veröffentlichung der Bibel- ausgabe schritt nemlich sehr langsam vorwärts; Krankheiten des Heraus- gebers, das Verbot der Regierung und andere Hemmnisse aller Art hatten häufige Unterbrechungen herbeigeführt[3]) und dadurch zugleich den pekuniären Verdienst der Angehörigen des Hauses Moses Abraham bedeutend herabgedrückt. Sie hatten sich deshalb bereits sogar am Druck der vom Waisenhaus herausgegebenen Gesang- und Gebetbücher beteiligt, und in vielseitiger Weise erteilte zugleich der Vater einigen Schülern von Michaelis Unterricht im Talmud. Aber das alles war nur ein Notbehelf, und nun war ihnen auch noch der Handel verboten worden, obwohl sie ebenso ein jährliches Schutzgeld für ihr Privilegium entrichten mußten wie die anderen Juden, denen er gestattet war. Sie wandten sich darum bittend an die Universität, diese möge ihnen doch beim König die Erlaub- nis des Handelsbetriebs erwirken, und thatsächlich erfüllte man ihren Wunsch und richtete ein fürsprechendes Gesuch nach Berlin. Aber die Universität erhielt gar keine Antwort, und auf ein noch-

---

[1]) Cölln a. d. Spree, 19. November 1707, von König Friedrich eigen- händig unterzeichnet.

[2]) S. Schrader a. a. O., S. 85.

[3]) Francke berichtet a. a. O., daß Ende 1706 der Pentateuch schon voll- endet war, und das Buch der Richter sich unter der Presse befand. Aber erst Anfangs 1708 waren die früheren prophetischen Bücher beendigt. Man würde weiter gekommen sein, schreibt er, wenn nicht manche unvermeidliche Verhinderungen in den Weg gekommen wären, um welcher willen auch das Werk selbst etwas später, als man gehofft, herauskommen wird (Fußstapfen, Fortf. V., S. 59). Die erste Ausgabe des Pentateuch erschien erst 1710!

maliges Schreiben hin lief ein abschlägiger Spezialbefehl des Königs ein (Cölln a. d. Spree, 5. August 1710).

Unterdessen hatten aber Moses Abraham und sein Sohn Israel auf eigene Faust sich nach anderweitigem Verdienst umgesehen. Der letztere hatte trotz des erlassenen Verbotes Handelsgeschäfte begonnen und sich nach kurzer Zeit mit einer Schuldenlast von einigen Tausend Thalern auf und davon gemacht. Aber auch der Vater verlor alles Interesse an der Arbeit im Waisenhause und suchte sich allmählich von ihr loszumachen, so daß Michaelis ihn zuletzt ganz entlassen und mit anderen Druckern sein Werk be-enden mußte. Dieses Verhalten des Proselyten hatte jedoch einen tieferen Grund. Im Stillen hatte sich nämlich Moses Abraham eine eigene Druckerei zugelegt, und er wollte seine Kraft und Zeit fortan nur ihr zuwenden. Zu dieser Druckerei war er durch keinen anderen gekommen als durch Moses Benjamin Wulff, zu dessen Familie die seinige in verwandtschaftlichen Beziehungen stand.

Der Hoffaktor, gewohnt, menschliche Not zu lindern, soweit es in seinen Kräften stand, suchte seinem Anverwandten dadurch beizuspringen, daß er ihm vor allen Dingen Arbeit gab. Er schenkte Moses Abraham aus seinem einstigen Druckbesitz Lettern und sonstige Einrichtungen, sowie den Überrest der in Dessau her-gestellten Gebetbücher, darunter einen Stoß defekter Exemplare, welche jener ergänzen und ausgabefähig machen sollte[1]. Und endlich überließ Wulff dem Drucker das Manuskript einer Gut-achtensammlung von Jakob Reischer, an deren Veröffentlichung sich dieser schleunigst heranmachte. Er sagte sich zwar selber, daß es für ihn auch wieder seine Schwierigkeiten haben würde, herum-zuziehen und die Bücher an den Mann zu bringen. Aber es war doch immerhin eine Aussicht besseren Verdienstes, zumal die Kosten des Neudrucks ein Hallenser Glaubensgenosse, Calman

---

[1] A.-Halle und Vorwort d. Moses Abraham zu Reischers Schebuth Jakob (Halle 1709).

Weil[1]), in hochherziger Weise auf sich genommen hatte, und das Werk selber weiterer Verbreitung sehr wohl würdig war. Hatte doch die beifällige Aufnahme, welche Jakob Reischers in Dessau gedruckter Passahkommentar überall gefunden, ihn zur Zu=sammenstellung der 182 Gutachten bewogen, welche, dem Zahlen=wert seines Vornamens entsprechend, den Inhalt der Schebuth Jakob, Jakobs Gefangene, betitelten Sammlung ausmachten. Der nüchterne und praktische Sinn des Verfassers, welcher sich schon in jenem Werke gezeigt hatte, verleugnete sich auch hier nicht. Möglichst von der einfachen Auffassung einer Sachlage durch den gewöhnlichen Menschenverstand ausgehend, suchte er diese einfache Auffassung dann auch als die richtige mit glänzendem Scharfsinn und einer staunenswerten Belesenheit in der einschlägigen Literatur zu erhärten, und wenn es auch zumeist nur peinliche Erörterungen von Formalitäten und Ceremonien sind, deren Behandlung selbst von pilpulistischen Auswüchsen nicht frei bleibt, so stehen doch die sittlichen und rechtlichen Anschauungen, welche aus ihnen hervor=leuchten, auf achtenswerter Höhe, und die Gutachten bieten außer=dem auch heute noch für die kulturhistorische Quellenforschung reiche Ausbeute[2]).

Diesem nach mühevoller Arbeit im Jahre 1709 ausgegebenen ersten Werke seiner Presse[3]) ließ Moses Abraham in den nächsten Jahren voll Fleiß und Eifer noch mehrere andere folgen: Gebet=

[1]) Calman b. Jehuda Loeb Weil wohnte seit 1698 in Halle und war das siebente Mitglied der neuen Gemeinde. Er handelte mit Waren, die er von Holland bezog und auf den Messen auswärts vertrieb. Seine Familie stammte aus dem Elsaß und war nahe verwandt mit der des Jost Liebmann in Berlin (f. Landshuth, S. 2); eine Tochter Calmans, Esther, war die Gattin des Goldstickers Aron Halle in Berlin (f. über ihn Landshuth, S. 26) und starb 19. Dezember 1747.

[2]) Das Nähere f. im Anhang Note IV.

[3]) Der Druck faßte im kleinsten doppelreihigen Satz 94 Folioblätter, zu denen noch zwei Blätter mit dem Nachweis der Druckfehler und Aus=lassungen hinzukamen. Die bibliographische Beschreibung des Buches f. im bibliogr. Anhang Nr. 48.

bücher, bei deren Herstellung sich seine jugendliche Tochter Gella
hervorthat[1]), Ritualschriften[2]), den Kommentar des Jakob
Zausmer zur Massora[3]), eine Weltbeschreibung, welche er selber
verfaßt hatte, Klagelieder gelegentlich der furchtbaren Brände in
den Judengassen zu Frankfurt und Altona und anderes mehr.
Selbst zu dem großen Gedanken der so benötigten, neuen
Talmudausgabe verstieg er sich und begann 1712 mit der Aus=
gabe des Traktats Rosch ha=Schanah, welche er als sein Proselyten=
opfer für Gott den Herrn bezeichnete[4]). Und dieser Gedanke war
gerade bei ihm nicht so verwunderlich. Seine Druckeinrichtung
war ihm geschenkt worden, seine Arbeiter setzten sich aus den Mitgliedern seiner Familie zusammen, die Nähe von Leipzig ersparte
ihm die hohen Transportkosten zur Messe: welche noch so große
Offizin hätte da mit ihm gleichen Schritt halten können! Fürwahr, es

---

[1]) Gella war sowohl beim Druck der Selichoth für die fromme
Bruderschaft zu Halberstadt, wie des Gebetbuches 1710 beschäftigt; s.
bibliogr. Anhang Nr. 46 und 55 und Setzerverzeichnis das. Nr. 17. Dem
Gebetbuch schickte sie eine gereimte Einleitung voraus; s. dieselbe in Cat.
Bodl. Nr. 8114, u. Kayserling, jüd. Frauen S. 147 f. Sie wird erst durch
unsere Ausführungen oben verständlich. Man vergl. z. B. die Stelle:

> Wiewohl ich muß schweigen still;
> Ich und mein Vater Haus toren nit reden vill.
> Wie es kol Jisroel werd dergehn,
> Also soll uns auch geschehn!

Ferner die Schlußbitte:

Ahuwai Rabbausai (geehrte Herrn) kauft die Tfilloh vor ein gering Gelt,
Denn wir haben sonsten kein andre Michjoh (Nahrung) in der Welt,
Weil es Haschem Jisborach (dem gepriesenen Gott) also wohl gefällt!

[2]) S. den bibliograph. Anhang Nr. 40—55, woselbst die Hallenser
Drucke bibliographisch beschrieben sind.

[3]) Das. und Anhang Note V, 5 noch einiges Nähere.

[4]) In Anlehnung an die Stelle des Traktats Bl. 31 b. — Die in
Halle gedruckten Ausgaben von Talmudtraktaten sind nur in Cat. Bodl.
erwähnt; sie fehlen in den sonstigen bibliogr. Handbüchern und sind auch
von Rabbinovicz, Krit. Uebersicht der Gesamt= und Einzelausgaben des
Babyl. Talmuds (München 1877), übergangen, wozu allerdings das. S. 88,
Anm. 126 zu vergleichen ist.

konnte niemanden in Erstaunen setzen, daß Moses Abraham seine Arbeiten immer wieder fortsetzte trotz der Gefahren, die täglich drohender vor ihm aufstiegen.

Der königliche Schutzbrief, welchen seine Familie erhalten hatte, sprach eigentlich nur von Drucken für die Universität, nicht von Aufrichtung einer eigenen Offizin, und er forderte zudem für jedes Buch die Censur der theologischen Fakultät. Obwohl bei der Ueberreichung dieses Schutzbriefes Vater und Sohn feierlich coram officio academico die Beobachtung aller seiner Vorschriften, besonders derjenigen über die Censur versprochen hatten, waren sie gewissenlos genug, sich nicht im geringsten um die Erfüllung ihres Versprechens zu kümmern. Moses Abraham hatte allerdings Michaelis von dem Geschenk erzählt, welches Moses Benjamin Wulff ihm gespendet, hatte ihm auch einen der überlassenen defekten Gebetbuchbogen gezeigt und gebeten, man möge ihm zur Milderung seiner Armut die Ausarbeitung der Defekte gestatten. Aber Michaelis hatte ausdrücklich nur hierzu die Erlaubnis gegeben, und obgleich ihm mehrfach zugetragen wurde, es würden auch andere Drucke hergestellt, konnte er doch kein Exemplar derselben auftreiben. Erst zu Anfang 1711, also im dritten Jahre des Druckes schon, zeigte ihm ein christlicher Mitbürger auf der Straße ein jüdisches Gebetbuch mit der Bitte, den Preis desselben zu taxieren. Als er es aufschlug, war es das Hallenser Gebetbuch vom Jahre 1710. Das war Michaelis denn doch zu viel, und als ihm gar Moses Abraham auf seine Verhaltungen erwiderte, was schon einmal gedruckt gewesen, dürfe er, wenn er wolle, ohne Censur wieder drucken, riß ihm völlig die Geduld. Er setzte die theologische Fakultät in Kenntnis, welche sich beschwerdeführend an den Rektor wandte. Aber selbst die strenge Verwarnung, die Moses Abraham diesmal noch erhielt, machte wenig Eindruck auf ihn. Er druckte ruhig weiter: nicht nur 1711, auch in den folgenden Jahren 1712 und 1713 arbeitete seine Presse fort und brachte auch eine Anzahl von Talmudtraktaten noch auf den Markt. Nur etwas vorsichtiger wurde er, als er erfuhr, die theologische

Fakultät habe wiederum von seinem Verhalten Kenntnis, und es ist geradezu interessant, welche Hinterthüren er sich öffnete, um der drohenden Gefahr zu entgehen. Während das 1710 gedruckte Gebetbuch noch den stolzen Vermerk getragen hatte: unter Friedrich I. im Hause des Moses ben Abraham zu Halle, suchte er jetzt einfach auf den Titelblättern seiner Drucke jeden Hinweis darauf, als ob sie in Halle gearbeitet seien, hinter Wortspielereien zu verstecken[1]) oder ihn gänzlich zu unterdrücken, oder sogar den Anschein zu erwecken, als ob sie noch aus seiner früheren Drucker- zeit in Amsterdam herrührten. Abgesehen davon, daß er sich konsequent als Moses Abraham aus Amsterdam bezeichnet, trug schon der erste von ihm ausgegebene Talmudtraktat Rosch ha Schanah die Jahreszahl 1712 in solcher Verklausulierung, daß ein Unkundiger sie nicht leicht zu berechnen vermochte[2]). Der folgende Traktat, welcher erschien, Chagigah, war weder mit Druckort noch mit Jahreszahl bezeichnet und trug als Datierung nur den Stoßseufzer: in den Tagen des eitlen Lebens des Druckers Moses ben Abraham aus Amsterdam[3]). Der alsdann veröffent- lichte Traktat Bezah war mit einer Jahreszahl versehen, welche auf den ersten Augenblick 1690 und erst bei näherer, kundiger Forschung 1714 ergab[4]), und in den weiteren Traktaten Megillah und Makkoth wurde zu dieser Täuschung noch direkt die falsche Angabe hinzugefügt: gedruckt in Amsterdam[5]).

---

[1]) Solche verschleiernde Wortspiele s. im bibliogr. Anhang unter Nr. 41 und 49.

[2]) Cat. Bodl. Nr. 1833. Sie lautete: שנת לפק הבין לקני, was be- deuten sollte: zwei, abgezogen vom Zahlenwert der beiden letzten Worte, d. i. 474–2=472 (1712).

[3]) Cat. Bodl. Nr. 1616.

[4]) Cat Bodl. 1598; Traktat Bezah und ebenso Traktat Megillah (Cat. Bodl. 1768) trugen die Angabe: לפק קץ הגאלה, als ob das groß- gedruckte Wort Matthai mit seinem Zahlenwert 450=1690 die Jahreszahl wäre, während in Wirklichkeit die von uns durch Sternchen bezeichneten Buchstaben als 474=1714 zusammen genommen werden müssen.

[5]) Cat. Bodl. 1741, Traktat Makkoth; dieser trägt für die Jahreszahl

Aber Moses Abraham sollte erfahren, daß Lug und Trug nicht vor Gefahren schützt, sondern erst recht in sie hineinführt. Er hatte 1714 zugleich eine Predigtsammlung zu drucken begonnen, welche Berechja Berach, Rabbiner von Klimontow, unter dem auf die Werke seines Großvaters anspielenden Titel Sera Berach Schelischi, dritte Segenspflanze oder Pflanze des dritten Berach, abgefaßt und persönlich nach Halle zur Veröffentlichung überbracht hatte[1]. Doch mitten in dieser Arbeit ereilte den Widerspenstigen sein Schicksal. Die Geduld der Hallenser Theologen war erschöpft, und sie pflanzten ihr schwerstes Geschoß gegen den Sünder auf. Nicht mehr ihr gutes Recht, wie früher, sondern ihre reli= giösen Bedenken betonte die Fakultät in der Klageschrift, welche sie an den Rektor abließ, um ihn zu unnachsichtigem Eingreifen zu bewegen. Moses Abraham habe in dem von ihm gedruckten Gebetbuch[2] „zum Teil die auf ewig denen Juden verbothene Formul in dem Gebet Alenu etc.[3] und viele andere Lästerungen wider den Heyland gedruckt." Weiter: „es sei eine gar bedenkliche Sache, denen Juden die Freyheit zu gestatten ihres Gefallens zu drucken, was ihnen beliebet, indem durch solches Mittel, wo nicht offenbahre Lästerungen, doch Haß und Bitterkeit wider Christum und sein Reich immer weiter unter ihnen ausgebreitet werden." Und endlich: „man müsse immer in Gefahr stehen, daß ein solcher

---

die Bezeichnung הרך ברכה, wo aber nicht Then, 450 = 1690, das Jahr ist, sondern das letzte Wort geteilt werden muß, sodaß die von uns mit Sternchen bezeichneten Buchstaben 475=1715, vielmehr noch 1714, ergeben. Stein= schneider hat in allen diesen Fällen im Cat. Bodl. die richtige Erklärung beigefügt, ohne Kenntnis von den zu Grunde liegenden Vorgängen gehabt zu haben.

[1] Das Nähere über Werk und Verfasser s. im Anhang Note V, 6.

[2] Als „das jüdische, hebräische und deutsche Gebetbuch in 4°" be= zeichnet das Schreiben das betr. Buch. Es ergiebt sich hieraus, daß nur das Gebetbuch von 1710 (s. bibliographischer Anhang Nr. 55) gemeint sein kann. Das von Wolf erwähnte und schon Steinschneider, Cat. Bodl. Nr. 2328, verdächtige Gebetbuch von 1714 existiert nicht.

[3] Die Literatur über das Alenugebet=Verbot s. bei Geiger II, 27.

gewinnsüchtiger Mensch einmahl recht lästerliches Zeug in die
Welt durch seinen Druck ausbreiten möchte, wodurch nicht allein
Schaden der Seelen, sondern auch hiesiger Universität eine üble
blâme entstehen könnte"[1]). Diese theologischen Befürchtungen,
welche plötzlich die armselige Offizin des Proselyten zu einem das
ganze Christentum bedrohenden Unternehmen stempelten, verfehlten
natürlich ihre Wirkung nicht; der Bitte der Fakultät gemäß erging
ein Gesuch an die Königliche Regierung, mit allem Ernst die
Buchdruckerei gänzlich zu kassieren und aufzuheben. Leider schließen
hiermit die Akten ab. Aber die Kenntnis vom letzten Ausgang
der kleinen Tragödie verdanken wir Wolf, dem berühmten Biblio=
graphen jener Zeit, der freilich seinerseits wieder keine Kenntnis
von den Ursachen und früheren Vorgängen besaß und nur von
einer Beschuldigung des Drucks christenfeindlicher Bücher gehört
hatte[2]). Was er zusammenhangslos erzählt, läßt sich nach dem
Vorangegangenen leicht in rechter Weise darstellen. Die Regierung
unterdrückte einfach die Buchdruckerei des Moses Abraham, konfis=
zierte die vorgefundenen Bücher und Manuskripte, darunter auch
dasjenige der Berechjaschen Predigten, und ließ den unschuldigen
Verfasser samt dem schuldigen Drucker verhaften. Sie wurden
natürlich wieder freigelassen, mußten aber beide büßen. Von
Berechjas Predigtsammlung konnte bloß der Teil, der sich im Satz
befand, erscheinen, einzig die Erklärungen zur Genesis enthaltend;
es war eine Schicksalstücke, welche nur das Vorspiel zu einer
Reihe späterer für den Verfasser bildete[3]). Moses Abraham hin=
gegen mußte sich begnügen, sein Brot wieder als Universitäts=
Buchdrucker zu verdienen[4]). Es war deshalb kein Wunder, daß

---

[1]) Schreiben der Fakultät vom 17. Januar, der Universität an die
Regierung vom 25. Januar 1714.

[2]) Bibl. Hebr. III, 1510 b, S. 724. Er bezichtigt dabei in offen=
barer Verwechslung infolge seiner ungenauen Kenntnis der Vorgänge auch
Berechjas Predigtsammlung christenfeindlichen Inhalts.

[3]) S. im Anhang a. a. O.

[4]) Wolf berichtet, Moses Abraham sei nach Amsterdam entflohen, was

er schon 1717 von neuem wieder die Universität bestürmte, ihm das Recht zu Handel und Wandel beim Könige zu verschaffen. Wenn die Universität trotz der früheren Vorkommnisse diese Bitte erfüllte und in dem Gesuche an den König auf die gute Führung und die vielen der Christenheit erwiesenen Dienste des Moses Abraham und seiner Familie hinwies, so ergiebt sich schon daraus zur Genüge, wie völlig grundlos die Behauptungen und die Befürchtungen der Hallenser Theologen in Wirklichkeit gewesen sind. Ob Friedrich Wilhelm I., der unterdessen den Thron bestiegen hatte, der Proselytenfamilie günstiger gesinnt war als sein Vater und ihren sehnlichsten Wunsch erfüllt hat, ist ebenso unbekannt wie das weitere Schicksal[1]) des einstigen Hallenser Druckbesitzers Moses Abraham Israelita[2]).

―――

3.

Wenige Jahre nach dem Schluß der Offizin in Halle wurde die Wulffsche Presse ganz in der Nähe von Dessau, in Cöthen, wiederum in Thätigkeit gesetzt. Für die Identität legen auch diesmal wieder die Drucke selber Zeugnis ab: Typen, Titelblätter

schon Steinschneider, Cat. Bodl. Nr. 833, nicht glaublich erschien. In der That hat Wolf diese Flucht nur aus dem fingierten Andruck „Amsterdam" auf den Hallenser Drucken geschlossen. Wie die Akten zeigen, blieb der angebliche Flüchtling nach wie vor in Halle.

[1]) Nur das Todesjahr läßt sich als 1733 oder 1734 fixieren (s. Cat. Bd. No. 8832). Von seinen Kindern kopiert Samuel 1714 in Dessau Nathan Spiras Noten zum Tur I für David Oppenheim aus einer alten Handschrift (s. Neubauer a. a. O. No. 727). Israel besitzt später eine Druckerei in Offenbach, Homburg, Neuwied, dann wieder in Offenbach und arbeitet endlich 1739 in Jeßnitz (s. über ihn und seine Familie Cat. Bd. No. 8236). Vielleicht ist er identisch mit dem Schreiber der Handschrift Neubauer a. a. O. No. 1673². Sein Sohn, Abraham b. Israel Halle, druckt in den vierziger Jahren zu Altona, z. B. 1743 Dibre Chachamim (N. R. S. 440 + Anhang No. 374), 1745 Jom tochecha (das. S. 610 + Anhang No. 688).

[2]) So zeichnet er sich stets in den Akten.

und Vignetten sind diejenigen der ehemaligen Buchdruckerei des
Hoffaktors, nur das Papier weist einen Fortschritt auf. Jeden=
falls hatte Moses Benjamin Wulff auf Grund seines Privilegs
auch diesem Druckbesitzer seine einstige Presse, sei es mietweise
oder durch Verkauf, überlassen, und derselbe hatte von dem damit
verbundenen Recht, in Anhalt selbst drucken zu dürfen, sofort Ge=
brauch gemacht. Daß sie nicht in Dessau gerade ihre Thätigkeit
fortsetzte, war wohl der eigene Wunsch des Hoffaktors und zwar
aus mannigfachen Gründen, unter denen gewiß auch derjenige oben=
an stand, die ohnedies durch Zuzug aller Art überflutete Gemeinde
nicht erst recht zum Anziehungspunkt für gelehrte und ungelehrte
Wanderer zu machen. In Cöthen dagegen wohnten nur sehr
wenige Juden, und der Magistrat verhielt sich aufs schroffste ab=
lehnend gegen die Ansiedelung neuer[1]). Hinwiederum konnte es
nicht schwer fallen, von dem toleranten und nicht nur für alle
Wissenschaften sich interessierenden, sondern auch selbst gelehrten
und gebildeten Fürsten Leopold die Erlaubnis zur Gründung
einer Offizin zu erlangen, zumal schon früher einmal eine solche
dort bestanden hatte[2]). Der neue Druckbesitzer, Israel ben
Abraham, stammte wahrscheinlich gleichfalls aus Amsterdam,
und in christlichen Kreisen hielt man ihn allgemein für einen
zum Judentum übergetretenen katholischen Mönch, dem man
nicht nur die Abfassung einer hebräischen Grammatik „Schlüssel
zur heiligen Sprache", sondern sogar eine Verteidigungsschrift
seiner neuen Religion gegen die alte zuschrieb[3]). Seine Presse

---

[1]) Vgl. Anhang Note VI, 1.

[2]) Die Cöthener Drucke vermerken z. T. ausdrücklich: unter der Herr=
schaft des Fürsten Leopold und mit seiner Erlaubnis. — Schon hundert
Jahre ungefähr zuvor hatte Fürst Ludwig von Cöthen zur Unterstützung
der großen Erziehungspläne seines Schützlings Ratichius eine Druckerei
zu sechs Sprachen anlegen lassen; s. Bertram-Krause, Gesch. d. Hauses und
Fürstent. Anhalt, Halle 1782, II S. 747. Aus dieser Druckerei ging u. a.
die im Cat. Bodl. No. 437 genannte Ausgabe der Genesis 1622
hervor.

[3]) Näheres s. im Anhang Note VI, 2.

arbeitete jedoch nur während der Jahre 1717 und 1718 in Cöthen und gab in dieser Zeit ihrer Thätigkeit im Ganzen vier Werke aus. Das eine war ein Nachdruck der von Simon Frankfurter in Amsterdam unter dem euphemistischen Titel Sefer ha-Chajim (Buch des Lebens) zusammengestellten Gebete und Riten bei Krankheits- und Todesfällen in hebräischer und jüdisch-deutscher Sprache; ein Buch der Heilmittel als Anhang brachte ein Verzeichnis von Haus- und Schäferrezepten, von denen einzelne durch ihren Unsinn geradezu Schauder erregen[1]. Mit der Veröffentlichung des zweiten Werkes schuf Israel Abraham einem Gelehrten, der von der Not der Zeiten manch traurig' Lied zu singen wußte, einen Lichtblick in seinem hart geprüften Dasein. R. Josef aus Pinczow, einem gelehrten Geschlechte angehörend, Rabbiner zu Rossowo und Selez, hatte bereits 1700 an letzterem Orte von den zur Synode versammelten litthauischen Gelehrten sich eine Schrift approbieren lassen, welche unter dem Titel Rosch Josef, Josefshaupt, Erklärungen zu halachischen und hagadischen Talmudstellen enthielt. Zwei Jahre später verjagten ihn die schwedischen Kriegszüge aus der Heimat; nachdem er seine Familie notdürftig untergebracht hatte, begab er selbst sich auf die Wanderung, die ihn über Nikolsburg und Prag, wo er, bereits dem Namen nach bekannt, sehr freundliche Aufnahme fand, bis nach Hamburg hin führte. Die Sehnsucht nach den Seinigen trieb ihn endlich wieder zurück; er kam gerade am Rüsttage des Neujahrsfestes 5467 (1706) in Selez zurecht, um seiner Gattin die Augen zuzudrücken und während der folgenden Festtage noch fünf seiner Kinder zu begraben. Ihn selber warf der Schreck bis auf den Tod aufs Krankenbett. Vier Jahre später raffte die Pest auch seine zweite Gattin hinweg, diesmal am Rüsttage zum Versöhnungsfest. Angst und Entsetzen trieben ihn mit seinem Sohne Jakob aus der Stadt. Eine rohe Soldatenschar griff die Unglücklichen auf, sperrte sie in

---

[1] Beispiele s. im Anhang Note VI, 3. Vgl. ferner den bibliograph. Anhang No. 58.

ein leeres Haus und zündete es an. Nur durch ein Wunder ge=
rettet, fielen sie am Tage darauf Räubern in die Hände, welche
sie ausplünderten und von weiteren Unthaten glücklicherweise durch
entstehenden Lärm abgehalten wurden. Lieber denn durch Gottes
als der Menschen Hand sterben, mit diesem Wort kehrten die Ver=
zweifelten in die verpestete Stadt zurück, in der rings um sie her
zu Hunderten die Angesteckten hinstarben. Sie selber blieben durch
göttliche Hülfe verschont, und als Dankesopfer für solche Himmels=
gnade suchte nunmehr Josef auf jede Weise den aus Flucht und
Wanderschaft noch erretteten Rest seines Werkes Rosch Josef zum
Druck zu bringen. Wiederum begab er sich deshalb auf die Wanderung,
und wiederum verfolgte ihn des Schicksals Tücke: das Kästchen,
welches mit anderen wertvollen Schriften zusammen auch das
Manuskript seines Buches barg, wurde ihm unterwegs gestohlen,
und er konnte von wunderbarem Glücke sagen, daß er es nach
anderthalb Jahren im Lehrhaus zu Berlin plötzlich wieder ent=
deckte. Die Berliner Presse hatte gerade ihre Thätigkeit eingestellt[1]);
so wanderte denn R. Josef, mit einer Approbation des Berliner
Rabbiners Jechiel Michel versehen, der sich höchst lobend über
alles aus dem Munde des gelehrten Wanderers Gehörte aussprach,
nach Dessau, ließ auch hier seine Schrift approbieren und erlebte
die Freude, sie noch im selben Jahre 1717 die Cöthener Presse
verlassen zu sehen[2]).

Dem Werke Rosch Josef folgte kurz darauf auf Wunsch
und Kosten eines angesehenen Glaubensbruders, welcher ebenso
ungenannt bleiben wollte wie der Verfasser der dritten Cöthener
Veröffentlichung, ein Abdruck des alten Sittenbuches Orchoth
Zaddikim, Pfade der Gerechten, unter Hinzufügung verschiedener
Gebete und Benediktionen[3]), und im Jahre nachher 1718 das

---

[1]) S. Steinschneider in Ztschrift. II, 202.

[2]) Ergänzungen s. weiter Anhang Note VI, 4 und bibliograph. Anh.
No. 59.

[3]) Der Cöthener Druck, der sich übrigens Orchath Z. betitelt, ist ein
Nachdruck des Sulzbacher 1688 und trägt bereits die Jahreszahl 5478

Lehrbuch der hebräischen Grammatik Derech ha=Kodesch, Weg zum Heiligtum, dessen Verfasser ein nicht minder abenteuerliches Leben — freilich ganz anderer Art — hinter sich hatte, wie Josef aus Selez[1]). Alexander Süßkind, Sohn des Metzer Rabbinatsassessors Samuel Sanwil, ein Mann von aus= gezeichneten Sprachkenntnissen und allgemeiner Bildung, der auch zu nichtjüdischen Gelehrten und ihren Studien in engeren Be= ziehungen stand, war in die Dienste Behrend Lehmanns in Halberstadt getreten und fungierte in Amsterdam als dessen Sekretär, Dolmetsch und Kassierer. Ein entschiedener Gegner des sabbatianischen Sendboten Chajun, hegte er auf der anderen Seite doch auch phantastische und schwärmerische, religiöse Ge= danken. Er gehörte zu den eifrigen Anhängern des Feldmarschalls von Langallerie, welcher keinen geringeren Plan gefaßt hatte, als mit Hülfe des Sultans den Papst zu entthronen und eine neue Religion, das Reich des göttlichen Wortes, zu begründen. Alexander Süßkind war in diesem künftigen Gottesreich auf Erden der prosaische, aber nicht zu verachtende Posten eines General= schatzmeisters zugedacht worden. Zum Antritt dieses Postens

(1718), ist aber jedenfalls noch in der letzten Zeit des Jahres 1717 ent= standen. Die Bemerkung der Einleitung über den Spender: am Orte seiner Größe sei auch seine Bescheidenheit zu finden, läßt vielleicht an Moses Wulff denken. Über das Buch selbst s. Zunz, 3. Gesch. S. 129 u. 152 ff., u. Güdemann, Gesch. d. Erziehungswesens III, 223. Vergl. ferner bibliogr. Anhang No. 56.

[1]) Das Folgende nach der Einleit. zu dem Werke u. nach Kaufmanns Aufs.: Relations de Marquis de Langallerie u. s. w. in Revue des Etud. juiv. XXVIII, S. 193 f. und darnach in Allg. Ztg. des Judent. 1895, S. 223 ff. Über das Werk selbst s. Steinschneiders bibl. Handb. u. Luzatto, Prolegom. S. 60. Ein Werk Alexander Süßkinds Schekel ha=Kodesch, Köthen 1708 — so z. B. Straßburger, Gesch. d. Erz. u. d. Unterr., S. 291 — existiert nicht; so ist vielmehr ein einzelnes Kapitel aus dem vorliegenden Lehrbuch Derech ha=Kodesch betitelt. Von den sonstigen Arbeiten Süßkinds ist ein nicht veröffentlichtes Werk über die Fremdwörter bei Raschi und den Tossafisten, ja sogar in Bibel und Talmud bemerkenswert, s. Vorwort zu Derech ha=Kodesch.

sollte er allerdings nicht gelangen. Die Hauptabenteurer wurden auf kaiserlichen Befehl verhaftet und nach Wien transportiert, wohin auch Süßkinds beschlagnahmte Papiere wanderten. Er selber scheint glimpflicher davon gekommen zu sein und stürzte sich beschämt wieder auf seine Sprachstudien, um wenigstens eines seiner handschriftlichen Werke in die Öffentlichkeit zu bringen und den Beweis zu liefern, daß er trotz aller sonstigen Schwärmerei auf wissenschaftlichem Gebiete ein nüchterner und ernster Forscher war. Im Hinblick auf die herrschende, traurige Unkenntnis der hebräischen Grammatik unter seinen Glaubensbrüdern hatte er ver= sucht, die Hauptregeln derselben in klarer und systematischer Ordnung zusammenzustellen; er hielt sich dabei an das Vorbild christlicher Gelehrter und legte sogar den Inhalt des letzten „Hauses", das er an seinem „Wege zum Heiligtum" aufgerichtet und mit der Lehre von den Accenten und Tonzeichen ausgefüllt hatte, in deutscher Sprache dar[1]. Für sein verdienstvolles Werk fand er durch seine Beziehungen zu Berend Lehmann leicht in Halberstadt und Halle Gönner, welche den Druck desselben er= möglichten[2]. Die Veröffentlichung brachte noch einen unan= genehmen Zwischenfall. In Dessau wußte man nichts davon, daß das Buch in Cöthen hergestellt wurde, und der Dessauer Landes= rabbiner Josef Isaak b. Gerson Wulff war begreiflicherweise höchlichst entrüstet darüber, als man ihn erst nachträglich um eine Approbation anging[3]. Er versagte sie trotzdem nicht, um den

---

[1] Steinschneider (Art. jüd. Literat. in Ersch & Gruber II, 27, Seite 459) bemerkt: wahrscheinlich nach Wasmuth (über den Siegfried in A. D. B., Bd. 41 (1896) zu vergl. ist). Im Jahre zuvor hatte sich Alexander Süßkind mit dem Werke Theobald Overbecks über den doppelten Schlüssel der hebr. Accentuation beschäftigt und es ins Hebräische über= tragen; s. Neubauer, Catalogue No. 1501.

[2] Auch zu Dessau hatte Alexander Süßkind Beziehungen; eine Tochter von ihm, Jente, ruht auf dem Friedhofe daselbst (Grbst. No. 678; st. 4. Elul = 1. September 1745).

[3] Der Druck war am 14. Dezember 1717 vollendet; die Approbation

Freudenthal, Aus der Heimat Mendelssohns.   13

Autor nicht zu schädigen, dessen Wissen und Bedeutung er im übrigen volle Anerkennung zollte.

Noch im selben Jahre 1718 verlegte Israel Abraham seine Offizin von Cöthen wieder ins Dessauische, nach dem kleinen Städtchen Jeßnitz. Er rückte damit, so nahe es nur ging, an das große Leipziger Handelszentrum heran, ein Vorteil, welcher auch christliche Buchdrucker veranlaßt hatte, ihre Pressen dortselbst aufzustellen[1]. Dazu kam noch die Nähe der bedeutenden jüdischen Gemeinden in Dessau und Halberstadt und der zwar nicht großen, aber wohlhabenden Zahl von Glaubensbrüdern in Halle. Auch in Jeßnitz selbst und dem nahebei gelegenen Raguhn wohnten Juden, die zusammen eine kleine Gemeinde bildeten; hier fand das Arbeitspersonal freundliche Aufnahme, während größerer Zuzug und Durchzug sich ganz von selbst verbot. Rechnet man zu allen diesen vorteilhaften Umständen noch die so außerordentlich günstigen Frei= heiten des Wulffschen Druckprivilegs hinzu, so mußte hier die Thätigkeit der Offizin mit Leichtigkeit einen größeren Umfang an= nehmen, und es gelang ihr in der That, sich mehrere Jahre in Jeßnitz zu halten. Israel Abraham, welcher sich mit seiner ganzen Familie daselbst angesiedelt hatte[2], gab sich denn auch redliche Mühe, sein Werk zunächst in den rechten Gang zu bringen. Das Arbeiterpersonal wurde vermehrt, und für nichtjüdischen Satz auch ein erfahrener christlicher Drucker angenommen. Selbst zu Reklamemitteln wurde gegriffen. Leipziger Gelehrte schrieben lateinische Epiloge zu seinen Drucken, und Leipziger Blätter, be= sonders die monatlich erscheinenden Acta Eruditorum, brachten

---

ist erst vom 20. Dezember datiert. — Die bibliograph. Beschreibung s. im bibliogr. Anhang No. 57.

[1]) A.=Zerbst, Abt. Dessau, C 9 e No. 22.

[2]) A.=Zerbst, C 15 No. 80 erwähnen seinen Schwiegersohn Baer Levi aus Holland als in Jeßnitz ansässig. Ein Verwandter von Israel Abraham war auch der Setzer Moses b. Josef aus Dyhrenfurth, welcher sein treuer Gefährte während seiner ganzen Druckerthätigkeit wurde (s. Setzerverzeichnis im Anhang No. 32).

eingehende Besprechungen der Bücher, welche die Jeßnißer Presse
verließen. Vor allen Dingen aber war Israel Abraham unauf=
hörlich bemüht, reiche und spendenwillige Gönner zu finden, welche
die Kosten des Unternehmers tragen halfen, und er durfte sich
glücklich schätzen, ganz besonders im nahen Halberstadt an
Berend Lehmann einen Mäcen zu besitzen, dessen Edelsinn
niemand vergeblich anrief. Unter dem Zeichen seiner unermüd=
lichen Opferbereitschaft stand die Jeßnißer Presse besonders in den
ersten Jahren ihrer Thätigkeit vollständig, und Israel Abraham
ließ darum als äußerliches Dankeszeichen noch ein neues Titel=
blatt herstellen, welches an den Sockeln eines mächtigen, von einer
Krone überragten Portals die Abzeichen der levitischen Abstammung
Berend Lehmanns, zwei Kannen, trug.

Gleich das erste Werk, welches 1719 aus Jeßniß hervorging,
verdankte seine Veröffentlichung einzig und allein der Gunst,
welche der polnische Resident dem Verfasser geschenkt hatte.
R. Jechiel Michel, dessen Familie schon seit mehreren Gene=
rationen in Kalisch ansässig war[1]), war von Glogau aus, wo
er im Hause seines Schwiegervaters, des Rabbinatsassessors Eisik
Praeger[2]), seinen Studien obgelegen hatte, als Klausrabbiner an
das neubegründete Lehrhaus Berend Lehmanns in Halberstadt
berufen worden. Der ob der Gediegenheit seines Wissens von
den angesehensten Meistern hochgeschätzte Gelehrte[3]) fand hier

---

[1]) Einer der Vorfahren des Jechiel Michel, R. Elijah, war 1646 Rabbiner
und sein eigener Vater, Usiel b. Israel, Rabbinatsassessor in Kalisch.
Schon der letztere war bekannt als Gelehrter und hatte einen nicht ver=
öffentlichten Kommentar zum ersten Teil des Schulchan Aruch verfaßt.
Abraham Berlin, der Halberstädter und Amsterdamer Rabbiner,
war sein Schüler. Ueber Jechiel Michel selbst s. Auerbach, Gesch. d. J. in
Halberst., S. 62. u. 76; Gastfreund, Wiener Rabbinen, S. 98.

[2]) Ein zweiter Schwiegersohn Eisik Praegers war Josef Oettingen;
s. Dembißer, Kelilat Jofi I, 120 f., wo jedoch zu berichtigen, daß Eisik
Praeger nicht Ab Beth Din, sondern Dajan war.

[3]) Zebi Hirsch Halberstadt spricht (s. Approbation zu Neser
ha=Kodesch) mit großer Anerkennung von seinen schriftlichen Aufzeichnungen,

13*

Muße genug, aus seinen zahlreichen, handschriftlichen Schätzen
eine Arbeit zum Druck vorzubereiten. Er wählte hierzu seinen
Kommentar zum M i d r a s ch Rabba der G e n e s i s, in welchem
er nicht etwa kurze und sachliche Erklärungen bot, sondern weit=
gedehnte, talmudische Erörterungen unter eingehender Berück=
sichtigung der ganzen nachtalmudischen Literatur, besonders aber
seines Vorgängers auf diesem Gebiete, des S a m u e l J a f e, dessen
Werk J e f e h T h o a r durch das seinige ergänzt werden sollte. Die
Beschäftigung mit der Haggada im Stile der talmudischen Halachabis=
kussion war in jener Zeit wenig geachtet, und Jechiel Michel hielt
es darum für angebracht, in einem Vorwort seinen Kommentar
gegen etwaige, geringschätzende Vorwürfe zu verteidigen. Für seine
Zeitgenossen lag allerdings hierzu kein Grund vor; denn das un=
geheuer weitschweifige Buch, welches nur den Kommentar zur
G e n e s i s haggada und dennoch 926 enggedruckte Folioseiten umfaßte,
war ein Spiegel seines Scharffinnes und seiner Gelehrsamkeit.
Für die heutige, wissenschaftliche und kritische Betrachtung des
Midrasch gewährt es nur dürftige Ausbeute. Trotzdem blieb es
eine edle That Berend Lehmanns, daß er auf seine eigenen Kosten
den umfangreichen Kommentar seines Klausrabbiners in Jeßnitz
drucken ließ. „Krone des Heiligen", Neser ha=Kodesch, nannte
der Verfasser dem Mäcen zu Ehren sein Werk, und Israel
Abraham schmückte die Krone des neuen, zum erstenmal ver=
wendeten Titelblattes zur bleibenden Erinnerung mit dem heiligen
Namen des gütigen Spenders.

Fast das ganze Jahr 1718 schon war mit der Herstellung
des voluminösen Midraschkommentars verstrichen[1]), und es konnten
deshalb außer ihm 1719 noch einige andere Bücher ausgegeben
werden: neben einem Gebetbuch ein Abdruck des vielgelesenen

---

wie von der Weisheit, die er aus seinem Munde gehört habe. Chacham
Zebi überläßt ihm bei einem Besuch in Halberstadt ein Gutachten zur
kritischen Durchsicht; s. Selbstbiographie des Jakob Emden, a. a. O.
S. 38 f.

[1]) Die bibliogr. Beschreibung s. im bibliogr. Anhang Nr. 86.

Katechismus Lekach tob, gute Lehre, von Abraham Jagel; zugleich „überſetzt in ein verſtändlich Deutſch, das vor jeden Menſchen, Mann un Weib, Jung un Alt, dienen kann"[1]), und endlich ein Bibellexikon Ohole Jehudah, Zelte Judas, deſſen Verfaſſer, der Sprachforſcher Jehuda Arje Loeb aus Kroto-ſchin, die Stelle eines Chacham in der franzöſiſchen Gemeinde Carpentras bekleidete[2]). Da er nicht die Mittel beſaß, ſein größeres lexikographiſches Werk Chelek Jehudah zum Druck zu bringen, ſo begnügte er ſich gezwungenermaßen mit dieſem Aus-zuge, in welchem er nach einer Einleitung, die u. a. auch von der Entſtehung der Sprache handelt, eine alphabetiſche Zuſammen-ſtellung dreibuchſtabiger Wurzelſtämme gibt, ihre Grund- und Ableitungsbedeutungen erklärt und durch bibliſche Beiſpiele belegt[3]).

Noch im ſelben Jahre begann der Druck des vielbegehrten Bibelkommentars von Moſes Alſchech, welcher die Jeßnitzer Preſſe längere Zeit hindurch beſchäftigte. Ein gelehrter und ver-mögender Glaubensgenoſſe, Iſaak b. Kalonymus aus Bjelgorai, hatte zuerſt die Aufmerkſamkeit des Israel Abraham darauf hin-gelenkt, wie notwendig eine Neuausgabe dieſes, beſonders für homiletiſche Zwecke ſehr beliebten Werkes ſei, und ſich zur Mit-übernahme der Koſten bereit erklärt. Da auch die Offenbacher Preſſe bereits begonnen hatte, den Kommentar zu den erſten

---

[1]) Der Titel enthält eine doppelte jüdiſch-deutſche Anpreiſung. In der Einleitung erklärt Israel Abraham: das Büchlein ſei deshalb überſetzt worden, weil ſelbſt die Gelehrten infolge ihrer ausſchließlichen Beſchäftigung mit talmudiſchen Diskuſſionen oft nichts von den Fundamentallehren der Religion wüßten, geſchweige denn der gemeine Mann, der ganz dumm und albern in ſeinem Glauben bleibe! — Ueber das Werk ſelbſt ſ. Maybaum im 10. Bericht der Lehranſt. f. d. Wiſſenſch. d. Judent., Berlin 1892.

[2]) Biographiſches ſ. im Anhang Note VII, 1.

[3]) Eigenartig iſt, daß dieſes Werk in einem Doppeldruck vorliegt. Der eine trägt die Approbation des Moſes Broda aus Hanau, der andere diejenige des Phöbus Reik aus Witzenhauſen an der Spitze; ſ. bibliogr. Anhang Nr. 60. Weitere Doppeldrucke ſ. S. 216 u. 229.

Propheten erscheinen zu lassen, so sicherte sich die Jeßnißer Offizin schleunigst durch rabbinische Nachdruckverbote aus Dessau, Berlin und Halberstadt die Veröffentlichung der Erklärungen zu den späteren Propheten, welche seit der Erstausgabe 1603 nicht mehr aufgelegt worden waren. An diese sollten sich als= dann die Hagiographen anschließen, die gleichfalls erst einmal und nur stückweise zu Anfang des 17. Jahrhunderts erschienen waren. Auch diesmal war es wiederum die Familie Berend Lehmanns, welche durch die Deckung der Kosten oder durch die Abnahme zahlreicher Exemplare das Unternehmen sicherte; dank ihrer gewohnten Hülfs= bereitschaft konnte 1720 der Mar'oth ha-Zob'oth, Spiegel der Dienstthuenden, betitelte Kommentar zu den letzten Propheten und 1721 unter der Bezeichnung Romamoth El, Erhebungen Gottes, derjenige zu den Psalmen auf den Markt gebracht werden[1]. Aber auch für den letzten Ueberrest, welcher unter den Namen Kob Peninim, Perlenfülle, und Chelkath Mechokek, Anteil des Ge= seßschreibers, die Sprüche Salomos und das Buch Hiob umfaßte, fand Israel Abraham 1722 sowohl im Kreise der Berliner Gemeinde mehrere Gönner und Spender, an ihrer Spitze den angesehenen Günstling Friedrich Wilhelm I., den Hoffaktor und Ober= ältesten Moses Levi Gumperß[2], als auch in Dresden Hülfe, wo der Hoffaktor Ruben Meyer den Druck des Hiobbuches durch sein wohlwollendes Eintreten möglich machte[3]. Dazwischen ließ die Jeßnißer Druckerei auch in diesen Jahren Gebetbücher

---

[1] Die bibliographische Beschreibung der Alschechausgabe und sonstige Ergänzungen s. im bibliogr. Anhang Nr. 84, 93, 91, 71 und in Note VII, 2.

[2] Ueber Moses b. Jehuda Loeb Cleve=Moses Levi Gumperß und seinen Vater s. König a. a. O., S. 93 und 253; Geiger I, 38 und II 67 f; Landshuth S. 25, 28 und 40.

[3] Ruben Meyer war ein Bruder des Jonas Meyer, des sächs. Hofprovediteurs, Schwagers und Bevollmächtigen Berend Lehmanns; s. über beide Lehmann E., Berend Lehmann u. s. w. S. 43 f, 57, 67. Ruben Meyer schoß das Geld zum Druck vor und bestellte eine große Anzahl von Exemplaren.

und Erbauungsschriften verschiedener Art ausgehen, sowie das religionsphilosophische und naturwissenschaftliche Werk Maaseh Tobiah (Tobiaswerk) des bekannten Arztes Tobias Moschides, welches erst einmal 1707 in Venedig aufgelegt worden war und durch seine zahlreichen astronomischen, physikalischen, medizinischen und mathematischen Abbildungen und Signaturen bedeutendere Anforderungen an die Leistungsfähigkeit der Presse stellte. Um so größer war die Aussicht auf einen reichen Absatz, da Israel Abraham selber von zahlreichen Glaubensbrüdern um einen Neudruck des Buches angegangen worden war, und die nicht-jüdische Welt wurde gleichfalls durch eine ausführliche Inhaltsangabe in den Acta Eruditorum und den Unschuldigen Nachrichten[2] auf die Bedeutung dieser populären Darstellung zeitgemäßer, naturwissenschaftlicher Anschauungen hingewiesen. Auch Moses Benjamin Wulff hatte dem Inhaber seiner alten Offizin seine Gunst bewiesen und ihm schon im Jahre 1720 gestattet, auf seine Kosten das Werk seines berühmten Onkels Sabbatai Cohen zu drucken, welches unter dem Titel Poel Zedek, Rechtthun, eine kurze, für den täglichen Gebrauch bestimmte Zusammenstellung der 613 biblischen Ge- und Verbote enthielt und bisher handschriftlich in der Familie aufbewahrt worden war[3].

---

[1] Die ältere Literatur über Tobias s. Cat. Bodl. Nr. 7305; von neueren s. Grätz, Gesch. d. J. Bd. X; Geiger II, 4; Braun, Gesch. d. Juden und ihrer Litter. II, 376, wo auch das vorliegende Werk charakterisiert ist; Kaufmanns Aufsätze in der Revue des Ét. juiv. XVIII, 293 u. öfters; Versohn, Tobiasz Kohn, Krakau 1872 (polnisch). Eine bibliogr. Beschreibung der ersten Ausgabe s. R. R. Anhang 1204, dieser Ausgabe s. im bibliogr. Anhang Nr. 83. Trotz der großen ersten Auflage (s. Kaufmann a. a. O. XXI, 141) war das Buch in den deutschen und polnischen Ländern völlig vergriffen (s. die Approbationen). Zebi Hirsch Janow, der Korrektor, fügte in die Neuausgabe einen kleinen Beitrag über die Vergeltungslehre ein, als Anhang zu den Ausführungen des Moses Nerol, des Vaters des Verfassers (S. 9 b).

[2] Acta Erudit., Dezember-Heft 1721; Unschuld. Nachr. 1722 S. 331.

[3] Es stammte aus der Bibliothek eines Schwiegersohnes der Tochter

Aber noch reichhaltiger war die Thätigkeit der Jeßnitzer Presse im folgenden Jahre 1722; sie brachte neben der Vollendung des Alschechschen Kommentars als besonders merkwürdige Erscheinung eine neue, hochdeutsche Übersetzung des Jagelschen Katechismus Lekach tob, welche durch den im Dienste des Israel b. Abraham stehenden christlichen Buchdrucker Georg Klesser zur Veröffent= lichung gelangte[1]), ferner eine populäre Heilkunde, Sefer Refuoth, in jüdisch=deutscher Sprache, welche von einem an= gesehenen Arzte in Hannover, Moses b. Abraham, approbiert worden war, aber mit rechter Marktschreierei sich anpries[2]), eine

<hr>

Sabbatai Cohens in Rzesszow, des R. David b. Dan aus Mohilew, und seine Echtheit wurde durch ein vorgedrucktes Schreiben des schon öfter genannten Enkels des Verfassers, Isaak Cohen, beglaubigt; s. auch Wiener, Daat Kedoschim S. 191. Friedberg a. a. O. sind diese Angaben entgangen. Die Zählung der Gesetze ist die maimonidische (nach der nicht ganz korrekten Aufstellung im Sefer ha-Chinnuch) mit kurzen Inhalts= angaben und ebenso kurzen Hinweisen auf die Abweichungen bei Nach= manides. Der Verfasser hebt hervor, daß er zum erstenmal die Auf= stellung gleichzeitig nach den Wochenabschnitten und nach der Zählung der Ge= u. Verbote hier gebe. Vgl. auch bibliogr. Anhang Nr. 89. — Stein= schneiders Angabe, Jüd. Typogr. S. 85, Mose b. Simcha (d. i. Moses Ben= jamin Wulff) sei 1720 in Jeßnitz beschäftigt gewesen, ist natürlich ein Irrtum.

[1]) Vgl. die ungenauen Angaben in Wolfs Bibl. Hebr. Der Titel lautet: Eine gründliche Verfassung der jüdischen Lehre, welche nach der Art eines Catechismi von den berühmten Juden Rabbi Abraham Jagel Von dem Gebirge Silici aus Italien vor diesem herausgegeben, In dem vorigen Jahrhundert aber sowohl von den Christen in Frankreich, Engelland, Holland, Deutschland und Schweden, als auch von den Juden öfters auf= geleget. Von neuen aber 1704 in Helmstädt aus dem Ebräischen ins Lateinische übersetzet worden von Hermann von der Hardt, Abt zu Marien= thal und Prof. Publ. Lingg. Orient. Auf etlicher guter Freunde begehren aber aus dem Lateinischen ins Hochdeutsche übersetzet worden. Jeßnitz an der Mülde, Druckts George Klesser. Anno 1722. — Der Name des Über= setzers ist nicht genannt; es war kein Jude, da Maschiach stets mit Heiland übersetzt ist. Die Seitenüberschrift lautet: Catechismus oder Unterricht.

[2]) Nur von R. R. S. 89 erwähnt. Das Büchlein wurde von Nathan aus Floß in der bayr. Oberpfalz, der es zusammengestellt hatte,

Neuauflage des alten Reisebuches von Eldad Habani mit Zusätzen
des Herausgebers Naftali b. Asriel aus Wilna[1]) und einen
Lilienstrauß, Likkute Schoschanim, den Meir b. Levi aus
Zolkiew gepflückt, nämlich eine Sammlung von Erklärungen zu
Pentateuchstellen, welche jener aus dem Munde verschiedener Ge-
lehrter vernommen und durch eigene ergänzt hatte, und welche
Israel b. Abraham mit Erlaubnis eines Verwandten des Ver-
fassers nachdruckte, noch ehe die Reservatfrist der Erstausgabe in
Zolkiew abgelaufen war[2]). Endlich erschienen noch im selben Jahre

zum Druck gebracht und mit den Worten angepriesen: Dies Dokterbuch is
aus Land Egibten hergekummen — aus einem vornehmen Dokterbuch
herausgenummen — von Galchus, auf jüdisch Kunststücken!! Auszüge sind
in das 1734 in Wilmersdorf neu aufgelegte Heilbüchlein Toledoth Adam
übergegangen; s. R. R. S. 94 + Anhang No. 2263.

[1]) Des Herausgebers Vater, Asriel b. Moses Mejchel, und Bruder
Elia b. Asriel, sind als Sprachforscher und Grammatiker bekannt (siehe
über beide hier weiter Seite 209 und Fünn, Kirjah Reemanah S. 102 f.,
wonach auch Steinschneider in Ztschrft. II, 201 zu ergänzen ist, und über
Elia noch Cat. Bodl. No. 4942). Naftali selbst war von Wilna nach
Jerusalem, dann nach Konstantinopel gegangen, wo er mit Jona
b. Jakob 1710 und 1711 eine Druckerei besaß (s. Cat. Bodl. No. 6602 und
8979). Schon dort hat er die Absicht gehabt, das Werk des Eldad Habani
nach der alten Konstantinopeler Ausgabe zu drucken (die verschiedenen Ausgaben s. bei Benjacob), und sich Approbationen der dortigen Rabbinen
geben lassen. Dem kleinen Schriftchen fügte er am Schlusse ein selbstver-
faßtes religiöses Loblied und, um das Papier nicht leer zu lassen, eine
midraschische Erklärung zu. Vgl. den bibliograph. Anhang No. 61.

[2]) Da die Druckerlaubnis der polnischen Synode vom 10. Februar
1720 datiert ist, so kann die erste Ausgabe des Büchleins in Zolkiew nur
1720 oder 1721 erfolgt sein. Die Handbücher erwähnen hierüber nichts.
Zur Gesch. d. Drucks in Zolkiew s. Steinschneider in Jüd. Typ. S. 74. —
David Tebele b. R. Jakob, ein Verwandter des Verfassers hatte von
diesem die Erlaubnis erhalten, auch im Westen das Werkchen drucken lassen
zu dürfen. In Hamburg traf er im Hause des Ezechiel Katzenellenbogen noch Zebi Hirsch aus Halberstadt und Zebi Hirsch, den Verfasser des nachfolgend erwähnten Werkes Atereth Zebi als Besuchsgäste
an; sie approbierten sämtlich das Werk, unter dem ausdrücklichen Hinweis
jedoch, daß der Nachdruck innerhalb der Reservatzeit nicht durch Israel b.

die von Zebi Hirsch b. Asriel aus Wilna aus Kommentaren
anderer Verfasser zusammengestellten Rechtserörterungen, welche
unter dem Titel Atereth Zebi (schmucke Krone, Krone Zebis)
einen neuen Begleitkommentar zum vierten Teil des Schulchan
Aruch, zum Rechtsschild, abgeben sollten. Zebi Hirsch, der nach
dem frühen Tode seines Bruders Jakob dessen Rabbinat in der
Gemeinde Olyka übernommen hatte, war persönlich nach Jeßnitz
gekommen, um sein Werk zum Druck zu bringen, und wie er schon
unterwegs in Biala, einen wohlwollenden Gönner gefunden, so
wurde ihm auch in den deutschen Gemeinden, in Breslau, in
Halberstadt, in Hamburg, in Kalk manche Unterstützung für
sein literarisches Vorhaben zu teil, ganz besonders aber in Halle,
wo er im Hause des schon erwähnten sächsischen Hofagenten
Assur Marx die Drucklegung seines Werkes abwartete, ja sogar
noch an der Vervollständigung der dem Rechtskommentar beigegebenen Gutachtensammlung arbeitete [1]).

Unterdessen hatte die Jeßnitzer Druckerei bereits wieder neuen
Stoff erhalten, Geld sowohl wie Manuskripte; sie verdankte beides
Angehörigen der altberühmten Familien Helen und Luria [2]) und
konnte zu Anfang des Jahres 1723 infolgedessen das Werk eines
Mitgliedes der Familie Helen erscheinen lassen, die massoretischen
Erklärungen des Elieser b. Jehuda aus Pinczow, Damesek
Elieser betitelt [3]). Der Verfasser, der seine rabbinischen Ämter

Abraham veranlaßt worden sei. Das Büchlein zitiert Erklärungen aus dem
Munde von 22 Talmudgelehrten, unter denen sich die bedeutendsten zeitgenössischen Rabbinen befinden; einige wenige stammen vom Herausgeber
selber. Die bibliogr. Beschreibung s. im bibliogr. Anhang Nr. 79. Das
Werk ist später in vermehrter Gestalt und unter verändertem Namen noch
öfter gedruckt worden; s. hierüber Benjacob S. 266 Nr. 306.

[1]) Bibliographisches und Ergänzungen s. im Anhang Note VII, 3;
die Beschreibung des Werkes im bibliogr. Anhang Nr. 88.

[2]) Über die Familie Luria s. oben S. 9; über die Familie Helen vgl.
Kohn Zedek in Hagoren a. a. O., Kaufmann in Monatsschrift 42 (1898),
S. 366f., Dembitzer a. a. O. II, 59.

[3]) Näheres über ihn s. noch im Anhang Note VII, 4. Die bibliogr.
Beschreibung des Werkes s. im bibliogr. Anhang No. 67.

niedergelegt hatte und seine Muße zwischen literarischen Arbeiten
und der Thätigkeit eines Vorstehers der Gemeinde Pinczow und
Vertreters des Kreises Krakau auf den Synodalversammlungen
getreulich teilte, war ein ebensolcher Spezialforscher auf dem Ge=
biete des Midrasch, wie seine Anverwandten aus dem Geschlechte
Helen. Auch seine Forschungen über die Massora, d. h. über
das Lesen und Schreiben des Bibeltextes verleugnen jenes Spezial=
studium nicht. Was er in seinem Dameset Elieser bietet, gleicht
nicht etwa der heutigen, wissenschaftlichen Behandlung der wichtigen
massoretischen Fragen; es sind vielmehr midraschartige, homi=
letische Auslegungen der Massora, welche eine Ergänzung ähn=
licher, früherer Werke, z. B. des Thorakommentars von Jakob
b. Ascher, besonders aber des Buches Massoreth ha=Berith
ha=gadol von Meir b. Abraham Angel bilden sollten[1]).
Seine Arbeit ward so beifällig begrüßt, daß die in
Ryczywol 1721 versammelten Vorsteher der Vierländer=Synode
einen ansehnlichen Beitrag aus der Synodalkasse zu den Druck=
kosten beisteuerten und ihm ein Empfehlungsschreiben zu gleichem
Zwecke ausfertigen ließen; ja selbst der Dessauer Rabbiner,
der oft genannte Neffe Moses Benjamin Wulffs, der keine
Approbationen mehr zu geben sich vorgenommen hatte, wollte es
sich wenigstens nicht nehmen lassen, in einem, dem Werke dann
beigedruckten Privatbriefe dem Verfasser seinen Segen zu spenden[2]).
Es traf sich gut, daß zu gleicher Zeit der Vetter seiner Gattin,
Abraham Helen, der bekannte Midraschherausgeber, die Absicht
hatte, den Talmudkommentar seines berühmten Urahnen Salomon
Luria wieder aufzulegen. Er beauftragte einen Verwandten und

---

[1]) Über den Thorakommentar des Tur s. die neuere Ausg. Frensdorffs
(Hannover 1838). Über Angels Werk s. Steinschneider, Bibliogr. Handbuch Nr. 50 f.

[2]) Auch Hirsch Halberstadt approbiert „ausnahmsweise" und be=
dauert, seinen Verwandten nicht persönlich kennen lernen zu dürfen;
Hirsch Halberstadt war nämlich, wie der Verfasser, ein Nachkomme des Zebi
Hirsch b. Mendel Klausner (s. Buber, Anshe Schem, S. 246). Die
übliche Androhung des Bannes bei unberechtigtem Nachdruck findet sich
allerdings in keiner Approbation.

anderen Abkömmling des alten Talmudmeisters, den Abraham
Josef Luria in Glogau[1]), zunächst denjenigen Teil des
„Salomonsmeeres“ drucken zu lassen, welcher den Traktat
Baba Kamma behandelte und seit der Erstausgabe in Prag
1615 nicht mehr erschienen war[2]). Elieser aus Pinczow benutzte
diese günstige Gelegenheit und vertraute auch seine Arbeit dem
Sendboten seines Verwandten zum Drucke an. Abraham Josef Luria
brachte aber noch einen anderen literarischen Schatz mit nach
Jeßnitz. Er hatte im Hause eines Verwandten in Breslau, im
Hause des trotz seiner Jugend schon überall durch seine Gelehrsamkeit bekannten R. Chajim Jona Theomim Fränkel, eine
Arbeit desselben gesehen, welche vortrefflich sich an den Rechts-
traktat Baba Kamma anschließen ließ. Es waren Erörterungen
über die Ersatzpflicht bei einem durch indirekte Ursachen entstandenen Schaden, sowie über die Gültigkeit von Zeugenaussagen
nach talmudischem Recht, in welchen der jugendliche Meister sich ganz
besonders mit der Auffassung Sabbatai Cohens auseinandersetzte[3]).
Der Breslauer Gelehrte überließ gerne diese Novellen, Chiddusche Dine de-Garmi betitelt, seinem Besucher zum Druck, und
so konnte denn Abraham Josef Luria die Jeßnitzer Presse fast das ganze
Jahr 1723 hindurch beschäftigen. Den Rest des Jahres füllte Israel
b. Abraham durch die Veröffentlichung einer deutschen Übersetzung des
schon hebräisch edierten Reisebuches von Eldad Hadani, eines Ritual-
büchleins für Sterbefälle[4]) und einer Neuausgabe des kabbalistischen

---

¹) Abraham Helen lebte gleichfalls längere Zeit als erster Rabbinats-
Assessor in Glogau, wo ihn der Vorsteher Baruch Karpeles zu seinem
Schwiegersohne erkoren hatte. S. Friedberg, Marganitha Schapira, S. 10,
Dembitzer a. a. O. II, 60.

²) Über diese von Eleasar Perls veranstaltete Ausgabe s. R. R.
S. 998. Die Jeßnitzer Ausgabe giebt als Druckjahr unrichtig 1626 (386) an.

³) Näheres über den Verf. s. Brann, Gesch. d. Landesrabb. in Schlesien
S. 235, Kaufmann in Monatsschrift 1898, S. 322 f. und die Notiz daselbst
S. 567, wo zugleich die historisch wichtigen Stellen aus dem Jeßnitzer
Druckwerk im Auszug gegeben sind.

⁴) Die bibliogr. Beschreibung dieser bisher unbekannten Ausgabe
im bibliogr. Anhang Nr. 95.

Andachtsbuches Sefer ha=Kawanoth von Isaak Luria aus, deren Kosten Elia Wulff in Dessau hochherzig auf sich nahm[1]).

Einen ihrer schönsten Drucke brachten die Jeßnitzer im folgenden Jahre 1724 heraus, die vielbegehrte Neuauflage des Isaak Dürenschen Werkes über die Speisegesetze, Schaare Dura, mit den Glossen des Moses Isserles und dem Kommentar des Grodnoer Rabbiners Natan Spira. Aber es war nicht ein bloßer Abdruck der alten Ljubliner Ausgabe. Der Dessauer Klausrabbiner Moses Michel Auerbach aus Meseritsch[2]) be= saß eine Handschrift des berühmten Mardochai Jase, welche Glossen und Zusätze zum Werke des Isaak Düren enthielt, und er selber steuerte aus einem eigenen größeren Werke einige Novellen zu mehreren Talmudtraktaten bei[3]). Seinem Beispiel folgte als= bald sein Kollege, der Rabbinatsassessor von Dessau, R. Nachman b. Jechiel Michel, der zugleich als Rabbiner von Halle und

---

[1]) Über das Werk und den Herausgeber Petachja b. Josef s. Horovitz, Frankfurter Rabbinen II, S. 24 f. und die Ergänzungen hierzu in Brülls Jahrbüchern VII, S. 153 f. Vgl. ferner den bibliographischen Anhang Nr. 75.

[2]) Er ist wohl identisch mit dem Verfasser der Werke Sichron Moscheh, Chidduschim und Abodath Mikdasch (Cat. Bodl. Nr. 6456 und Benjacob S. 428, Nr. 33) und mit dem Vater des Baruch Bendit, des Verfassers von Gersa de=jankutha II. Der Verfasser von Gersa de=jank. I war wohl gleichfalls ein Verwandter (vielleicht Schwieger= vater) des obigen. Über die letzteren s. Steinschneider, bibliogr. Handb.

[3]) Aus einem Werk, Erklärungen zu Thora= und Talmudstellen ent= haltend, gab er als Anhang Novellen zu den Traktaten Berachoth, Sabbath, Pesachim und Kethuboth. Dem Werke Schaare Dura selber wurden am Schluß noch einige gesammelte Bestimmungen über verschiedene Speise= gesetze und die Regeln über das Aderablösen angehängt. Moses Michel Auerbach trug auch die Kosten der Edition und zwar gemeinsam mit dem gelehrten und reichen R. Jehuda Loeb Eger in Halberstadt (s. über ihn Auerbach a. a. O. S. 78, Hock=Kaufmann, die Familien Prags, S. 10). Die Korrektur übernahm ein Nachkomme des Mardochai Jase, Mose b. R. Jakob aus Sluzk, der aus seiner Heimat durch die Kriegswirren fort= getrieben worden war, ein Schwiegersohn des reichen R. Uri Phöbus Piaster oder Pastor in Pinsk. Vgl. auch den bibliographischen Anhang No. 96.

als Meßrabbiner von Leipzig fungierte und später selbst zum
Landesrabbiner von Dessau berufen ward. Mit Erlaubnis
Jakob Reischers, der damals bereits das Rabbinat in Metz
bekleidete, veranstaltete er eine neue Ausgabe von dessen „Jakobs=
satzung", in welcher er nicht nur die zahlreichen Druckfehler
der ersten Dessauer Ausgabe ausmerzte, sondern auch auf Grund
eigener Studien vielfache Zusätze aus der einschlägigen Literatur
einfügte, besonders aus dem Werke Peri Chadasch des Chiskia
de Silva[1]) und den übrigen, seit der Erstausgabe 1696 neu er=
schienenen Schriften. Ein freigebliebenes Blatt benutzte R.
Nachman, um durch den Abdruck einiger einschlägiger Erklärungen
zu zeigen, daß auch er ein größeres Werk druckfertig liegen habe,
es aber als eine heiligere Pflicht betrachte, die religiöse Praxis
durch den Neudruck der Jakobssatzung zu fördern, als eigene
Lorbeeren zu pflücken[2]). Neben den Druckveranstaltungen der
beiden Dessauer Rabbinen und einem Gebetbüchlein[3]) brachte
Israel b. Abraham im selben Jahre noch eine Taschenausgabe
des Talmudtraktats Schebuoth auf den Markt, die als besondere
Auszeichnung neben den üblichen Begleitkommentaren drei Novellen
des bereits genannten Chajim Jona Theomim Fränkel aus
Breslau enthielt[4]).

---

[1]) Die Novellen desselben über den Passah=Traktat waren 1706 zu
Amsterdam erschienen; s. R. R. S. 571 + Anhang Nr. 1671.

[2]) Der Anhang der Dessauer Ausgabe, Soleth la=Minchah, fehlt hier;
dafür ist ein Inhaltsverzeichnis der kommentierten Paragraphen hinzuge-
kommen. Vgl. ferner den bibliogr. Anhang No. 73. — Ein neues auf-
fallendes Titelblatt, ein Viereck mit allerhand Tierfiguren, erscheint bei
diesem Druck zum erstenmal.

[3]) Bibliogr. Anhang No. 104.

[4]) Herausgeber war der Korrektor des Schaare Dura, Moses b.
Jakob aus Sluzk. Das Format ist gewählt, „damit jeder es bei sich
tragen könne und auch unterwegs nicht von sich zu lassen brauche". Die
bibliogr. Beschreibung s. im bibliogr. Anh. No. 100. — Von den Novellen
sucht die erste die Schwierigkeit der Stelle Schebuoth 23 b, Ende, zu heben
und nachzuweisen, R. Jochanan könne die Ansicht des Resch Lakisch
nicht teilen. Die zweite will eine dem babylon. Talmud widersprechende

Damit hatte die Thätigkeit der Jeßnitzer Presse ihren Höhe=
punkt erreicht. Schon die Ausgabe des unter dem Titel Kab
ha=Jaschar, Maß des Rechten, bekannten Sittenbuches Zebi
Hirsch Kaybanowers[1]) war nur unter großen Schwierigkeiten
zu stande gekommen, obwohl sich gerade bei diesem Werke die
günstigsten Aussichten auf reichen Absatz eröffneten. In etwas
unvorsichtigen Worten hatten nämlich die approbierenden Rabbinen
der ersten Ausgabe, Naftali Cohen und Samuel Schotten
in Frankfurt am Main, jeden Nachdruck für alle Ewigkeit
verboten, und es hatte wirklich, seitdem der Verfasser selber noch
1709 eine Auflage des hebräischen Textes und der jüdisch=deutschen
Uebersetzung hatte herstellen lassen, keine Druckerei es mehr gewagt,
eine solche vollständige Edition zu veranstalten. Nur in Sulzbach
war 1714 die Uebersetzung allein, und in Amsterdam 1722 der
hebräische Text allein erschienen[2]). Hier bot sich also wirklich bei
der Beliebtheit des schönen Sittenbuches eine gute Gelegenheit zu
großem Erfolg, und Israel b. Abraham suchte deshalb vor allem
die äußeren Hindernisse, die sich einer Neuauflage entgegenstellten,
zu beseitigen. Über den Bannstrahl der ersten Approbation kam er
schnell hinweg; denn der Dessauer Rabbiner Josef Isaak
b. Gerson erklärte sich bereit, eine neue auszustellen, in
welcher er das einstige Verbot des Nachdrucks für alle Ewigkeit

---

Jeruschalmistelle unter Zurückweisung der Einwürfe des Baal ha=Maor erklären. Die dritte beschäftigt sich mit den Schwierigkeiten der Lesart Bl.
24a, wobei nachgewiesen wird, daß die Lesart des Alfasi mit derjenigen
Raschis übereinstimme. — Der Traktat Schebuoth ist der einzige in Jeßnitz
gedruckte Talmudtraktat. Eine ganze Talmudausgabe ist Erfindung von
Ph. Philippson, biogr. Skizzen, 1. und 2. Heft. S. 152.

[1]) Über Verfasser und Werk s. besonders Horovitz, Frankfurter
Rabbinen II, 49 f; Bäck, jüd. Prediger, Sittenlehrer und Apologeten (aus
Winter u. Wünsche, jüd. Liter.) S. 107.

[2]) Die bibliogr. Beschreibung der ersten Ausgabe 1705/6 und der
Amsterdamer Ausgabe 1722 s. bei R. R. S. 629 + Anhang Nr. 1742;
diejenige des Jeßnitzer Drucks s. hier im bibliogr. Anhang Nr. 90. Die
Jeßnitzer Ausgabe fehlt in den bibliogr. Handbüchern.

dahin interpretierte: bis alle Exemplare der damaligen Auflage
verkauft seien, was man nach zwanzig Jahren doch als gewiß annehmen dürfe. Viel schwieriger aber ward es, für die Kosten=
übernahme einen Mäcen zu finden. Nur mit Hülfe von drei
Compagnons, von denen einer wieder absprang[1]), gelang es
Israel b. Abraham, wenigstens den ersten Teil des Buches fertig-
zustellen, und er mußte noch dazu dem einen seiner treu ge=
bliebenen Helfer, dem Rabbinatsassessor David Teble aus
Zolkiew, das Recht einräumen, auch außerhalb Deutschlands
das Werk noch während der approbierten, zehnjährigen Reservat=
frist nachdrucken zu dürfen[2]). So konnte denn die Jeßnitzer
Presse auch weiterhin in diesem Jahre 1725 nur noch die kleine
unbedeutende Liedersammlung eines aus Ofen exilierten Thora=
schreibers[3]) und zwei Gebetbücher auf den Markt bringen[4]). Der
Druck des einen davon war allerdings eine literarische That, der es
weder an einem bewegten Vor= noch Nachspiel fehlte.

Salomon Hanau, der bekannte Grammatiker, war es, der in
Jeßnitz sein Beth Tefillah, Bethaus, betiteltes Gebetbuch mit
kritisch geprüftem, korrektem Text, grammatikalischen Noten und einem
Schaare Tefillah, Betthore, benannten, grammatikalischen
Anhang erscheinen ließ. Die Veranlassung zu dieser Ausgabe

---

[1]) Ich schließe das aus dem Umstand, daß sein Name, Kalony=
mus Kalman b. Jehuda Loeb aus Kalisch, nicht in allen Exemplaren genannt wird. Der Dritte, der zu den Kosten beisteuerte, war der
Setzer Moses b. Josef aus Dyhrenfurth, der Verwandte des Israel
b. Abraham; s. über ihn oben S. 194 und das Setzerverzeichnis im
Anhang Nr. 32.

[2]) Ein Nachdruck in Zolkiew erscheint erst 1745. Der Name des
David Teble und seines Vaters, der ebenfalls Rabbinatsassessor in Zolkiew
war, fehlt unter den von Buber in Haeschkol II (1899), S. 177 f. zusammengestellten Gelehrten dieses Ortes.

[3]) S. bibliogr. Anhang Nr. 68.

[4]) Das. Nr. 63, 97 und 103. — Fürst, Bibl. Jud. I., S. 379 hat für
Beth Tefillah das falsche Druckjahr 1728. — Eine Hdschrft. von Schaare
Tefillah s. Neubauer, Catalogue Nr. 631.

hatten ihm seine literarischen Gegner, die Grammatiker Asriel und Elia aus Wilna[1]), gegeben, gegen deren Gebetbuchaus= gabe zu Frankfurt 1704 er schon früher eine geharnischte Streit= schrift abgefaßt hatte. Da Elia Wilna sich nicht imstande fühlte, die Angriffe Salomon Hanaus, der jenem sein Manuskript zu= gestellt hatte, zu widerlegen, aber ebensowenig zu bewegen war, die nachgewiesenen Fehler abzuändern, so veröffentlichte sein Gegner die niedergeschriebene Kritik unter dem Titel Binjan Schelomoh, Salomonsbau, Frankfurt 1708. Der äußere Erfolg war freilich nicht auf Seiten des streitbaren Grammatikers; die heftigen Angriffe, welche er gegen den bisherigen, mit allen seinen Fehlern geheiligten Text des Gebetbuches und gegen die Un= wissenheit der Rabbinen in grammatischen Dingen richtete, wurden mit Behagen von seinen Widersachern ausgenutzt, und nur durch eine förmliche Abbitte, die er seinem Werk anhängen mußte, entging dieses dem von den Frankfurter Rabbinen angedrohten Bann= und Feuerstrahl[2]). Trotzdem ließ sich Salomon Hanau nicht niederzwingen. Er beschloß, selber eine Gebetbuchausgabe zu ver= anstalten und in einem grammatischen Anhang ausführlich jede einzelne Textkorrektur gegen die alten Gelehrten, sowie gegen seine jetzigen Feinde zu verteidigen. Der Ausspruch des angesehenen Chajim Bacharach schwebte ihm vor: man dürfe gegen jeden früheren Verfasser schreiben, da jeder nur ein Mensch und darum dem Irrtum unterworfen sei; ja er scheute sich nicht, sogar den Geist des Aristoteles zu Hülfe zu rufen und dessen berühmtes Wort für sich zu zitieren: Lieb ist mir Plato, lieb ist mir So= krates, aber am liebsten ist mir die Wahrheit[3]). Die Rücksichts= losigkeit, mit welcher seine Wilnaer Widersacher auch in ihren neuen Gebetbuchausgaben[4]) über seine Anschauungen hinweggingen oder sie durch persönliche Gehässigkeiten beantworteten, bestärkten

---

[1]) Vgl. über beide oben S. 201, Anm. 1.
[2]) Wolf, Bibl. Hebr. I S. 1053; R. R. Anhang Nr. 304.
[3]) Einleitung zu Schaare Tefillah, S. 6.
[4]) Berlin 1713, Wilmersdorf 1718.

Freudenthal, Aus der Heimat Mendelssohns.   14

ihn erst recht in seinem Vorhaben, und er hatte das Glück, nunmehr auch die Gelehrten auf seiner Seite zu wissen, welche die Frankfurter Gemeinde unterdessen an ihre Spitze berufen hatte[1]). Nachdem er auf Reisen durch ganz Deutschland Mittel und Approbationen gesammelt[2]), auch eine kleinere grammatische Schrift einstweilen veröffentlicht hatte[3]), ließ er sich zu mehr als halb= jährigem Aufenthalt in Halle nieder, wo auch er hochherzige Gönner fand. Ein Sohn des oftgenannten Affur Marx, Moses Affur, schoß ihm die Kapitalien zum Druck vor, und im Hause eines Enkels des Hoffaktors Moses Benjamin Wulff, des Jakob Nathan b. Menahem Man[4]), durfte er in voller Muße seine Schrift nochmals gründlich durcharbeiten und ihre Veröffentlichung im nahen Jeßnitz überwachen. Aus dem Kampf erwachsen, rief sie durch ihr Erscheinen wiederum zum Kampf[5]), und einer ihrer schlimmsten Gegner entstand ihr späterhin in dem streit= baren Jakob Emden, welcher selbst die gehässigsten Schimpfworte nicht schonte, um den deutschen Narren, wie er den Verfasser nennt, und sein Werk zu verunglimpfen[6]). Ja selbst soweit verstieg sich

---

[1]) Von Frankfurter Gelehrten approbieren Beth Tefillah: Samuel Schotten als Klausrabbiner und zugleich Rabb. von Darmstadt, Jehuda Loeb, Arzt und Rabb. von Mainz, und Abraham Broda als Frankfurter Oberrabbiner. Witzig wünscht der letztere: Die Herr= lichkeit dieses neuen Hauses möge größer sein als die des ersten, das Salomon sich gebaut habe!

[2]) In Berlin, Breslau und Glogau wird sein Werk 1724, ein Jahr vor dem Druck, approbiert. Der Glogauer Rabbiner Naftali Cohen aus Prag gesteht dabei offen ein, daß er nicht viel von Grammatik verstehe!

[3]) Schaare Simrah, Hamburg 1718.

[4]) Vgl. über ihn oben S 129.

[5]) Die Gegenschriften s. bei Zunz, Ritus S. 175; Fürst, Bibl. Jud. I, 380; Steinschneider, bibliogr. Handb. Nr. 796; Luzzatto, Prolegomini (Padua 1836), S. 61 f.

[6]) S. auf fast jeder Seite seiner Gegenschrift Luach Eres, Altona 1769; vgl. zu derselben R. R. Anhang Nr. 274 und Jakob Emdens Selbst= biographie S. 167.

der unerbittliche Feind, daß er kurz und bündig erklärte, Salomon
Hanau habe die Approbationen der Frankfurter Rabbinen
und vor allem die seines Vaters, des bekannten Chacham Zebi,
einfach gefälscht; sein Vater habe eine solche Approbation nie
ausgestellt, und außerdem lasse der Stil und die mit der väterlichen Gepflogenheit gar nicht übereinstimmende Häufung lobender
Prädikate die Fälschung für den Kundigen sofort zu Tage
treten [1]. Gegen diese schwere und entehrende Verdächtigung konnte
sich der Angegriffene freilich nicht mehr verteidigen, denn er war
damals bereits vor den allwissenden Kenner der Wahrheit getreten [2]. Aber so schwerwiegend auch das Zeugnis des Sohnes
in die Wagschale fällt, so ist es doch auffällig genug, daß Jakob
Emden, angeblich aus Schonung gegen den Verfasser, solange
diesen Vorwurf unterdrückt und ihn erst nach dem Tode desselben
zur Sprache gebracht hat. Es darf auch nicht vergessen werden,
daß Emden noch dazu vor einer sehr schwierigen Entscheidung
stand; denn entweder hatte sein Vater, welcher in der Approbation
dem Verfasser bezeugte, daß er im Wege der Alten gehe, die ihm
vorgelegte, zahllose Abweichungen von dem rezipierten Wortlaut
der Gebete enthaltende Schrift nur flüchtig gelesen, oder die
Approbation war falsch, und da das Erstere, obwohl es bei den
approbierenden Gelehrten so oft vorkam, ihm mit dem aufs liebe-
vollste hochgehaltenen Idealbild des Vaters nicht übereinstimmte, so
blieb nur die zweite Annahme übrig. Freilich widerstreitet derselben alles, was wir sonst vom Charakter Salomon Hanaus
wissen, und die Begutachtung selber mit ihren eigenartigen Streif-
lichtern auf die historisch bezeugten Anschauungen und Lebensschicksale des Chacham Zebi, der bekanntlich unter den Anfeindungen seiner Gegner nicht minder zu leiden hatte wie der
Grammatiker, macht auf den Unbefangenen keineswegs den Eindruck

---

[1] Luach Eres, Bl. 2, 74 u. 75.

[2] Dies ergiebt sich aus dem Druck seines Schaare Simrah, Fürth
1762; vgl. R. R. Anhang Nr. 2195.

14*

einer Fälschung [1]). Immerhin wird es aber nicht leicht sein, das entschiedene Zeugnis eines Jakob Emden völlig zu erschüttern.

Den unparteiischsten Weg in allen Streitigkeiten schlug übrigens die Jeßnitzer Presse ein; denn sie vollendete im Jahre 1726 auch eine Ausgabe des Gebetbuches mit dem Text der beiden Wilnaer Grammatiker, welche gleichfalls den Titel Bethaus, Beth Tefillah, erhielt und durch die Einfügung der Psalmen und eines auf 15 Jahre berechneten Kalenders noch besonders aus= gezeichnet wurde [2]). Ihr folgte im Auftrage eines Halber= städter Glaubensbruders, des Abraham b. Elieser aus Grillingen, das letzte Werk, welches Israel b. Abraham jetzt in Jeßnitz druckte, die kleine Sammelschrift Dibre Chachamim, Worte der Weisen; sie enthielt Auszüge aus dem Lilienstrauß des Meir Levi und einem ähnlichen, Assifath Chachamim, Sammlung der Weisen, betitelten Opus [3]), vor allem aber zahl= reiche Erklärungen zum Pentateuch aus dem Munde des gelehrten Salman Gans in Hannover [4]). Damit schloß die Jeßnitzer

---

[1]) Ueber den Chacham Zebi s. besonders Dembitzer, a. a. O. I, S. 90 ff. Die Approbation ist vom Dienstag, 18. Schebat=14. Februar 1713 aus Amsterdam datiert und in gereimtem, üblichem biblisch=talmudischem Stil gehalten. Eine Uebertragung derselben s. im Anhang Note VII, 5.

[2]) Cat Bodl. Nr. 2364. Die Dunkelheiten in der Datierung, auf welche daselbst hingewiesen wird, erklären sich wohl daraus, daß seit 1724 in Unterbrechungen an diesem Gebetbuch gearbeitet worden war, daß es 1726 aber erst beendet wurde. Vgl. auch bibliogr. Anhang Nr. 64. Korrektor war Elieser Leiser b. Abraham aus Lissa, Nachkomme des R. Samuel Ostrog; also wohl des Maharscha?

[3]) Herausgegeben von Baruch, einem Nachkommen des Moses Isserles, Frankfurt am Main 1725, meist Erklärungen von Abraham Broda enthaltend.

[4]) Die Erklärungen desselben werden vielfach mit den Worten eingeführt: was ich gehört habe von Salman Gans. Es kann wohl also nicht der 1654 verstorbene Gelehrte Salman Gans gemeint sein, von dessen Lebensschicksal die Aufzeichnungen der Glückel von Hameln und des Phöbus Gans be= richten. Unter seinen Nachkommen findet sich ein Enkel: Salman b. Nathan Gans in Hannover; vielleicht ist dies der Autor. Vgl. über beide Salman:

Presse ihre achtjährige Thätigkeit. Israel b. Abraham aber, der für seine Gebetbuchdrucke sich noch frische Typen hatte kommen lassen, eröffnete im Herbst desselben Jahres seine Offizin aufs neue und zwar in Wandsbeck bei Hamburg.

4.

Die Gründe, die Israel b. Abraham nach Wandsbeck trieben, lassen sich leicht erraten. Absatzgebiet und Arbeitsstoff waren zurückgegangen; nicht nur die Jeßnitzer Presse, auch die Druckereien in Berlin und Frankfurt an der Oder fingen an, in auf= fälliger Weise nachzulassen[1]). Dagegen bot die große Hamburger Gemeinde die günstigsten Aussichten für eine eifrige Preßthätig= keit, besonders seitdem Moses Chagis vor dem sabbathianischen Unfug sich von Amsterdam nach Altona zurückgezogen hatte und von hier aus den Anstifter dieses Schwindels, den sabba= thianischen Wanderprediger Chajun, aufs erbitterste und nach= drücklichste bekämpfte. Für seine geharnischten Streitschriften, die er bisher in Berlin, London und Hanau hatte drucken lassen, und für seine zahlreichen Arbeiten, welche er handschriftlich liegen hatte, ersehnte Moses Chagis die Errichtung einer Druckerei in seiner Nähe aufs lebhafteste, und wie er sofort offiziell zum Censor der neuen Wandsbecker Presse ernannt wurde, so war es auch eine seiner Abhandlungen, welche als erste aus ihr hervorging, und der noch manche andere aus seinen Schätzen folgte[2]).

Kaufmann, Aus Heinrich Heines Ahnensaal S. 51 u. 300. Derjenige, welcher die Erklärungen des Salman Gans vernommen hat, ist natürlich der Sammler von Dibre Chachamim, nicht aber Israel b. Abraham, der das Büchlein nur herausgiebt und druckt; verbessere danach Cat. Bodl. Nr. 870. Die übrigen Erklärungen, welche das Buch füllen, stammen von David Oppenheim in Prag, Abraham Broda in Frankfurt am Main, Joschia und Jehuda Loeb in Lemberg, Baruch Rapaport in Fürth, Oser in Clementow, Josef Isaak in Dessau. — Vgl. auch den bibliogr. Anhang Nr. 66.

[1]) Steinschneider in Ztschrft. III S. 85 und in Jüd. Typogr. S. 89.

[2]) Ueber Moses Chagis u. seine Stellung zum Sabbathianismus s.

Auch die Wandsbecker Drucke weisen vielfach noch die alten
Typen, vor allem die alten charakteristischen Dessauer und Jeßnitzer
Titelblätter auf[1]), und wie in Jeßnitz dauerte hier gleichfalls die
Thätigkeit des Israel b. Abraham acht Jahre; wenigstens lassen
sich keine Schriften aus seiner Wandsbecker Druckerei auffinden,
die über das Jahr 1733 hinausgehen[2]), und ebensowenig hat sich
eine Kunde von anderweitigen Unternehmungen Israels nach dieser
Zeit erhalten. Erst 1739 taucht er wieder auf und zwar wiederum
am alten Orte seines Schaffens, in Jeßnitz. Was ihn zum
zweitenmal hierher getrieben, darüber verbreitet ein glücklich er=
haltenes Aktenstück ein helleres Licht[3]).

Kein anderer hatte ihn zurückberufen als der berühmte
Dessauer Landesrabbiner David Fränkel, der Lehrer Moses
Mendelssohns[4]). Stets umgeben von einer stattlichen Schüler=
schar, hatte dieser Gelehrte mit so vielen anderen die Erfahrung
gemacht, daß ungeachtet der Thätigkeit der verschiedenen jüdischen
Druckereien fortwährend Mangel an den notwendigsten und
wichtigsten Lehrbüchern herrschte. Selbst ein so unentbehrliches
Werk, wie der gewaltige Gesetzeskodex der Mischneh Thorah des
Maimonides, war nur mit Mühe aufzutreiben, zumal dasselbe seit der

---

Grätz, Gesch. d. Juden Bd. X, und Israel Emdens Selbstbiographie a. v.
St. Seine Ernennung zum Censor für Wandsbeck berichtet Iggereth
Schelomoh von Salomon Dessau, Wandsbeck 1732. Der erste Wands=
becker Druck waren des Chagis Novellen zur Mischna, Lekel ha=Kemach;
s. R. R. Anhang Nr. 881.

[1]) Z. B. Porath Josef 1727; Ben ha=Melech weha=Nasir 1727; Birkath
Elihu 1728; Zon Kodaschim 1729; Chiddusché Halachoth 1731 u. a. m.

[2]) Seit dem Jahre 1732 bestand in Altona wieder, wie schon früher,
ein Konkurrenzdruck, welcher später von dem Enkel des Hallenser Buch=
druckers, Abraham b. Israel b. Moses, geleitet wurde. Vgl. Stein=
schneider, Jüd. Typogr. S. 87 und Ztschrft. I S. 282.

[3]) Acta Zerbst, C 9 e Nr. 24.

[4]) Ueber David Fränkel s. Landshuth S. 35 ff, Kaufmann in Allg.
Ztg. d. Judent. 1891, S. 476 und meine Abhdlg. in dem demnächst er=
scheinenden Kaufmann=Gedenkbuch.

Amsterdamer Ausgabe des Jahres 1702 nicht mehr vollständig aufgelegt worden war. Es erforderte allerdings außerordentliche Geldmittel, einen solchen Neudruck möglich zu machen. Doch was für andere kaum durchführbar erschien, war für David Fränkel ohne große Schwierigkeiten erreichbar. Seine eigene Familie, das reiche und angesehene Geschlecht Neumark-Mirels-Fränkel, sollte, wie so oft, auch jetzt wiederum geistiger Not hochherzig ein Ende bereiten[1]. Seinen Vater Naftali Hirsch Fränkel und seinen Bruder Salomon Fränkel wußte der Dessauer Rabbi für den Plan einer Neuausgabe der Mischneh Thorah zu gewinnen. Es war ihm nicht schwer geworden! Beide, der Vater und der noch jugendliche Sohn, waren als Schüler ausgezeichneter Rabbinen selbst gelehrt genug[2], die Wichtigkeit des Unternehmens zu würdigen, und die Nachricht, daß auch andere mit demselben Gedanken um= gingen und bereits von dem greisen R. Zebi Hirsch in Halber= stadt eine Druckapprobation erhalten hatten[3], beschleunigten den Eifer des Fränkelschen Trifoliums. Der Vater wandte sich schrift= lich und mündlich an seine zahlreichen gelehrten Freunde und An= verwandten, um deren Approbationen einzuholen; Salomon führte in Hamburg die Verhandlungen mit Israel b. Abraham[4], und

---

[1] Ueber diese Familie s. oben S. 130 f.

[2] Naftali Hirsch Fränkel war ein Schüler des Frankfurter Rabbiners Jakob Poppers; s. dessen Approbation zur Mischneh Thorah, Bd. I. Über seine Gelehrsamkeit s. auch Landshuth in seinem Gebet= und Andachtsbuch, Anhang S. 29. — Salomon Fränkel, ein spätgeborenes Kind seiner Eltern, hatte in Berlin unter Anleitung des bekannten R. Jakob Joschia aus Krakau studiert, der später in Metz und Frankfurt Rabbiner war, und außerdem die Hochschule des R. Baruch Rapaport in Fürth besucht (s. die Approbationen der beiden a. a. O.). Der letztere war mit der Fränkelschen Familie durch seine Gattin verwandt; deren Mutter Necha= mah, Frau des Grodnoer Rabbiners Moses aus der Familie Zebi, war eine Schwester von Naftali Hirsch Fränkel (s. Jr Gibborim a. a. O., S. 42 u. Löwenstein, Blätter f. jüd. Gesch. u. Lit. Nr. 1 (1899), S. 6).

[3] Vgl. dessen Approbation zur Mischneh Thorah Bd. I.

[4] Salomon Fränkel wohnte später dauernd in Hamburg und starb daselbst 3. Sivan=28. Mai 1789 (Grbst. Altona Nr. 3037).

David Fränkel ging in seinem feurigen Interesse für die Sache
sogar so weit, daß er selbst das erforderliche Personal von
Setzern und Druckern auf zwei Jahre engagierte. Er sollte freilich
bald auch die unangenehmen Seiten eines solchen Unternehmens
kennen lernen und die Erfahrung machen, daß kühle Geduld hier
eher angebracht war als feuriger Eifer. Die alte Wulffsche
Druckerei, durch Israel b. Abraham ergänzt und vervollkommnet,
stand zur Arbeit bereit, auch die Approbationen waren von allen
Seiten schon eingegangen; aber die bestellten Papiersendungen
blieben aus, das Personal trieb sich müßig in Stadt und Gemeinde
umher, andere Schwierigkeiten kamen noch hinzu[1], kurz das ganze
Unternehmen begann so trostlos, daß David Fränkel allen Mut
verlor und den Arbeitern eines Tages bündig erklärte: er ent=
lasse sie aus ihren Verpflichtungen, sie sollten gehen, wohin sie
wollten, er habe keine Lust mehr, das Werk fortzusetzen. Aber
damit war er an die unrechten Leute gekommen; sie verlangten
Schadenersatz für den gebrochenen Kontrakt und Rückerstattung
ihrer Reisekosten, und als der Rabbi unwillig sie abwies, ver=
klagten sie ihn kurz entschlossen bei der fürstlichen Regierung in
Dessau. Diese ordnete in der That einen Verhandlungstermin an,
und wohl oder übel mußte David Fränkel sich mit den Klägern
einigen; ja Israel b. Abraham setzte es sogar durch, daß die
Arbeiter nicht eher entlassen werden sollten, bis die neuen einge=
troffen seien. Unter solchen Umständen entschloß sich der Rabbi,
das alte Personal überhaupt zu behalten, und die Ankläger des
Landrabbiners haben nicht nur die Mischneh Thorah, sondern
auch seinen eigenen berühmten Kommentar zum jerusalemischen
Talmud fertig gestellt. Überhaupt verflogen jetzt die düsteren

---

[1] Ich schließe dies aus dem auffälligen Umstande, daß zu dem ersten
Band zwei Titelblätter=Ausgaben vorhanden sind, die sowohl hinsichtlich
des Titeltextes, als auch der auf der Rückseite aufgedruckten Approbationen
die größten Verschiedenheiten aufweisen. Vgl. den bibliographischen Anhang
Nr. 85. Vielleicht hängt diese merkwürdige Thatsache mit den oben erwähnten
Privilegschwierigkeiten infolge des geplanten Konkurrenzunternehmens zusammen.

Wolfen. Der Druck des ersten Bandes des Maimonidischen Gesetz=
buches ging so rasch von statten, daß selbst Zebi Hirsch Halber=
stadt aus seiner bisherigen Reserve heraustrat und noch nach=
träglich eine Approbation ausstellte, da er sähe, wie eifrig Salo=
mon Fränkel in der göttlichen Arbeit sich zeige, und wie er den
anderen im Druck des Buches zuvorgekommen sei. Kurz vor den
großen Feiertagen des Jahres 1739, am 22. September, war der
erste Band der neuen Ausgabe vollendet. Sie hatte die alte
Amsterdamer durch verschiedentliche Vorzüge überflügelt: zu den
üblichen Begleitkommentaren waren noch diejenigen der beiden
gelehrten Rabbinen Abraham di Boton und Jehuda Rosanes,
Lechem Mischneh und Mischneh le=Melech betitelt, hinzu=
gekommen[1]), und in allen ohne Unterschied genaue Verweise auf
den Text beigefügt; der Kommentar Josef Karos war durch
seine Entgegnung auf die von Abraham b. David an der Mai=
monidischen Zählung der biblischen Gebote geübte Kritik ergänzt,
und endlich waren sämtliche Texte von dem Korrektor, als welcher
der Dessauer Lehrer und Rabbinatsassessor Ahron Hirsch aus
Halberstadt fungierte[2]), einer gründlichen Fehlerverbesserung
unterzogen worden. Auch die äußere Ausstattung war vorzüg=
lich[3]), und das Titelblatt schmückte stolz der verschlungene Namens=

---

[1]) Vgl. über sie Cassel D., Lehrbuch der jüd. Gesch. und Lit. (Lpzg.
1879), S. 410 f.

[2]) Über seinen Urgroßvater Jokel, seinen Großvater Jeremias und
seinen Vater Hirsch Halberstadt s. Auerbach a. a. O., S. 22, 25 und 34;
an letzterer Stelle ist in Anm. 3 das Druckjahr der Mischneh Thorah falsch
angegeben. Ahron hatte die Tochter eines Dessauer Schutzjuden Israel,
namens Meta, zur Gattin, die bereits 1725 starb (Dessauer Grbst. No. 176);
er blieb auch nach ihrem Tode noch in Dessau auf Grund eines vom
Fürsten Leopold ihm gewährten Schutzbriefes (Listen in Acta Zerbst, C 15
No. 2 und No. 27). 1753 siedelte er nach Hannover als Rabbinats=
assessor über (das. C 15 No. 2). Über seinen Sohn Hirsch, den Lehrer
Mendelssohns, s. Auerbach a. a. O. S. 189 und Kayserling a. a. O. S. 490.

[3]) Zu den Künstlern, welche für die äußere Ausstattung sorgten,
gehörten auch zwei jugendliche, jüdische Kupferstecher aus Berlin, welche

zug des Fürsten Leopold und die fürstliche Krone. Nur von dem gewaltigen Anteil, den David Fränkel an dem Werke hatte, ist nirgends eine Spur in ihm zu finden; bescheiden ließ der gelehrte Rabbi den Ruhm der Edition dem jüngeren Bruder zu= kommen, dessen Name als derjenige des Herausgebers zu ewigem Gedenken jedem Bande des großen Gesetzbuches vorangestellt ist.

Dem ersten Bande folgten in den drei nächsten Jahren 1740 bis 1742 die übrigen, geziert mit dem alten Anhaltischen Wappen und mit einer Reihe neuer rabbinischer Empfehlungen versehen [1]). Der Druck des letzten Bandes war durch die Ver=

die Figurentabelle zu bearbeiten hatten; es waren Mitglieder der durch ihre Kunst bekannten Familie Abraham: Josef und Uri Phöbus b. Abraham b. Josef (s. über Vater und Großvater: Geiger, II, 10), die in einem kleinen, der Tabelle beigefügten Gedicht bewiesen, daß sie auch in der Kunst des Reimflechtens nicht unbewandert waren.

[1]) Die bibliogr. Beschreibung des ganzen Werkes samt den Appro= bationen s. im bibliogr. Anhang Nr. 85. Unter den Approbanten befanden sich zahlreiche Anverwandte der Familie Fränkel: der schon genannte Baruch Rapaport=Fürth; Josua Heschel=Wilna, der Schwager von David Fränkel, dessen Approbation sich nur auf der einen Titelblattausgabe findet, und sein Bruder Arje Loeb, gerade jetzt von Glogau nach Lemberg als Rabbiner übersiedelnd; Gerson b. Jechiel Landsberg=Friedberg, früher in Grätz, später in Frankfurt a. O., dessen Tochter Jettchen die Gattin des Josef, eines Bruders von David Fränkel; war; Moses b. Ahron, der 1740 seinen früheren Rabbinatssitz Berlin auf einer Reise berührt; Isaak Selig Karo, der Vorgänger David Fränkels in Dessau und von da nach Hannover berufen; endlich Israel=Hanau, ein Bruder von Zebi Hirsch= Halberstadt, verheiratet mit einer Tochter von Baruch Rapaport (s. Wiener, Daat Kedoschim S. 141; Hagoren I, S. 51; Selbstbiogr. d. Jakob Emden S. 162).

Von dem hier erwähnten R. Moses b. Ahron sind bisher weder Nachrichten über seine Herkunft, noch über die Fürsprecher, die seine Be= rufung nach Berlin einst durchgesetzt hatten, bekannt geworden; vgl. Landshuth S. 23 f., Geiger I, S. 49, II, S. 85. Ich vermute, daß er ein Sohn des Westhofener Rabbiners Aron aus Lemberg, des

ringerung und den Wechsel des Personals [1] — eine Folge der 1742
gleichzeitig auch in Dessau selbst wieder eröffneten Preßthätigkeit
— etwas langsamer vorgerückt, und die Befriedigung war groß,
als auch dieser und damit das ganze Werk nach so vielen Mühen
und Anstrengungen glücklich geborgen war, und dem eifrigen
Förderer desselben, dem betagten Naftali Hirsch Fränkel, in
einem akrostichischen Gedicht der wohlverdiente Dank ausgesprochen
werden durfte. Der Dank an den Sohn, an David Fränkel,
fehlt auch hier wieder; doch auch ungenannt schwebt sein Name
über dem Ganzen, so wie er gleichfalls über der Veröffentlichung
des zweiten großen Maimonides-Werkes schwebt, des Moreh
Nebuchim, das im selben Jahre 1742 noch die Jeßnißer Presse
verließ. Sie vollbrachte auch damit wieder eine literarische
Großthat.

Seit fast zweihundert Jahren, seit dem Jahre 1553, war das
geniale Buch nicht mehr aufgelegt worden; der unselige Streit,
den es hervorgerufen, und der so sehr die Gemüter verbittert

Schwiegersohnes des Metzer und Nikolsburger Rabbiners Gabriel
Eskeles, war. Die Familie Eskeles war mit der Familie Wert-
heimer in Wien und diese wieder mit der Familie Gomperz in
Berlin nahe verwandt (vgl. Dembitzer a. a. O. II, S. 131, Kaufmann,
Samson Wertheimer 88 f. u. o.). In der That standen gerade Gomperz
und der von Moses b. Ahron selbst hier als sein Verwandter bezeichnete
Naftali Hirsch Fränkel in der Reihe seiner Berliner Partei-
gänger; s. Landshuth a. a. O. Das Landesrabbinat in Mähren erhielt
Moses b. Ahron nach dem Tode seines Onkels Berend Eskeles!

[1] Auch Ahron Hirsch Halberstadt fungierte nicht mehr als
Korrektor, sondern sein achtzehnjähriger Schüler Meschullam Salman
b. Chajim Levi aus Jeßniß, Salomon Heymann genannt,
der sich in einem kurzen Schlußwort im vierten Bande für diese ehrenvolle,
ihm übertragene Vertretung bedankt. Er korrigiert dann auch den Moreh
Nebuchim, aber ohne große Sorgfalt. Von seinem Vater berichten die
Akten (A.-Zerbst, C 15 Nr. 79), er sei vor mehr als 20 Jahren „aus dem
Reich" in Jeßniß eingewandert, und sein Handel mit Schneiderwaren
nach Schlesien bringe ihm jährlich 1400 Thaler, eine erkleckliche Summe
für jene Zeit.

hatte, daß es sogar dem Bannspruch verfiel, zeigte auch in dieser Hin=
sicht seine traurige Wirkung. Außer in Italien hatte keine der zahl=
reichen jüdischen Pressen in den anderen Ländern es bisher gewagt,
einen Neudruck des Moreh Nebuchim zu veranstalten. Israel b. Abra=
ham unternahm den kühnen Schritt, und er unternahm ihn im vollen
Bewußtsein seiner Kühnheit. In einem kurzen und vorzüglichen
Vorwort schildert er mit treffendem Vergleich, wie oft man ihm
von seinem Vorhaben abgeraten und wie man ihm, gleich Adam
einst, zugerufen habe: Hüte dich vor diesem Baum der Erkenntnis
des Guten und Bösen! Doch zuletzt habe er sich gesagt: dieser
verbotene Baum der Erkenntnis sei ja zugleich ein Baum des
Lebens; da habe er denn seine Lenden gegürtet, sei von Thor zu
Thor gezogen und habe wie Moses damals, ausgerufen: „Wer
für Gott ist, her zu mir", bis auch ihm wirklich Söhne Levis
als Helfer sich beigesellt hätten[1]. Daß er aber trotz aller Rüh=
rigkeit nicht eine einzige rabbinische Approbation für seinen Druck
erhielt, zeigt am besten, mit welchen gemischten Gefühlen die ge=
lehrte Welt seinem verdienstvollen Unternehmen gegenüberstand,
und die Satyre läßt sich begreifen, mit der Israel b. Abraham
zur Datumunterzeichnung seiner Vorrede die Gottesworte wählte:
Warum habt Ihr Euch nicht gescheut, Übles zu reden auf meinen
Knecht Moses[2]! Und doch! Hätte denn der Jeßnitzer Druck=
besitzer vor den Augen David Fränkels diesen bedeutsamen
Schritt wagen können, vor den Augen des Mannes, welcher sein
zuständiger, rabbinischer Zensor war, und in dessen Auftrag er
seine Presse in Jeßnitz wieder aufgestellt und bisher andauernd
gearbeitet hatte, wenn er nicht seines stillschweigenden Ein=
verständnisses wenigstens sicher gewesen wäre? Und hätten denn
Nathan Veitel aus Berlin und Seckel Ries aus Kremsier,

---

[1] Nach Exodus 32, 26 auf die levitische Abstammung der beiden
weiter genannten Mäcene anspielend.

[2] Numeri 12, 8; in jenem Jahre 1742 am Sabbat 21. Siwan =
23. Juni als Wochenabschnitt verlesen.

beides Angehörige des großen Fränkelfchen Familienkreifes[1]), auch
nur daran denken können, die Koften diefes Unternehmens aus
ihren Mitteln zu begleichen, wenn ihr Anverwandter, der an-
gefehene Deffauer Rabbi, irgend welches Bedenken geäußert haben
würde? Und ift nicht endlich auch das auffällig, daß troß aller
ftrengen Verbote ein junger Mann von 18 Jahren, ein Schüler
des Rabbinatsaffeffors Ahron Halberftadt, als Korrektor der
neuen Ausgabe des Moreh Nebuchim geduldet ward? Aus allen
diefen Thatfachen läßt fich der berechtigte Schluß ziehen, daß die
Anfchauungen David Fränkels über philofophifche und allgemeine
Bildung weit duldfamer und nachfichtiger waren als diejenigen,
welche die weit überwiegende Mehrzahl der Rabbinen damals
hegten[2]), und es braucht wahrlich nicht hervorgehoben zu werden,
welch' wichtiger Einblick in die erfte Entwicklung des jungen
Mofes Mendelsfohn fich damit anftelle aller bisherigen Ver-
mutungen eröffnet[3]). Ja, gerade das literarifche Ereignis, welches
im nahen Jeßniß fich abfpielte, mag wohl öfters die für Lehrer
und Schüler erwünfchte Gelegenheit zur Erörterung aller jener
philofophifchen und religiöfen Fragen geboten haben, zu welchen
die fchon vorher eifrig betriebene Lektüre des Moreh Nebuchim den
begabten Knaben angeregt hatte. Welchen Wegweifer übrigens zur
allgemeinen und fchrankenlofen Bildung die Jeßnißer Preffe mit
ihrer literarifchen That ihren Lefern aufftellte, das bekundete fie
unwillkürlich dadurch, daß fie einzelne ihrer Exemplare mit einem
lateinifchen Huldigungsgedichte auf die Söhne des alten
Deffauers fchmückte, die gerade zu jener Zeit, in den Jahren
1741 und 1742, wohlverdiente Lorbeeren auf den Schlachtfeldern
des erften fchlefifchen Krieges fich errungen hatten[4]): ein Zufammen-
treffen, wie es kulturhiftorifch intereffanter fich gar nicht denken läßt[5])!

---

[1]) Vgl. über fie Kaufmann, Leßte Vertreibung, S. 216.

[2]) Weiteres f. in meiner erwähnten Abhdlg. über David Fränkel.

[3]) Vgl. Gräß, Gefch. d. Juden XI S. 4, Anm.

[4]) Vgl. Varnhagen von Enfe a. m. St. u. Fürft Leopold I. von Anhalt und feine Söhne, a. a. O., S. 112 ff.

Das fchlecht ftilifierte Gedicht, welches fich merkwürdigerweife wieder

Der Erfolg, den Israel b. Abraham mit der reich kommen=
tierten und vorzüglich ausgestatteten Ausgabe des Maimonidischen
Führers zu erzielen gedachte und wirklich erzielte[1]), gab ihm den
Gedanken ein, noch ein anderes selten gedrucktes Werk eines
eifrigen Parteigängers des großen Philosophen neu aufzulegen,
nämlich des David Kimchi großes Wörterbuch, Buch der
Wurzeln, Sefer ha=Schoraschim, betitelt[2]). Jedoch kam
seine Absicht nicht zur Verwirklichung, und erst ein ganzes Jahr=
hundert später wurde, was in Jeßnitz bereits projektiert worden
war, zur That[3]). Dafür erwarb sich seine Presse ein anderes
Verdienst um die zeitgenössischen Glaubensbrüder, indem sie im
folgenden Jahre 1743 das Werk Nechmad we=Naim, Lieb=
lich und Angenehm, zum erstenmal in die Öffentlichkeit brachte.
Es war dies ein Lehrbuch der Astronomie und mathematischen
Geographie, welches den berühmten Historiker David Gans zum

---

nur auf dem Titelblatt einzelner Exemplare, links und rechts vom großen
Anhaltischen Wappenschilde, findet, hatte folgenden Wortlaut:

Principis Anhaltinae Ursis insigne triumphat.
Ast Leopolde tibi Catulos tulit ursa Leonum.
Grandescens ut Alexander Leopoldus et alter,
Natura genio Leonino Marte parentis.
Caetera virtutum distingiunt nomine fratres
Fulgura Bellonae Dexterrima fulmina Martis.
Quos Exercituum Dominus benedicat in armis,
Supplicat interne Submissimus Israelita,
Cui Synagoga Amen Respondens Abrahamita.

[1]) Die bibliogr. Beschreibung s. im bibliogr. Anhang No. 82. Wie der
Herausgeber bemerkt, sind neue Typen und neues Papier verwendet, die
Herstellungsarbeiten sehr sorgsam ausgeführt. Besonders achtsam ward bei
der Setzung der Interpunktion, der Kapitelzeichen u. s. w. verfahren; ein
Verzeichnis der zitierten Bibelstellen ist gleichfalls zum ersten Mal
gegeben.

[2]) Vorwort zum Moreh Nebuchim.

[3]) Vgl. Benjacob a. a. O.; über das Werk selbst: Bacher, die hebräische
Sprachwissenschaft u. s. w. (aus Winter und Wünsche), S. 81 f.

Verfasser hatte[1]). Ein kurzer Auszug war noch bei Lebzeiten desselben 1612 in Prag unter dem Titel „Davidsschild", Magen David, gedruckt worden; die eigentliche Arbeit selbst wurde erst ein Jahr später (Freitag 8. Ab = 26. Juli 1613) vom Autor abgeschlossen und war seitdem in Prag handschriftlich liegen geblieben, bis sie in den Besitz des späteren Berliner Rabbinatsassessors Joel b. Jekutiel Sachs aus Glogau kam[2]), der in Breslau sich ausreichende astronomische und mathematische Kenntnisse erworben hatte und das schwer leserliche Manuskript mit großen Mühen druckfertig machte. David Gans, der sein astronomisches Wissen besonders seinem Lehrer, dem sagenum= sponnenen hohen Rabbi Loeb in Prag, verdankte[3]) und mit den zeitgenössischen Astronomen, vor allem mit Tycho de Brahe[4]), in Verbindung stand, wollte in seinem Nechmad we-Naim seinen Glaubensbrüdern die wichtigsten astronomischen und geographischen Begriffe auf Grund der großen, umwälzenden Forschungen seiner Zeit beibringen. Ohne sich auf weitgehende theologische Er= örterungen einzulassen, war er bestrebt, einfach eine systematische Zusammenstellung der einschlägigen Lehren in hebräischer Sprache zu geben. Der Geschichtsforscher, der er war, verleugnet sich auch hier nicht. Er leitet das Buch mit einer Geschichte der astro= nomischen Forschung unter den Juden und den anderen bekannten Völkern ein, deren Berühmtheiten einzeln von ihm besprochen werden; das Ziel dieser Darstellung bildet der Versuch, nachzuweisen, daß jüdische Volk trage den Urquell aller jener Forschungen in sich,

---

[1]) S. über ihn oben S. 8, ferner Hock in Liebens Gal Ed, S. 10; Brüll in A. D. B. VIII, S. 368; Brann a. a. O., II S. 354.

[2]) Joel Sachs war ein Schwiegersohn des Berliner Rabbiners Michel Chasid, bekleidete das Rabbinat von Austerlitz und wurde 1743 gleich= zeitig mit David Fränkel als Rabbinatsassessor nach Berlin berufen. Näheres s. Landshuth S. 18 und 39; vergl. ferner Auerbach a. a. O. S. 71.

[3]) S. Einleitung zu Nechmad we-Naim.

[4]) Er übersetzte für ihn auch einen Teil der alfonsinischen Tafeln aus einer hebräischen Übertragung ins Deutsche; s. daselbst.

und von i h m aus seien diese Kenntnisse erst zu den übrigen
Nationen gedrungen, um erweitert und verbessert zu werden. Wie
es deshalb nichts Schlechtes sei, von diesen Erweiterungen und
Neuerforschungen alter, jüdischer Lehren Kenntnis zu nehmen,
so sei überhaupt die Beschäftigung mit solchen Studien nicht
religionswidrig, sondern trage im Gegenteil zur Vertiefung
religiöser Gesinnung und Kenntnisse bei. So hatte David Gans
von vornherein seinen theologischen Standpunkt gekennzeichnet und
etwaigen Angriffen den Boden entzogen. Höchst selten nur nimmt
er dann im Laufe seiner Darstellung Gelegenheit, widersprechende
talmudische oder midraschische Anschauungen zurückzuweisen oder
vielmehr umzudeuten[1]). In zwölf Kapiteln und 305 Paragraphen
verbreitet er sich eingehend über die Elemente und Sphären, über
den Himmels= und Erdglobus, die Zeitberechnung, den Zodiakal=
kreis, die Deklination, den Lauf der Sonne, des Mondes und deren
Finsternisse, über die übrigen Planeten, den Quadranten und seine
Anwendung, über Kometen, den Aberglauben der Astrologie und
anderes mehr. Als Nachwort schließt sich ein Bericht über seinen
dreimaligen Besuch bei Tycho im Schlosse Benatek bei Prag
— jedesmal fünf Tage lang[2]) — an; David Gans erbietet sich
zugleich darin, die schwierigen Hypothesen des großen und von ihm
in den rühmendsten Lobeserhebungen gepriesenen Astronomen aus
den Schriften desselben, die in seinem Besitze seien, näher klar zu
machen.

Der Druck dieses Werkes, in welches noch 58 Abbildungen
und Tabellen eingefügt waren, bot der Jeßnitzer Presse eine schwere
Arbeit, die nur langsam voranschritt[3]). Die Kosten trug auch

---

[1]) So z. B. in § 89 und 90 die agadischen Aussprüche: Jerusalem
sei der Mittelpunkt der Welt, und Kanaan liege höher als alle anderen
Länder; in § 297 weiß er gewandt die abergläubischen, rabbinischen An=
schauungen über die Finsternisse mit seinem wissenschaftlichen Standpunkt
in Einklang zu bringen.

[2]) In A. D. B. a. a. O. nicht ganz richtig wiedergegeben.

[3]) Die bibliogr. Beschreibung s. im bibliogr. Anhang Nr. 87.   Eine
Handschrift liegt im Franzensmuseum zu Brünn.

diesmal wieder ein wohlhabender Glaubensbruder, Baer Heß in
Halberstadt; ja er beauftragte sogar auf Wunsch des Israel
b. Abraham den Doktor der Theologie und Professor der heiligen
Sprache Jo. Chr. Hebenstreit in Leipzig[1]), ein ausführliches
Referat über das Werk in lateinischer Sprache zu schreiben und
es besonders den nichtjüdischen Kreisen zu eifrigem Studium
anzuempfehlen. Hebenstreits Abhandlung, die zugleich eine ein=
gehende Inhaltsangabe enthielt, wurde dann jedem Exemplare bei=
gefügt, das auf den Markt kam.

Noch einmal kehrte Israel b. Abraham im nächsten Jahre
1744 zur Beschäftigung mit dem „heiligen Buche", wie er es
ehrerbietig nannte, zurück, zum Moreh Nebuchim nämlich. Die
Erfahrung, die er beim Vertrieb desselben machte, daß viele Leser
sich in den philosophischen Kunstausdrücken nicht zurechtfanden,
bewog ihn, gleichsam als Nachtrag zu dem großen Meisterwerke
die kleine Schrift Ruach Chen zu drucken, die — fälschlich damals
Juda ibn Tibbon zugeschrieben — in elf kurzen Kapiteln die Haupt=
begriffe der Zeitphilosophie behandelte und sich als eine Einleitung
zum Moreh Nebuchim gab[2]). Das Werkchen war ohnedies seit
einem Jahrhundert nicht aufgelegt worden, und Israel b. Abraham
konnte noch dazu einen neuen Kommentar desselben bieten. Israel
Samoscz, später als Lehrer Moses Mendelssohns bekannt[3]),
der Autor dieses Kommentars, hatte sich zwar nur die Aufgabe
gestellt, die Worte des Verfassers auf Grund der damaligen philo=

---

[1]) Vgl. über ihn Jöchers Gelehrten=Lexikon, Fortf. v. J. Ch. Adelung
Bd. II (Leipzig 1787), Seite 1849, und Steinschneider in Brodys Zeitschrift
f. hebr. Bibliographie III. Jahrg. 1898, S. 47.

[2]) Über die Schrift und den Verfasser f. Scheyer, psycholog. System
des Maimonides (Frkft. 1845), S. 2 f.; Benjacob u. Ruach Chen; Stein=
schneider, hebr. Übers. I, 426.

[3]) Vgl. über Israel Samoscz: Grätz Bd. XI, S. 6; Cassel D. in Ein=
leitung zu seiner Kusari=Ausgabe S. XXXIII und dessen Lehrbuch a. a. O.,
S. 496; ferner oben S. 146, Anm. 3.

sophischen Anschauungen einfach des Näheren zu erklären[1]), und
er that dies auch in anschaulicher Weise durch Anführung zahlreicher Beispiele aus der Praxis des Lebens, sowie aus den Sätzen
der heiligen Schrift, des Talmuds und der jüdisch-philosophischen
Literatur, vor allem natürlich aus dem Moreh Nebuchim selbst.
Aber wie in seinen übrigen Werken, so zeigt sich auch hier Israel
Samoscz doch als selbständiger Forscher und nicht nur als bescheidener Erklärer. Oft genug weist er, besonders wenn es sich
um physikalische Begriffe handelt, auf den Gegensatz der neuen
und der alten Zeit hin, und sein häufig vorkommendes, viel-
sagendes: „das ist die Ansicht der Früheren," mündet zuweilen in
das offene Geständnis aus, die Alten hätten sich aus Unkenntnis
gröblich geirrt.[2]) Auch dem Verfasser des Ruach Chen selber weist
er hie und da unverhüllt nach, wie falsch oder wie wenig überein-
stimmend mit dem Moreh Nebuchim seine Erörterungen seien[3]).
Andererseits nimmt er aber auch ebenso eifrig, wo es ihm recht
erscheint, die Talmudisten gegen abweichende, philosophische Lehr-
meinungen in Schutz. Besonders auffallend ist im Kommentar
des Israel Samoscz die eingehende Kenntnis der Physik und der
einschlägigen, nichtjüdischen Literatur, obwohl er freilich die meisten
derartigen Erklärungen mit dem Hinweis auf ihre ausführlichere
Besprechung in seiner — Handschrift gebliebenen — Schrift
Arubboth ha - Schamajim, Schleusen des Himmels, abzubrechen
pflegt.[4])

Der philosophischen Einleitungsschrift zum Moreh Nebuchim
ließ die Jeßnitzer Presse noch ein weiteres religionsphilosophisches
Werk folgen, den Nachdruck der Herzenspflichten, Choboth
ha - Lebaboth, des Bachja Ibn Pakuda auf Grund der
Amsterdamer Ausgabe des Jahres 1716 mit dem Begleitkommentar

---

[1]) Ruach Chen, S. 12b.
[2]) Vergl. besonders den Kommentar zum 7. Kapitel.
[3]) Ruach Chen, S. 5a, 24a, 29a.
[4]) Die bibliogr. Beschreibung s. im bibliogr. Anhang No. 92.

des Manoah Hendel b. Schemarja aus Brzezsticzka[1].
Rechnen wir noch die Kalenderausgaben hinzu, die wohl alljährlich
wie an anderen Druckorten, so auch hier veranstaltet wurden[2], so
ist damit auch die zweite und letzte Periode der Jeßnitzer Preß=
thätigkeit abgeschlossen; sie übertraf die erste durch die Bedeut=
samkeit ihrer Veröffentlichungen in unvergleichlichem Maße, wenn
sie auch von kürzerer Dauer war als jene — sie umfaßt nur
sechs Jahre — und an Zahl der Editionen hinter ihr zurück=
blieb. Die Schuld an diesem Zurückbleiben trug unter anderem die
Wiederaufrichtung einer Druckerei in Dessau, an welche Israel
b. Abraham sogar einen Teil seiner Arbeiter abgab[3].

Der Schöpfer dieses neuen hebräischen Buchdrucks in Dessau
war Elias Wulff, der einzige Sohn des Hoffaktors Moses
Benjamin Wulff[4]. Schon vom ersten Augenblick an, da Israel
b. Abraham wieder nach Jeßnitz zurückgekehrt war, hatte in Elia
sich der Wunsch geregt, in die Fußstapfen des Vaters zu treten
und dem Ruhmeskranz, den die Familie Wulff als Beschützerin
der Wissenschaft und Religion sich erworben, ein neues Blatt
einzuflechten. Bereits im Jahre 1739 hatte er deshalb Approba=

---

[1] S. das. No. 70.

[2] Eine von Herrn J. H. Wagner in Berlin mir gütigst zur Durch=
sicht überlassene Luach Jeßnitz 5500 (1739/40) enthält die gewöhnlichen
Jeßnitzer Typen und Vignetten. Arbeiter war Moses Setzer. Bei den
im Kalendarium angegebenen Jahrmärkten ist vor allen Dingen die nähere
und weitere Umgebung des Druckorts berücksichtigt. Als Anhang ist bei=
gefügt: ein Verzeichnis der „guten Tage zum Ziehen oder Reisen," Heil=
verordnungen betr. Purgieren, Schröpfen und Baden, eine durch alle
Monate durchgeführte Erörterung darüber: „Wie sich der Mensch in etlichen
Monaten verhalten soll, seine Gesundheit zu bewahren", und einige Segens=
sprüche.

[3] Vgl. die Setzerverzeichnisse im Anhang No. 9—15. — Israel
b. Abraham selber druckte später mit seinen Typen noch in Berlin;
s. Ztschrft. III, S. 264 u. 267. Spätere Jeßnitzer Drucke giebt es nicht;
unmöglich sind deshalb z. B. Benjacob a. a. O.: Beth Abraham, Jeßnitz
1801, Dinim we=Hanhagoth Adam, Jeßnitz 1747.

[4] Vgl. über ihn oben S. 133 ff.

15*

tionen zum Druck desjenigen Buches gesammelt, mit welchem er
drei Jahre später, als sein Wunsch sich verwirklichte, die Thätigkeit
der Wulffschen Presse an demselben Orte wieder eröffnete, von
dem sie einstens ausgezogen war, und zu welchem sie nunmehr
nach so vielfachen Schicksalen zum Schluß wiederum zurückkehrte.
Es war dies Buch der geschätzte Kommentar des Ahron ibn
Chajim zu dem alten Midrasch zu Leviticus, dem Sifra, betitelt: Korban Ahron, Aronsopfer. Das umfangreiche Werk
war seit der Erstausgabe in Venedig[1]), seit hundertunddreißig
Jahren, nicht mehr aufgelegt worden. Denn alle bisherigen Versuche dazu waren an den beträchtlichen Kosten, die erforderlich
schienen, gescheitert[2]). Elia Wulff wagte den Schritt; obwohl seine
Verhältnisse längst nicht mehr auf der einstigen, glänzenden Höhe
standen, wollte er dennoch gerne Opfer bringen, wenn er der Gesamtheit dadurch Nutzen stiften konnte. So erschien denn 1742,
in zahlreichen Approbationen mit großer Freude begrüßt, das vielbegehrte Buch und zwar wieder, wie ehemals, im Wulffschen Hause
in Dessau selbst. Dreiviertel Jahre war daran gearbeitet worden
— umfaßten doch Text und Kommentar 260 Folioblätter —, und
unter den Arbeitern befand sich auch der eigene Schwiegersohn
Elia Wulffs, der Vorbeter Nathan, welcher die Korrektur übernommen hatte[3]). Merkwürdigerweise existieren wiederum zwei verschiedene Ausgaben dieses Dessauer Druckes, von denen die eine
vollständiger und sorgfältiger hergestellt ist als die andere[4]). Beide

---

[1]) Bibliogr. Beschr. bei R. R., Anhang No. 1804. Der Titel der
Jeßnitzer Ausgabe besagt ungenau; seit 150 Jahren nicht gedruckt.

[2]) So die Approbation des Zebi Hirsch Halberstadt.

[3]) Vgl. oben S. 138.

[4]) Zur bibliogr. Beschreibung s. bibliogr. Anhang No. 18. Die erste
Ausgabe beginnt sofort mit dem Sifra zu Leviticus, während die zweite,
genau der Ed. Venedig entsprechend, noch den Sonderkommentar des
Abraham ibn Chajim zu der Baraitha des Jsmael von den dreizehn Deutungsregeln, Middoth Ahron betitelt, an ihrer Spitze trägt.
Überhaupt ist die zweite sorgfältiger durchgesehen; so sind z. B. die verkehrt
gedruckten Blätter 13, 14 und 220 bis zum Schluß in die richtige Reihen-

aber sind vorzüglich ausgestattet, und beide schmückt als stolze
Titelzier das große, alte Wappen Anhalts, umgeben von den Sieges=
trophäen des alten Dessauers, unter dessen Regierung noch und
„cum Privilegi (!) Serenissimi" das seitdem nicht mehr nachge=
druckte Buch erscheinen durfte.

Ihm folgte in demselben Jahre noch ein zweites von Elia Wulff
zum Druck gebrachtes Werk, das bisher den Bibliographen ziem=
lich unbekannt geblieben ist. Es war eine Taschenausgabe —
„damit jeder sie im Zipfel seines Gewandes trage!" — des Tal=
mudtraktates Megillah, welche neben den gewohnten Begleit=
kommentaren die Novellen des Salomo b. Adereth bot. Die
Jeßnitzer Edition war die erste und einzige, welche die Novellen
dem Traktat selber beigab[1]). Das Titelblatt schmückt auch dies=
mal wieder — in kleinerer Form — das Wappen Anhalts.

Den Höhepunkt und damit zugleich ihren würdigen Abschluß
erreichte die kurze, zweite Dessauer Druckperiode mit der Veröffent=
lichung des bekannten und bedeutenden Kommentars David
Fränkels zum jerusalemischen Talmud, Korban ha=Edah, Ge=
meindeopfer, betitelt. Die Kosten dieses Drucks trug zwar dies=

___

folge gebracht. Am auffälligsten ist die Verschiedenheit der beiden Ausgaben
hinsichtlich der gebrauchten Vignetten und der Arbeiterzahl (nach der ersten
fünf Arbeiter, nach der zweiten zwei). Jedenfalls war der Druck schon
früher begonnen und dann längere Zeit liegen geblieben.

Die von uns erwähnten hebräischen Doppeldrucke (s. oben S. 197
und S. 216) bieten interessante Ergänzungen zu den von Milchsack in seiner
Abhandlung über Doppeldruck (Centralbl. s. Bibliothekswesen XIII. Jahrg.
1896, S. 537 f.) erörterten Fragen. Sie scheinen allerdings meistens die
Folge davon gewesen zu sein, daß aus äußeren Schwierigkeiten, Geld= oder
Arbeitermangel oder Privilegstreitigkeiten, der Druck längere Zeit unter=
brochen und dann mit gänzlich neuem Satz wieder aufgenommen werden
mußte.

[1]) Die Novellen zu Megillah waren bisher nur einmal und zwar mit
in der Gesamtausgabe Schib'ah [l. Scheba] Schittoth, Konstantinopel 1720,
gedruckt; bibl. Beschr. R. R. Anhang No. 2058, des Dessauer Drucks hier im
bibliogr. Anhang No. 24. Nach Benjacob ist der Autor dieser Novellen in
der Konstantin. Ausgabe nicht der Raschba, sondern der Ritba.

mal der mit Glücksgütern reich gesegnete Verfasser selber;
aber es war wiederum das ihm verschwägerte Wulffsche Haus[1]),
aus welchem dieses Werk hervorging, von dessen Bedeutung einer
der approbierenden Rabbinen erklärte: seit Raschis Tagen sei kein
ähnliches mehr ans Licht getreten[2])! An Approbationen mangelte
es überhaupt nicht; Verwandte, Freunde und Bekannte des Verfassers beeilten sich, ihre empfehlenden Worte einzusenden, und
selbst der greise Zebi Hirsch in Halberstadt übermittelte unter
warmen Lobeserhebungen seinem Verwandten eine Approbation,
obwohl er versicherte, seit zwanzig Jahren kein neues Buch mehr
begutachtet zu haben, und gewaltig gegen die Skribenten loszog,
denen nichts mehr heilig sei. Es war begreiflich, daß Elia Wulff
sich die allergrößte Mühe gab, ein so ausgezeichnetes Werk auch in
würdiger Form in die Oeffentlichkeit zu bringen. In der That
wurde es in vorzüglicher, ja sogar verschwenderischer Weise ausgestattet[3]), und Ahron Hirsch Halberstadt, der es sich zur Ehre
anrechnete, wieder einmal als Korrektor fungieren zu dürfen, bemühte sich auch seinerseits erfolgreich, alle Fehler und Mängel
dem Werke fernzuhalten.

So durfte denn die Wulffsche Presse mit einer so stolzen,
letzten Leistung ihrer Thätigkeit an derselben Stelle, an der sie

---

[1]) Vgl. oben S. 131.

[2]) Ueber das Werk und die damit zusammenhängenden Fragen s. meine
genannte Abhdlg. über David Fränkel. Zur Bibliographie vgl. den bibliogr.
Anhang No. 19.

[3]) Jeder einzelne Traktat hat ein besonderes, reichgeschmücktes Titelblatt, welches, nach Aufzählung aller Vorzüge des Werkes und jedesmaligem
auf den Inhalt bezüglichen Jahresvermerk, als Verzierung abwechselnd das
große Landeswappen oder eine umfangreiche Blumenvignette mit dem
Wappenadler trägt. Jeder Traktat hat ferner eigene Paginierung und
sorgfältig durchgesehenen Text, sowie genaue Bezeichnung der Nachweis- und
Parallelstellen. Voraus geht eine Lobpreisung Gottes, unter Einflechtung
der Traktatbezeichnungen alphabetisch gedichtet, und ein dreifaches Vorwort,
welches Einleitungen in den Talmud, den Kommentar, Korban ha-Edah,
und die Glossen, Schejare Korban, gibt.

einst begonnen hatte, ein Ende setzen[1]). Fast ein halbes Jahrhundert hindurch hatte sie in und außerhalb der Anhaltischen Residenzstadt segensreich gearbeitet, und nicht nur ihrem Besitzer, nicht
nur den Gelehrten, deren Werke sie in die Oeffentlichkeit brachte,
sondern auch zahlreichen frommen, wohlthätigen und hochherzigen
Mäcenen war es durch ihre Vermittelung vergönnt gewesen, zur
religiösen, geistigen und kulturellen Weiterbildung aller Glaubensbrüder in anerkennenswertem Maße beitragen. Vielleicht schien
die Darstellung der wechselvollen Schicksale dieser Wulffschen
Druckerei an manchen Stellen den engeren Rahmen der vorliegenden Studien zu überschreiten. In Wirklichkeit hat sie jedoch
niemals jenes höher gesteckte Ziel aus dem Auge verloren, einen
Einblick in den Kulturzustand des Nährbodens unseres
heutigen Judentums zu gewähren und aus der Quelle selbst
zu schöpfen, aus welcher dieses letztere geflossen ist,

aus der Heimat Mendelssohns!

---

[1]) Die neue Dessauer Druckperiode zu Anfang des 19. Jahrhunderts
steht zur Wulffschen in keiner Beziehung und mußte selbstverständlich hier
unberücksichtigt bleiben.

Bibliographischer Anhang.

I. Verzeichnis der Drucke
der Wulffschen Presse
zu Dessau, Halle, Cöthen und Jeßnitz.

3. Bb. = zur Bibliographie. Ausführliche bibliographische Darstellung ist dann gegeben, wenn die gewöhnlichen Handbücher nur mangelhaftes oder gar nichts bieten, vorausgesetzt, daß die Durchsicht der betreffenden Werke selber möglich war.

A. Dessau.

1. אגרת, Iggereth, Dankschreiben des David Oppenheim, Rabb. in Nikolsburg, für seine Berufung zum Rabb. von Brzese, datiert vom 13. Nissan (= 25. März n. St.) 1698. Veröffentlicht von seinem Schüler Abraham [b. Juda b. Nissan].

> Dessau, o. J. [1698], 2⁰, Bll. 1.
>
> 3. Bb. oben S. 169 und Cat. Bodl. Nr. 4836, 7. Fehlt in den sonstigen Handbüchern.

2. אלדד הדני, Eldad ha-Dani, Auszug aus dem Reisebuch des Genannten in jüdisch-deutscher Sprache.

> O. J. u. O. [Dessau, um 1700], 8⁰, Bll. 4.
>
> 3. Bb. Cat. Bodl. Nr. 4934, 5. Bei Benjacob, Ozar ha-Sepharim (Wilna 1877—80), S. 36, ein Druckfehler in der Jahreszahl.

3. חידושי הלכות בית יהודה, Chiddusche Halachoth Beth Je- hudah, Talmudische Novellen des Juda b. Nissan

aus Kalisch. Voran gehen Novellen des David
Oppenheim zum Traktat Sabbath.

Herausgegeben vom Sohne des Verfassers, Abraham
b. Juda.

Dessau 1698, 2⁰, Bll. (3)+10+262+92 [Approba=
tionen und Vorreden + Novellen Oppenheims + Beth Je=
hudah, Traktate Jebamoth bis Baba Meziah + Traktate
Baba Bathra und Chullin].

Z. Vb. oben S. 168 f., Cat. Bodl. Nr. 5758 u. 7697,
R. R. S. 612 + Anhang Nr. 261 und Wiener, Bibl.
Friedland., Heft II, Nr. 1282.

4. ברכת המזון, Birkath ha=Mason, Tischgebet, Segensprüche,
Lieder und Gebete für den Sabbathausgang mit jüdisch=
deutscher Uebersetzung und Abbildungen.

Dessau 1699, 4⁰.

Z. Vb. Cat. Bodl. Nr. 2625, Benjacob S. 88, Nr. 663.

5. סדר ברכת הנהנין, Seder Birkoth ha=Nehenin, Segens=
sprüche beim Genuß, zweiter Teil des Tikkun ha=Schul=
chan; s. das.

6. גבורת אנשים, Geburath Anaschim, Eherechtliche Abhand=
lungen des Sabbatai b. Meir Cohen zu Paragraph
154 des dritten Teiles des Schulchan Aruch, Eben ha=
Eser. Im Anhang Gutachten vom Vater des Ver=
fassers, Meir.

Dessau 1697, 4⁰, Bll. (2)+38 [Approbationen und
Vorrede des Enkels und Herausgebers Isak + Geburath
Anaschim bis Bl. 19a, von da ab Gutachten des Vaters].

Der Druck wurde begonnen in der zweiten Woche des
Januar 1697.

Z. Vb. oben S. 167, R. R. S. 1038 [woselbst jedoch
das Jahr der Approbation durch David Oppenheim
in 457 zu verbessern ist; im Text der Jahreszahl in der

Approbation selber ist nämlich ein Druckfehler, und es ist אמיה statt אמרה zu lesen, da 447 der Aussteller noch nicht Rabb. von Nikolsburg war]; ferner Bibl. Friedland., Heft III, Nr. 1847.

7. ויקהל משה, Wajakhel Moscheh, Kabbalistisches Lehrbuch von Moses b. Menahem Graf, mit einem Kommentar Masweh Moscheh zur Emanationslehre des Sohar. Mit Einleitung und Bemerkungen des Vorbeters Samuel b. Salomon Cohen aus Ung. Brod.

Dessau 1698, 4°, Bll. 14+58 [Approbationen, Vor= reden, Einleitung + Kommentar und Lehrbuch].

Der Druck wurde begonnen in der ersten Woche des Dezember 1698.

Z. Bb. oben S. 169 ff. und R. R. S. 872.

8. זית רענן, Sajith Raanan, Kommentar zum Jalkut von Abraham Abele b. Chajim Gombiner, mit voran= geschickten Predigten über einen Teil der Genesis (bis einschl. Wochenabschnitt Chaje Sarah) unter dem Titel Schemen Sason.

Dessau 1704, 2°, Bll. (2) + (9) + 80 [Approbationen und Vorwort + Schemen Sason + Kommentar; die Pagi= nierung beginnt mit 3, die beiden Schlußbll. sind falsch paginiert].

Approbiert von Schemaja b. Abraham Issachar Baer, Rabb. in Berlin, 1. Tebeth 464; Arje Je= huda Loeb b. Moses, Rabb. in Glogau, dat. Ber= lin, 29 Kislev 464: Benjamin Seeb Wolf b. Sa= muel Darschan aus Lublin, Rabb. in Dessau, 3. Tebeth 464.

Gedruckt auf Kosten des Moses Benj. Wulff in Dessau und des Michel Abraham in Berlin. Vorwort vom Korrektor Naftali Hirsch b. Jirmija aus Berlin.

Z. Bb. oben S. 173.

9. חינוך קטן, Chinnuch Katon, Hebräisches u. jüdisch=deutsches
Vokabular zum Unterricht.

Dessau, o. J. [1698, nach dem Setzer zu schließen], 12⁰.

Z. Bb. Cat. Bodl. Nr. 3542.

10. חק יעקב, Chok Jakob, Kommentar zu den Vorschriften des
Schulchan Aruch über das Passahfest, von Jakob b.
Josef Reischer. Mit Anhang unter dem besonderen
Titel סולת למנחה ושמן למנחה, Soleth la=Minchah
we=Schemen la=Minchah, Ergänzung und Verteidi=
gung früherer Werke des Verfassers durch ihn und
seinen Sohn Simeon; der letztere benutzt hierbei eine
im Besitz seines Schwiegervaters Chajim b. Nathan
— Friedland in Prag befindliche Handschrift des Lip=
mann Heller.

Dessau 1696, 4⁰, Bll. 100 [Bl. 80 Titelblatt von
Soleth la=Minchah].

Approbiert von Benjamin Wolf b. Aron Simeon
Spira, Landrabb. von Böhmen, 22. Adar I. 456;
Josef b. Jakob Reischer, o. D.

Vorwort des Verfassers und Verzeichnis der Abkür=
zungen. Vor dem Anhang Vorwort des Verfassers u.
seines Sohnes.

Z. Bb. oben S. 165 f. und Fürst, Bibl. Jud. III, 148 f.

11. סדר מצוה נשים, Seder Mizwoth Naschim, Religiöse Vor=
schriften für Frauen, zusammengestellt von Benjamin
b. Abraham Slonik aus Grodno, mit einem An=
hang Berith Melach, über das Fleischsalzen.

Dessau 1699, 8⁰.

Z. Bb. Cat. Bodl. Nr. 4543, 7. Fehlt bei Benjacob.

12. סולת למנחה, Soleth la=Minchah we=Schemen la=Min=
chah s. Chok Jakob.

13. סליחות, Selichoth, Bußgebete für alle Buß= und Fasttage
nach polnischem Ritus; im Anhang Gebete für den Be=

schneidungstag und Bußgebete des Abigdor Kara aus
Prag und seines Sohnes Abraham.

Dessau 1696, 4⁰, Bll. 92 [Anhang von Bl. 85 ab].
Z. Bb. oben S. 164 u. Cat. Bodl. Nr. 2864. Fehlt
bei Benjacob.

14. עיון תפלה, Ijjun Tefillah, Bittgebete in Zeiten der Not von
Chajim Raschpitz, auf Befehl des Joel Sirkes für
die Ijjun Tefillah benannte Abteilung der frommen
Bruderschaft verfaßt, und zwei tägliche Gebete.

Dessau 1699, 8⁰, Bll. 10.

15. — — Dasselbe in jüdisch-deutscher Uebersetzung.

Dessau 1699, 8⁰, Bll. 8.
Z. Bb. Cat. Bodl. Nr. 4707, 4 und 6. Die von
Wolf, Bibl. Hebr. III. 620b, erwähnte Ausgabe von 1701
ist wohl identisch mit der Ausgabe Nr. 14.

16. קינות, Kinoth, Trauergebete für den Fasttag der Zerstörung
des Tempels nach polnischem Ritus, mit Kommentar des
Ascher b. Josef und Zusätzen des Chajim b. Moses
Lipschitz.

Dessau 1698, 4⁰.
Z. Bb. Benjacob, S. 528, Nr. 356.

17. — — Dieselben mit jüdisch-deutscher Uebersetzung des Arje
Jehuda Loeb b. Chajim aus Dessau.

Dessau 1698, 4⁰, Bll. 48 [die beiden ersten Bll. enthalten Approbationen und eine hebräische, sowie eine gereimte
jüdisch-deutsche Vorrede des Uebersetzers; auf dem letzten
Blatt ein Trauergebet aus Jerusalem, dessen Rezitierung
von R. Loeb in Prag angeordnet worden]. Zum zweiten
Mal aufgelegt 1701.

Approbiert von Schemaja b. Issachar Baer, Rabb.
in Berlin und der Mark, 20. Elul 457 und Benjamin
Seeb Wolf b. Samuel Darschan, Rabb. in Dessau,

25. Jjar 458 (Ueberſchrift: Rabb. in Smigrod, jetzt
berufen nach Deſſau).

Z. Bb. oben S. 164 und Cat. Bobl. Nr. 2983.

18. קרבן אהרן, Korban Ahron, Kommentar des Ahron Jbn
Chajim zum Midraſch Sifra, mit Kommentar Middoth
Ahron zu der Baraitha des Jsmael.

Deſſau 1742, 2°, Bll. (2)+20+260 [Approbationen,
Vorwort und Einleitung + Middoth Ahron und Jnhalts=
verzeichnis + Korban Ahron mit Schlußwort u. Stellen=
verzeichnis].

Doppeldruck. Korrektor: der Vorbeter Nathan.

Approbiert von Ezechiel b. Abraham Katzen=
ellenbogen, Rabb. in Hamburg=Altona=Wands=
beck, 1. Sivan 499; Baruch Rapaport, Rabb. in
Fürth, 28. Schebat 502; Arje Loeb, Rabb. in Amſter=
dam, 24. Tiſchri 501; dem Rabbinat zu Frankfurt
am Main: Joel Egers, Moſes Rapp Homburg,
Benjamin Wolff Turlach, Schneior Süßkind b.
Sanvil Stern, 4. Sivan 500; Zebi Hirſch b. Naf=
tali Herz, Rabb. in Halberſtadt, 19. Ab 499; Mor=
dechai Toteles, Rabb. in Berlin, 6. Niſſan 500;
Moſes b. Jakob Levi Brandeis, Rabb. in Mainz,
5. Tammus 502; David Fränkel, Rabb. in Deſſau,
19. Jjar 499.

Unterwegs abhanden gekommen ſind die Approbationen
der Rabbinen von Hannover, Worms, Koblenz,
Düſſeldorf, Bingen und Halle.

Z. Bb. oben S. 228 u. Fürſt, Bibl. Jud. I, S. 159.

19. קרבן העדה, Korban ha=Edah, Kommentar des David
Fränkel zur zweiten Ordnung, Moed, des jeruſalemiſchen
Talmuds, ſowie erläuternde Zuſätze unter dem Titel
Schejare Korban.

Deſſau 1743, 2°, insgeſamt Bll. 256.

3. Bb. oben S. 229 und R. R. S. 1115 + Anhang
Nr. 2339.

20. לחמו שמנה, Schemenah Lachmo, Sammlung von Vorträgen des Ascher Anschel b. Isaak in 2 Büchern zu
je 7 Abteilungen.

1. Buch, Festtagsvorträge: am Sabbath [Lechem Misch-
neh, 5 Kapp.], Passah [Lechem Ani, 2 Kapp.], Schabuoth
[Lechem ha-Bikkurim, 2 Kapp.], Sukkoth [Lechem Setarim,
2 Kapp.], Rosch ha-Schanah [Lechem ha-Schamajim, 2 Kapp.],
Chanukah [Lechem Schemen, 2 Kapp.], Purim [Lechem
Chamudoth, 2 Kapp.].

Dessau 1701, 4⁰, Bll. 38 [die 4 ersten Bll. enthalten
Approbationen, Gedicht, Vorrede und Dankbezeugung des
Verf., die beiden letzten Bll. Verzeichnisse (Lischna Tob) der
erörterten Fragen, Stellen, Bibelverse und tannaitischen
Diskussionen, endlich zwei Ergänzungen vom Verf. und
seinem Sohne Israel].

2. Buch. Gelegenheitsvorträge: bei Beschneidungen
(Lechem Kodesch, 3 Kapp.), Auslösung des Erstgeborenen
(Lechem Abirim, 1 Kap.), Konfirmierung (Lechem ha-
Panim, 1 Kap.), Hochzeiten (Lechem ha-Tamid, 2 Kapp.),
Ordination (Lechem Rab, 1 Kap.), Trauergedächtnissen
(Lechem Dim' ah, 11 Kapp.) und Reden über Auferstehung
der Toten (Lechem Jomim, 2. Kapp.).

Dessau 1701 (beendet 3. Tebeth 461 = 14. Dezemb.
1700 n. St.), 4⁰, Bll. 30 [die zwei ersten Bll. Vorwort,
die zwei letzten Verzeichnisse wie oben und ein Nachtrag].

Das Ganze ist approbiert von Arje Jehuda Loeb,
Rabbiner in Krakau, dat. Synode zu Jaroslau,
1. Cheschwan 458; Naftali b. Isaak Cohen, Rabb. in
Posen, dat. Jaroslau 24. Tischri 455; Mordechai
Süßkind b. Moses Rotenburg, Rabbiner in
Lublin, 1. Tammus 460; Josef b. Moses Levi,

Rabbiner in Przemyśl, 30. Kislev 458 (die Approbation
hat 457, Dienstag, Neumond Cheschwan, was unmöglich
ist); Jekutiel b. Hosea Ahron, Rabb. in Wladymir,
dat. Synode Jaroslau, 1. Cheschwan 456; Saul,
Rabb. in Krakau, dat. auf einer Synode, 1. Cheschwan
460; Secharjah Mendel b. Arje Loeb, Rabbiner in
Belshize, 12. Adar I 456; Mordechai b. Benjamin
Wolf Günzburg, Rabb. in Brześc, dat. Ostrog auf
einer Hochzeit, 21. Schebat 443; David b. Abraham
Oppenheim, Rabb. in Nikolsburg und Mähren
(nachträgl. Überschrift: und gewählt für Brześc),
1. Kislev 461; Isaak Meir b. Jona, Rabb. in Pinsk,
dat. Synode zu Jaroslau 459; Jehuda Loeb b.
Moses, Rabb. in Glogau, 10. Ab 460; Schemaja b.
Abraham Issachar Baer, Rabb. in Berlin, 2. Elul
460; Benjamin Seeb Wolf b. Samuel Darschan,
Rabb. in Dessau, 15. Tebeth 460.

     3. Bb. oben S. 171 ff.

21. שער ציון, Schaare Zijon, Asketisch-kabbalistische Erläuterungen zum Gebetbuch, als Anhang zu demselben,
in 7 Pforten von Nathan Nata b. Moses Hannover,
Schüler des Kabbalisten Moses Cordovero in Jassy.
Dessau 1696 und (2. Auflage) 1700, 16°, Bll. 36+
80 |Gebetbuch mit unpunktiertem Text+Schaare
Zijon|.
     3. Bb. Cat. Bodl. No. 2210 und 6637, 12
und 13.

22. סדר תהלים, Seder Tehillim, Psalmen, eingeteilt für die
Wochentage, als Anhang zum Gebetbuch gedruckt.
Dessau 1696, 4°, Bll. 350—385 des Gebetbuchs unter
besonderem Titelbl.

23. —, Dieselben mit jüdisch-deutscher Übersetzung (Elia
Levitas).

Dessau 1696, 4⁰, Bll. 325—393 des Gebetbuchs unter
besonderem Titelbl.

Z. Bb. Cat. Bodl. No. 685.

24. מגילה מס׳ תלמוד, Talmudtraktat Megillah, Text mit
Raschi, Tosafoth und den angehängten Novellen des
Samuel Edels und Salomo b. Abereth. Taschen=
ausgabe.

Dessau 1742, 4⁰, Bll. 76 [Paginiert: 1—45; von Bl.
2 an Doppelblätter, den Folioausgaben des Talmuds
entsprechend].

Z. Bb. oben S. 229. Fehlt in den bibliographischen
Handbüchern.

25. תפילה, Tefillah, Gebet, täglich am Abend und Morgen zu
sprechen.

Dessau 1698, 8⁰, Bll. 2.

Z. Bb. Benjacob S. 660, No. 733, wozu jedoch Cat.
Bodl. No. 3339 zu vergleichen ist.

26. הפלה למשה, Tefillah le=Mojcheh, Gebetbuchausgabe
nach polnischem Ritus mit jüdisch=deutscher Übersetzung
des Abigdor Sofer aus Eisenstadt und sämtlichen
zum Gebetbuch gehörigen Anhängen, u. a. Paraschijoth,
Pesach=Haggadah, Jozeroth, Selichoth, die genannte Psalmen=
ausgabe und Seder Maamaboth, die beiden letzteren mit
besonderen Titelblättern, und einem Anhang jüdisch=deutscher
Gebete für Frauen, Techinnoth, die letzten darunter mit
dem Sondertitel Minchath Ani.

Dessau 1696, 4⁰, Bll. 426+18 [Gebetbuch+Techinnoth].

Z. Bb. oben S. 163 und Cat. Bodl. No. 2207ᵇ.

27. — —, dasselbe ohne Anhänge, abschließend mit Debarim
schebi=Keduschah (Ersatzgebete).

Dessau 1696, 8⁰, Bll. 139.

Z. Bb. Cat. Bodl. No. 2207.

16*

28. — —, dasselbe mit Anhängen, aber ohne jüdisch-deutsche
    Übersetzung und ohne Frauengebete.
    Dessau 1696, 8⁰, Bll. 449.
    Z. Bb. Cat. Bodl. No. 2207 c.

29. — —, dasselbe wie No. 28, aber ohne Psalmen und
    Maamaboth.
    Dessau 1696, 12⁰, Bll. 225.
    Z. Bb. Cat. Bodl. No. 2207 d.

30. — —, dasselbe ohne Anhänge und ohne Übersetzung.
    Dessau 1698, 8⁰, Bll. 56 (unpaginiert).
    Z. Bb. Cat. Bodl. No. 2221.

31. — —, dasselbe mit einem Teil der Anhänge.
    Dessau 1699, 16⁰, Bll. 378.
    Z. Bb. Cat. Bodl. No. 2225.

32. תפלה לעני, Tefillah la-Ani, Buß- und Bittgebete, darunter
    besondere für Frauen, in jüdisch-deutscher Übersetzung.
    Die Bußgebete, als Auszug aus dem Werke Scheue
    Luchoth ha-Berith des Jesaja Hurwitz, auch unter dem
    Titel Widduij ha-gadol.
    Dessau 1698, 8⁰, Bll. 6 (unvollst.).
    Z. Bb. Cat. Bodl. No. 3345 und Steinschneider in
    Serapeum 1848, unter No. 55 a. Fehlt bei Benjacob.

33. תפלה לשבים Tefillah le-Schabim, Bußgebete mit jüdisch-
    deutscher Übersetzung, vom Vorbeter Nathan Nata aus
    Proßnitz.
    Dessau o. J., 8⁰, Bll. 28 (nach Fürst, Bibl. Jud. I,
    S. 168, wenn nicht dort eine Verwechslung mit den
    Bll. der nachfolgenden Schrift vorliegt).
    Z. Bb. Fürst das. und Benjacob, S. 661, No. 746.

34. תפלה יכ"ק, Tefillath Jom Kippur Katon und Tikkun
    Arbith, Gebete für den Rüsttag zum Neumond und

Abendpfalmen, mit deutscher Übersetzung vom Vorbeter
Nathan aus Proßnitz.

Dessau o. J. [ca. 1697], 8⁰, Bll. 28.

3. Bb. Cat. Bobl. No. 2785 und Steinschneider in
Serapeum 1848, sub No. 86.

35. תפלת עבודה הבורא, Tefillath Abobath ha-Bore, Gebet=
buchausgabe mit jüdisch-deutscher Übersetzung.

Dessau 1700, 8⁰, Bll. 112.

3. Bb. Cat. Bobl. No. 2232.

36. תפלת ר' יהודה, Tefillath R. Jehuda, Gebet über das Er=
scheinen des Messias von Jehuda Chasib aus
Dubno.

Dessau o. J. [1699], 8⁰.

3. Bb. Cat. Bobl. No. 5702.

37. סדר תקון ערבית, Seder Tikkun Arbith, Abendgebet für die
Synagogengemeinde Halberstadt.

Dessau 1697, 12⁰, Bll. 3.

3. Bb. Cat. Bobl. No. 2443. Fehlt bei Benjacob.

38. סדר תקון שבת ותפלה, Seder Tikkun Sabbath u=Tefillah,
Gebete und Vorschriften für den Sabbat. Unpunktierter
Text.

Herausgeber: Issachar Baer b. Abraham aus Kalisch
und Israel b. Moses aus Frankfurt a. D.

Dessau 1704, 12⁰, Bll. 120.

3. Bb. Cat. Bobl. No. 2253. Fehlt bei Benjacob.

39. תקון השלחן, Tikkun ha=Schulchan, Tischgebete für die
einzelnen Wochentage mit hebräischen und jüdisch-deutschen
Einleitungen und jüdisch-deutschen Vorschriften. Dazu:
ברכת הנהנין, Birkoth ha=Nehenin, Segensprüche beim
Genuß, mit jüdisch-deutschen Vorschriften vom Thora=
schreiber Arje Loeb aus Dessau.

Dessau [1701], 12⁰, Bll. 30+17.

3. Bb. Cat. Bobl. No. 2629. Fürst, Bibl. Jud. I S. 397 ist nach Cat. Bobl. a. a. O. zu berichtigen.

B. Halle.

40. הגהות וחדושים, Hagahoth we = Chibbuschim, Glossen und Novellen von David b. Samuel zu seinem Werk Ture Sahab, nach des Verfassers Handschrift zum Druck gegeben durch den Sohn des Besitzers derselben, Meir b. Selig aus Kalisch.

Beginnt beim 17. Paragraphen des ersten Kapitels von den Schlachtungsregeln.

Halle 1710, 8⁰, Bll. 7.

3. Bb. Fürst, Bibl. Jud. I, S. 201, Cat. Bobl. No. 4844 und Zedner, Catalogue S. 202.

41. הלכות שחיטה וביבקה Hilchoth Schechitahu = Bebitah, Schlachtungsregeln von Jakob Weil mit den Glossen des Zebi b. Isaak und einer kurzen Zusammenfassung in jüdisch=deutscher Sprache.

Halle 1710, 4⁰.

3. Bb. Cat. Bobl. No. 5631, 54 (wo zu bemerken, daß das Wort אהל"י selbstverständlich auf Halle hin= weist). Fehlt bei Fürst, Bibl. Jud. III, 499.

42. זרע ברך שלישי, Sera Berach Schelischi, Predigten über die Genesis nach vierfacher Auslegung von Berechja Berach, dem Jüngeren.

Halle 1714, 2⁰, Bll. (1) + 37.

3. Bb. oben S. 187, Cat. Bobl. No. 4504, 1 und R. R. S. 160 + Anhang No. 538.

43. ליד, Ein nei Lied bun der großen Serefoh zu Altona, Klagelied auf den großen Judengassenbrand zu Altona am 20. Cheschwan 472 = 2. November 1711.

Halle 1712, 8⁰, Bll. 4.

3. Bb. Cat. Bobl. No. 3699.

44. — —, Ein nei Klaglied vun der großen Sereſoh zu
Frankfurt, Klagelied auf den großen Judengaſſenbrand zu
Frankfurt am Main am 24. Tebeth 471 = 15. Januar
1711. Nach der Melodie von Haman im Ahasverſpiel,
in alphabet. und akroſtich. Verſen verfaßt von David
b. Schemaja Saugers [Schweigers] aus Prag.

Halle o. J. [1712], 8⁰, Bll. 4. Bloßer Nachdruck der
Erſtausgabe Frankfurt 1711.

Z. Bb. Cat. Bodl. No. 3647; vgl. auch Horovitz,
Frankf. Rabbinen II, 73.

45. נקי לשון, Laſchon Naki, hebräiſcher Briefſteller, Stilregeln
und 30 aus dem Werk Leſchon Arummim entliehene Ein-
leitungsformeln, von Joſef b. David Tebele Bloch
Rakower, Rabb. in Eibeſchütz.

Halle 1713, 8⁰, Bll. 36 [Unpaginiert; Bl. 1 Titel
ohne Verzierung und Vorwort; von Bl. 32 an die Ent-
lehnungen].

Z. Bb. Cat. Bodl. No. 5980, 3 und Steinſchneider
bibliogr. Handbuch No. 1614. Die Ausgabe fehlt be
Fürſt, Bibl. Jud. III S. 129.

46. כסלו בט״ו סליחות Selichoth, Bußgebete für die fromme
Bruderſchaft zu Halberſtadt an ihrem Stiftungstage,
dem 15. Kislev, gedruckt im Auftrag ihrer derzeitigen
Vorſteher Liebermann Speier aus Metz und Uri
Phöbus.

Halle 1709, 8⁰, Bll. 14.

Z. Bb. Cat. Bodl. No. 2939. — Zedner, Catalogue S.
473 und N. R. S. 726 + Anhang No. 1462 beſchreiben die
zweite Ausgabe Wandsbeck 1730, in welcher irrtümlicher-
weiſe die Jahreszahl der Hallenſer mit übernommen, und ſo
wiederum מחיה אתה anſtatt מתים durch den Druck hervorgehoben worden iſt.

47. פירוש המסורה, Peruſch ha = Maſſorah, Kommentar zur
Maſſorah von Jakob b. Iſaak aus Zausmer.
Gedruckt vom 7. bis 16. Juli 1711.
Halle 1711, klein 4⁰, Bll. 12.
Approbiert von Jomtob Lipmann Heller, Rabb.
in Krakau, und Elieſer b. Samuel Aſchkenaſi, Rabb.
in Opatow, dat. Kreisſynode zu Pinczow, Donnerſtag
Wochenabſchnitt Ekeb, Jahreszahl הקרש, was aber nicht,
wie Dembitzer, Kelilat Joſi II S. 90 und R. R. S. 514
haben, 409, ſondern 404 bedeutet, da die mit dieſen
Approbationen verſehene Ausgabe bereits 1645 zu Lublin
erſchien.
Z. Bb. ſ. Anhang Note V, 5, Cat. Bodl. No. 5634,8, Fürſt,
Bibl. Jud. III, S. 545 und Benjacob S. 469, No. 408.

48. שבות יעקב ש'ות', Schebuth Jakob, Gutachtenſammlung von
182 Gutachten des Jakob Reiſcher zu den vier Teilen
des Schulchan Aruch, und Anhang Peër Jakob, Novellen
zu den Talmudtraktaten Berachoth, Baba Kamma, Ketu=
both und Gittin.
Halle 1709, 2⁰, Bll. (2) + 81 + 13 [Titel, Approba=
tionen, Vorwort des Verfaſſers und Verlegers, Verzeichnis
der Abkürzungen + Gutachten und von Bl. 72 ab aus=
führliches Inhaltsverzeichnis + Novellen und Verzeichnis
der Druckfehler und Auslaſſungen].
Von den Gutachten behandeln No. 1—42 Orach Chajim,
No. 43—91 Joreh Deah, No. 92—132 Eben ha = Eſer,
No. 133—182 Choſchen Miſchpat.
Z. Bb. oben S. 181ſ. und R. R. S. 959 + Anhang
No. 2015 [S. 959 iſt die Jahreszahl der Approbation
des Benjamin Wolf Spira, 469, zu ergänzen].

49. תלאות משה, Telaoth Moſcheh oder Weltbeſchreibung be=
titelt, in jüdiſch=deutſcher Sprache abgefaßt vom Verleger
Moſes b. Abraham Abinu, beſonders Erzählungen

über die zehn Stämme enthaltend, die aus verſchiedenen Werken zuſammengeſtellt ſind.

Halle (הנטה משם והלאה) 1712, 8⁰, Bll. 24.

Z. Bb. Cat. Bodl. No. 6414, Fürſt, Bibl. Jud. II S. 392, Benjacob S. 651.

50. תלמוד מס׳ביצה, Talmudtraktat Bezah, mit Raſchi und Toſafoth.

o. O. [Halle] 1714, 2⁰, Bll. 40.

51. חגיגה — —, Talmudtraktat Chagigah, desgleichen.

o. O. u. J. [Halle 1714], 2⁰, Bll. 27.

52. מגילה — —, Talmudtraktat Megillah, desgl.

Amſterdam-Halle 1714, 2⁰, Bll. 32.

53. מכות — —, Talmudtraktat Makkoth, desgl.

Amſterdam-Halle 1714, 2⁰, Bll. 24.

54. ראש השנה — —, Talmudtraktat Roſch ha-Schanah desgl.

o. O. [Halle] 1712, 2⁰, Bll. 34.

Z. Bb. oben S. 185 und Cat. Bodl. No. 1598, 1616, 1758, 1741 und 1833.

55. תפלה למשה, Tefillah le-Moſcheh, Gebetbuchausgabe nach polniſchem Ritus mit jüdiſch-deutſcher Überſetzung und ſämtlichen Anhängen, ſowie Gebeten für die Frauen. Dieſelbe Ausgabe wie Deſſau 1696.

Halle 1710, 4⁰, Bll. 245 + 12 [Gebetbuch + Frauen-gebete].

Z. Bb. oben S. 181 u. 184 und Cat. Bodl. No. 2290.

Über die angebliche Ausgabe Halle 1714 ſ. oben S. 186, Anm. 2.

C. Cöthen.

56. ארחת צדיקים, Orchoth Zaddikim, Anonymes Sittenbuch in 28 Pforten; im Anhang alphabet. geordnete Beſtimmungen über die Genußſegensſprüche, Birkoth ha-Nehenin, und das Tiſchritual, Derech ha-Seudah und Tikkun

ha=Sëudah, sowie häufig gebrauchte Segenssprüche und
Gebete.

Neu aufgelegt auf Veranlassung eines Anonymus.

Cöthen, 1718, 12⁰, Bll. (6) + 138 [Vorwort des
Verlegers und Verfassers + Sittenbuch; von Bl. 110 ab
der Anhang].

57. דרך הקדש, Derech ha=Kodesch, Grammatik der hebräischen
Sprache von Alexander Süßkind b. Samuel Sanvil
aus Metz. Eingeteilt in „Häuser"; das letzte Haus,
über Accente und Tonzeichen, in jüdisch=deutscher Sprache.
Als Beilage zwei große Tafeln.

Druck beendet in der dritten Woche des Dezember 1717.
Cöthen 1717, 4⁰, Bll. (2) + 50 und 2 Tabellen.

Z. Bb. oben S. 192 f., R. R. S. 56 + Anhang No.
414 und Bibl. Friedland., Heft III, No. 2476.

58. ספר החיים, Sefer ha=Chajim, Ritualbuch bei Krankheits=
und Todesfällen von Simon Frankfurter in Amster=
dam, in zwei Teilen mit besonderen Titelblättern. Erster
Teil in hebräischer, zweiter für die Frauen in jüdisch=
deutscher Sprache.

Im Anhang Sefer Refuoth, 52 Heil= und Sym=
pathiemittel.

I. Teil: Cöthen 1717, 8⁰, Bll. (12) + 76 [Approba=
tionen, Vorreden, Gebete und Grabschriften, Inhaltsver=
zeichnis u. s. w. + Ritualbuch].

II. Teil: daselbst, 8⁰, Bll. 62 + (1) [Ritualbuch, von
Bl. 57 an Sefer Refuoth + Inhaltsverzeichnis].

Z. Bb. oben S. 190 und R. R. S. 383 + Anhang
No. 607.

59. ראש יוסף, Rosch Josef, Deraschaartige Erklärungen zu
halachischen und hagadischen Talmudstellen von Josef
b. Jakob aus Pinczow.

Cöthen 1717, 2⁰, Bll. (1) + 67 [Approbationen + Vorrede und Rosch Josef; am Schluß Inhaltsverzeichnis].
Der Druck war beendet Ende Juli 1717.

Approbiert von Saul, Rabb. in Krakau und Synodal= vertreter für Brześć, Simcha Cohen Rapaport, Rabb. in Grodno, Jsaak Meir, Rabb. in Pinsk, Hillel Levi, Rabb. in Wilna, Salomon aus Zolkiew, Rabb. in Sluzk, jämtl. dat. Synode zu Selez, 26. Schebat 460; Arje Jehudah Loeb, Rabb. in Brześć, 11. Tammus 461; David Oppenheim, Rabb. in Nikolsburg, 7. Tammus 462; Moses Seeb Wolf b. Jüdel, Rabb. des Oberkreises Minsk, 24. Tischri 461; Abraham Broda, Rabb. in Prag, 7. Ab. 462; Benj. Wolf Spira, Rabb. in Prag, 7. Ab 462; Jakob b. Josef [Reischer], Rabb. in Prag [Überschrift aus der Zeit des Drucks: Rabb. in Worms], 6. Ab 462; Elia Spira, zum Rabb. von Tykoczyn berufen, 12. Ab 462; Jechiel Michel b. Jehuda Loeb, Rabb. in Berlin, 24. Nissan 477; Josef Jsaak b. Gerson, Rabb. in Dessau, 13. Tammus 477.

Z. Bb. oben S. 190f.

D. Jeßnitz.

60. אהלי יהודה, Ohole Jehudah, Hebräisches Wörterbuch mit Wurzelerklärungen von Jehuda Arje Loeb b. Zebi Hirsch aus Carpentras, in zwei Teilen Schem Olam und Jad wa=Schem.

Doppeldruck.

Jeßnitz, 1719, 4⁰, Bll. (4) + 56 [Approbationen und Vorreden + Wörterbuch, paginiert 2—57; von Bl. 46 an Jad wa=Schem].

Approbiert von Moses b. Abraham Broda, Rabb. in Hanau und gewählt für Tykoczyn [Überschrift aus

der Druckzeit: jetzt berufen nach Bamberg], 13. Ab 478;
Zebi Hirsch b. Meir aus Saslaw, Vater des Ver=
fassers, dat. auf dem Scheidewege Amsterdam 7. Ab 472;
Jakob Abramskriek in Grodno, Bruder des Verfassers,
jetzt berufen als Rabb. nach Polangen (?) in Samo=
gitien. Im Doppeldruck anstelle der Approbation des
Moses Broda diejenige des Schneior Phöbus Reit
Rabb. in Witzenhausen und Hessenland, 4. Elul 478.
5. Mai 1722.

Z. Bb. oben S. 197, N. N. S. 620 + Anhang No. 65
und Bibl. Friedland., Heft I No. 335.

61. אלדר הדני, a) Reisebericht des Eldad ha=Dani, b) Anfrage
der Bewohner von Kairowan an den Gaon Zemach über
Eldad ha=Dani, darin der Schlachtritus der Zehnstämme,
c) Antwort des Zemach, d) Lied und Jalkuterklärung
des jetzigen Herausgebers Naftali Herz, Sohnes des
Grammatikers Asriel aus Wilna.

Jeßnitz 1722, 12⁰, Bll. 12.

Die Herausgabe war schon in Konstantinopel durch
Naftali Herz beabsichtigt und von den dortigen Rabbinen
approbiert. Die Angabe auf dem Titelblatt, dies sei seit
Konstantinopel 1516 die zweite Ausgabe, ist irrig; s. Ben=
jacob S. 36, No. 687. Der Druck war beendet am
Z. Bb. oben S. 201, Cat. Bodl. No. 4934,2, Fürst,
Bibl. Jud. I S. 230, Zedner, Catalogue S. 217.

62. — —, Dasselbe im Auszug und in jüdisch=deutscher Sprache.

Jeßnitz 1723, 8⁰, Bll. 8.

Z. Bb. Cat. Bodl. 4934, 6.

63. ביתתפלה Beth Tefillah, das Gebetbuch, mit grammatikalisch
korrigiertem Text und grammatikalischen Noten heraus=
gegeben von Salomon Salman Hanau b. Jehuda
Loeb.

Gedruckt auf Kosten des Moses Assur in Halle.

Jeßnitz 1725, 8⁰, Bll. 80. [Die beiden ersten Bll.
enthalten Approbationen, Dankbezeugungen und Vorwort
des Verfassers].

Z. Bb. oben S. 208 ff. und R. R. S. 715 + Anhang
No. 274.

Über den Anhang Schaare Tefillah s. hier weiter No. 97.

64. — —, Dasselbe nach der Ausgabe der Grammatiker Asriel
und Elia aus Wilna mit Psalmenausgabe und einem
Kalender für 15 Jahre (bis 5500 jüd. Zeitr.).

In Unterbrechungen gedruckt. Auf Grund der Aus=
gabe Frankfurt 1709, nicht wie irrtümlich angegeben, 1714.

Jeßnitz 1726, 8⁰, Bll. 232. [Die Psalmen sind mit
eigener Paginierung vor Bl. 70 eingeschoben].

Z. Bb. Cat. Bodl. No. 2364 und oben S. 212.

65. נפן יהידית Gesen Jechidith, Moralbüchlein in Poesie und
poetischer Prosa von Seeb Wolf b. Jehuda Loeb aus
Rosienicz. Am Schluß Lieder mit jüdisch=deutscher
Übertragung. Im Anhang לוח ה״חיים, Luach ha=
Chajjim, Gesundheitslehre von Chajim b. Benjamin
Bochner aus Krakau.

Gedruckt im Auftrag des Lehrers Jakob b. Chanoch
Henoch b. Abraham b. Moses, vertrieben aus
Posen.

O. O. [Jeßnitz] 1720, 16⁰, Bll. 42 [32+9+1: Gesen
Jechidith+Luach ha=Chajim+Schlußwort].

Z. Bb. Cat. Bodl. No. 7164, 3, R. R. S. 1060+
Anhang No. 358 und Bibl. Friedland., Heft III
No. 2011.

66. דברי חכמים, Dibre Chachamim, Sammelwerk, zusammen=
gestellt aus den ähnlichen Werken Likkute Schoschannim
und Assifath Chachamim, sowie aus Aussprüchen ver=
schiedener Gelehrten. Enthält zumeist Erklärungen zum

Pentateuch von Salman Gans in Hannover, ihnen
voraus= und nachgehend (Kuntras Rischon und Kuntras
Acharon) talmudische Novellen aus dem Munde ver=
schiedener zeitgen. Autoren.

Gedruckt im Auftrag des Abraham b. Elieser aus
Grillingen in Halberstadt.

Jeßnitz 1726, 12⁰, Bll. 60.

Das Titelbild enthält am Kopfe auch die Jahreszahl
1725, irrtümlich oder als Beginn des Drucks.

3. Bb. oben S. 212, R. R. S. 493+Anhang No.
373 und Bibl. Friedland., Heft III No. 2124.

67. דמשק אליעזר, Damesek Elieser, midraschartige Auslegungen
der Massora zum Pentateuch, den fünf Megilloth, den
ersten und großen Propheten, Psalmen, Sprüchen und
Hiob von Elieser b. Jehuda aus Pinczow.

Jeßnitz 1723, 4⁰, Bll. (4)+127+(3) [Approbationen
und Vorwort+Damesek Elieser+Verzeichnisse der Ab=
kürzungen, des Inhalts und der Druckfehler].

Druck beendet am 26. Januar 1723.

3. Bb. oben S. 202 f., R. R. S. 347+Anhang No.
396 (wo jedoch die Approbation des Zebi Hirsch b.
Naftali Herz, Rabb. in Halberstadt, ohne Dat.,
fehlt) und Bibl. Friedland., Heft III No. 2363.

68. זמירות ובקשות, Semiroth u=Bakaschoth, sechs akrostichische
Lieder für Sabbat, Chanukka, Purim und Schabuoth,
Gebete und Kinderrätsel vom Thoraschreiber Josef b.
Samuel Hanusch aus Ofen.

O. O. [Jeßnitz] 1725, 8⁰, Bll. 4 (unpaginiert).

Die bibliogr. Handbücher haben 1730 (Wandsbeck);
die Jahreszahl lautet aber: אֵי רֶ שְׁע הַֽי, also 485
und deshalb Jeßnitz.

69. חדושי דיני דגרמי, Chiddusche Dine de=Garmi, Abhand=
lungen über Ersatzpflicht und Zeugenaussagen von

Chajim Jona Theomim Fränkel, als Anhang der
Ausgabe des Jam schel Schelomoh zu Baba Kamma,
dann auch als Sonderabbruck auf den Markt gebracht.
Veröffentlicht durch Abraham Zoref Luria aus
Glogau.

Jeßniß 1723, 2°, Bll. 16 (unpaginiert).

Z. Bb. oben S. 204, Cat. Bodl. No. 5866 und
Monatsschrift 1898, S. 567. Fehlt bei Fürst, Bibl.
Jud. I S. 291, wo völlige Verwirrung in den Gene=
rationen und Personen herrscht.

70. חובות הלבבות, Choboth ha=Lebaboth, Herzenspflichten,
Moralphilosophie des Bachja Hen Pakuda, mit dem
Kommentar des Manoah Hendel und angehängtem
alphabetischem, doppelzeiligem Bußgebet aus dem Buche
Toledoth Isaak.

Jeßniß 1744, 8°, Bll. 170 [die Paginierung beginnt
fälschlich Bl. 70 nochmals mit 40].

Z. Bb. R. R. S. 131+Anhang No. 551. Fehlt bei
Benjacob.

71. הלקת מחוקק, Chelkath Mechokef, Kommentar des Moses
Alschech zu Hiob, mit Bibeltext und einem vom
Korrektor Zebi Hirsch b. Meir aus Janow zusammen=
gestellten kurzen Index.

Auf Kosten des Ruben b. Meir aus Dresden
gedruckt.

Jeßniß 1722, 2°, Bll. 42.

Z. Bb. oben S. 198, Cat. Bodl. No. 844 u. Zedner,
Catalogue S. 13.

72. חנוך קטן, Chinnuch Katon, Hebräisches und jüdisch=deutsches
Vokabular zum Schulgebrauch.

Auf Kosten des Jona b. Moses aus Sobrtin
gedruckt.

Jeßnitz, o. J., 12⁰.

Z. Bb. Cat. Bodl. No. 3543, Benjacob S. 195, Steinschneiders Bibl. Handb. N. 59. Die Angaben Wolfs, Bibl. Hebr. III, 839c und Fürsts, Bibl. Jud. II S. 104 sind zu berichtigen.

73. חק יעקב, Chok Jakob, Kommentar des Jakob Reischer zu den Vorschriften des Schulchan Aruch über das Passah= fest. Vermehrte und verbesserte Auflage der Ausgabe Dessau 1696, jedoch ohne die damaligen Anhänge, be= sorgt von R. Nachman b. Jechiel Michel aus Dessau.

Jeßnitz 1724, 4⁰, Bll. (4)+72 [Approbationen, Vor= wort des Verfassers, des Herausgebers vom 15. Adar (10. März) 1724, Abkürzungs= und Inhaltsverzeichnis +Kommentar mit Schulchan Aruch=Text].

Z. Bb. oben S. 206 und R. R. S. 572+Anhang No. 630.

74. ים של שלמה על ב"ק, Jam schel Schelomoh al Baba Kamma, Novellen und Abhandlungen des Salomon Luria zum Talmudtraktat Baba Kamma.

Zum Druck gebracht auf Veranlassung des Abraham Helen durch Abraham Zoref Luria aus Glogau. Im Anhang die Chiddusche Dine de=Garmi des Chajim Jona Theomim (s. oben No. 69).

Jeßnitz 1723, 2⁰, Bll. (2)+129 [Approbationen, Vor= rede des Korrektors Juda Arje Loeb b. Samuel Cohen, Vorwort des Verf.+Novellen, von denen Bl. 90—96 falsch paginiert sind; am Schluß eine Er= klärung des Moses Isserles und Gesetzesunterschiede zwischen Palästina und Babylonien].

Aus der ersten Auflage Prag 1615—1618 (s. R. R. S. 998+Anhang No. 723) sind entnommen: die Appro= bationen von Jesaja b. Abraham Hurwitz und

Salomon Ephraim b. Aron aus Leneczyez; ferner
Nachdruckverbot und Verkaufserlaubnis für Prag
(nach erfolgter ebensolcher Erlaubnis in Posen,
Mähren und Wien), unterzeichnet von Salomon
Ephraim b. Aron aus Leneczyez, Isaak b. Simson
Cohen, Moses b. David Levi, Mordechai b.
Elia Lipschitz, Jomtob Lipmann b. Natan Levi
Heller, ohne Dat.

Z. Bb. oben S. 204, Cat. Bodl. No. 6950,9.

75. ספר הכוונות, Sefer ha=Kawwanoth, Kabbalistische Be=
trachtungen über Gebete, Ceremonien und Festritualien
von Isaak b. Salomon Luria mit Ergänzungen durch
Petachja b. Josef aus Frankfurt a. M.

Gedruckt auf Kosten des Elia Wulff in Dessau.

Jeßnitz 1723, 4⁰, Bll. (2)+43+(1) [Vorrede des
Petachja+Kawwanoth+Dankbezeugung, Druckfehler und
Auslassungen; der erste Bogen hat statt Kawwanoth
Minhage als Überschrift].

Z. Bb. Cat. Bodl. No. 5386, 8, Fürst, Bibl. Jud. II,
259, Zedner S. 379 und Benjacob S. 237, No. 61
(nicht ganz korrekt).

76. כוונת תהלים, Kawwanoth Tehillim, Kabbalistische Be=
trachtungen über die Psalmen, nach Auszügen, besonders
aus Schaare Zion (s. oben bei Dessau No. 21).

Herausgegeben von Schalom Schechna b. Nahum
Kaydanower in Rokotnitz, aus der Familie Radon
in Wilna, Verfasser des Buches Meah Berachoth
(Praußnitz 1710).

Jeßnitz 1721, 12⁰.

Z. Bb. Cat. Bodl. No. 4069.

77. לוח ה"ק, Luach, Kalender für das Jahr 1740 mit Angabe
der Jahrmärkte. Im Anhang: gute Tage zum Ziehen
und Reisen, Heilmittel (Purgieren, Schröpfen, Baden),

ferner: „Wie sich der Mensch in etlichen Monaten ver=
halten soll, seine Gesundheit zu bewahren", Neumond=
begrüßung, Regeln für den Festtag=Begrüßungsspruch.
Jeßnitz 1740, 8⁰, Bll. (1)+11.
Als Beispiel für die jedenfalls häufigeren Jeßnitzer
Kalenderdrucke.

78. לוח החיים, Luach ha=Chajim s. Gesen Jechidith.

79. ליקוט שושנים, Likkute Schoschannim, Erklärungen zum Pen=
tateuch aus dem Munde zeitgenöss. Gelehrten, gesammelt
von Meir b. Levi aus Zolkiew und durch einige eigene
ergänzt.

Mit Erlaubnis des Verfassers durch seinen Verwandten
David Tebele b. Jakob innerhalb der Reservatfrist
der ersten Auflage neu veröffentlicht.

Jeßnitz 1722, 8⁰, Bll. 80 [teilweise doppelt und falsch]
paginiert].

Approbiert von Josua, Rabb. in Lemberg, Abra=
ham b. Mordechai, Rabb. in Zolkiew, Jehuda Loeb
b. Eliefer Levi [Öttingen], Klausrabb. in Lemberg,
sämtl. dat. Synode zu Zolkiew, 1. Adar 480; Ezechiel
b. Abraham Katzenellenbogen, Rabb. in Hamburg=
Altona=Wandsbeck, Zebi Hirsch b. Naftali Herz,
Rabb. in Halberstadt, Zebi Hirsch b. Asriel aus
Wilna, Rabb. in Olyka, sämtl. dat. Hamburg,
14. Tischri 482.

3. Vb. oben S. 201, Cat. Bodl. No. 6313 und Ben=
jacob S. 266, No. 306. Fürst, Bibl. Jud. II S. 344 hat
inkorrekte Angaben.

80. לקח טוב, Lekach Tob, Katechismus von Abraham Jagel
mit jüdisch=deutscher Übersetzung (des Jakob b. Matatia).
Jeßnitz 1719, 8⁰, Bll. 10 + 17.
3. Vb. oben S. 197 und Cat. Bodl. No. 4241, 14.

81. — —, Dasselbe, in hochdeutscher Übertragung nach der
lateinischen Übersetzung des Hermann von der Hardt.
Herausgegeben von Georg Kleßer.
Jeßnitz an der Mulde 1722, 8°, Bll. 64 deutscher Text.
Z. Bb. oben S. 200.

82. מורה נבוכים Moreh Nebuchim, Religionsphilosophie des
Moses Maimonides mit den Kommentaren des Schem=
tob, Efodi, Crescas, Chariſi's Kawwanoth, Jbn
Tibbons Fremdwörtererklärungen und einem Bibel=
ſtellenverzeichnis.
Auf Koſten des Natan Veitel aus Berlin und des
Seckel Ries aus Kremſier gedruckt.
Jeßnitz 1742, 2°, Bll. (1) + 125 [Titel, in manchen
Exemplaren mit lateiniſchem Huldigungsgedicht an die
Söhne des Fürſten Leopold von Deſſau, Vorrede des
Verlegers Jsrael b. Abraham und des Korrektors
Meſchullam Salman b. Chajim Levi aus Jeßnitz +
More Nebuchim: Bll. 1—5 Einleitungen, von Bl. 120
geht die Paginierung sogleich auf Bl. 123 über, dann
bis zum Schluß (Bl. 127 paginiert) die Verzeichniſſe und
Fremdwörtererklärungen; im Bibelſtellenverzeichnis iſt
Buch Hiob nach Kapiteln und Rednern geordnet, Buch
Eſther hat die Überſchrift Ahasverus!].
Z. Bb. oben S. 129 ff. und R. R. S. 861 + Anhang
No. 1013.

83. מעשה טוביה Maaſeh Tobiah, Encyklopädie der Naturwiſſen=
ſchaften und Medizin, auch Sefer Olamoth betitelt,
von dem Arzte Tobias Moſchides, mit zahlreichen
Figuren, sowie gloſſierenden Auszügen aus den Schriften
des Vaters des Verſ., Moſes Nerol.
Drei Abteilungen mit besonderen Titelblättern und
genauen Inhaltsverzeichniſſen.
I. Teil (ohne Spezialtitel) in 4 Büchern: Olam ha-
17*

Eljon, Metaphysik; Olam ha-Galgalim, Astronomie und
Naturgeschichte; Olam ha-Schafel, Erdkunde; Jessode ha-
Olam, Elemente. Bl. 1—69.

II. Teil, Olam Chadasch, in 3 Büchern: Erez ha-
Chadascha, Physiologie, Pathologie und allgemeine Heilkunde; Beth Chadasch, Anatomie und Chirurgie; Misch-
mereth ha-Bajith, Therapie und Hygiene. Bl. 70—102.

III. Teil, Olam ha-Asijah, in 3 Büchern: Gan Naül,
Gynäkologie; Pri Beten, Kinderkrankheiten; Majan
Chatum, Schwächen der Geschlechtsteile. Bl. 103—114.

Vor jedem einzelnen Buch besondere Einführungen.

Im Anhang die Pharmakologie: Pardes Rimmonim,
medizinische Botanik, und Arugath ha-Bosem, technisch-
medizinische Ausdrücke, besonders aus der Botanik.

Zum Schluß ein Auszug aus der Schrift des Vaters
über den Sohar.

Jeßniß 1721, 4⁰, Bll. (4) + 122 [Approbationen,
Vorwort des Verf. und des Korrektors Zebi Hirsch b.
Meir, Inhaltsverzeichnis zum ersten Teil + Maaseh
Tobiah, von Bl. 114 ab Anhänge und Inhaltsverzeichnisse].

In Doppelspalten gedruckt. Der Druck wurde begonnen
Ende Dezember 1720. Approbationen: a) diejenigen der
ersten Auflage Venedig 1708, s. dieselben bei N. R. S. 1124,
wo jedoch noch hinzuzufügen sind: die Belobigungsschreiben
von Salomon Kunian, Jakob b. Josef Gabriel Jona,
Isaak Chajim Cohen [Cantarini], Josef b. Abraham
Kochab, Daniel b. Moses Nachmu; b) neu approbiert von Jechiel Michel b. Jehuda Loeb, Rabb. in
Berlin, 8. Tebeth 481, Zebi Hirsch b. Naftali Herz,
Rabb. in Halberstadt, 22. Kislev 481, Josef Isaak
b. Gerson, Rabb. in Dessau, 26. Kislev 481.

Z. Bb. oben S. 199, Fürst, Bibl. Jud. III S. 29 und
Cat. Bodl. No. 7305.

84. מראות הצובאות, Mar'oth ha=Zob'oth, Kommentar des
Moses Alschech zu den späteren Propheten.

Herausgegeben von Isaak b. Kalonymus aus
Bjelgorai und Israel b. Abraham mit Unter=
stützung der Familie des Berend Lehmann in Halber=
stadt, Halle, Dresden und Wien.

Mit Zusätzen des Korrektors Zebi Hirsch b. Meir
aus Janow, darunter am Schluß eine religiöse Be=
trachtung des Moses Chasid aus Prag.

Jeßnitz 1720, 2⁰ Bll. (2) + 162 [Approbationen, Vor=
reden der Herausgeber und des Korrektors + Kommentar
mit Bibeltext; Bl. 113 und 114 sind doppelt].

Lateinische Kapitelnummern und =Überschriften. Der
Druck wurde begonnen Ende Dezember 1719.

Z. Bb. oben S. 197 f. und R. R. S. 193 + Anhang
No. 2410.

85. משנה תורה, Mischneh Thorah, die 14 Bücher des großen
Gesetzeswerkes von Moses Maimonides, in 4 Bänden,
mit sämtlichen Kommentaren der Ausgabe Amsterdam
1702/03 [s. deren bibliogr. Beschr. bei R. R. S. 866 +
Anhang No. 1291], dazu noch die Kommentare Lechem
Mischneh und Mischneh le=Melech, sowie Ergänzungen
des Kommentars Kessef Mischneh und Einfügung der
Stellennachweise in sämtliche Kommentare.

Herausgegeben auf Kosten des Salomon Fränkel
und seiner Angehörigen und unter Leitung des David
Fränkel. Korrektor: Aron Hirsch aus Halberstadt·
— —, Bd. I. Jeßnitz 1739, 2⁰, Bll. (9) + 234 + 102
+ (2) + (3) [Approbationen und Einleitung + 1., 2.
und drei Abschnitte des 3. Buches, stets mit Vorrede des
Maggid Mischneh beginnend + Rest des 3. Buches +
Figurentabelle mit 64 geometrischen Figuren, gestochen
von den Petschierern Josef und Uri Phöbus, Söhnen

des Abraham b. Josef, aus Berlin + Inhaltsver-
zeichnisse].

Druck beendet am 19. Elul = 22. September 1739.

Doppeldruck. Zur leichteren Unterscheidung desselben: Titelblatt des Druckes A beginnt mit den Worten
להמאור הגדול הגאון ישראל u. s. w. und hat nur 7 Approbationen; Titelblatt des Druckes B beginnt: להנשר הגדול הגאון
u. s. w. und zählt 8 Approbationen.

Alle späteren Bände haben Titelblatt B.

Approbiert von Jakob Cohen aus Prag, Rabb. in
Frankfurt am Main, 12. Ab 498; Baruch Cohen
Rapaport, Rabb. in Fürth, 27. Kislev 499; Josua,
Rabb. in Metz, o. D.; Ezechiel b. Abraham Katzen-
ellenbogen, Rabb. in Hamburg-Altona-Wands-
beck, 20. Sivan 498; Eleasar aus Krakau, Rabb. in
Amsterdam, 11. Schebat 499: Zebi Hirsch b. Naftali
Herz, Rabb. in Halberstadt, 19. Sivan 499; Samuel
Heilmann, Rabb. in Mannheim, 26. Tammus 498.

Im Doppeldruck außerdem die Approbation des Josua
Heschel b. Saul b. Heschel, Rabb. in Wilna, 1. Elul 498.

— —, Bd. II. Jeßnitz 1740, 2⁰, Bll. (1) + 148 + 112
+ (2) [Vorwort des Korrektors Aron Hirsch + 4. Buch
+ 5. Buch + Inhaltsverzeichnis].

— —, Bd. III. Jeßnitz 1741, 2⁰, Bll. (1) + 221 + 169
[Approbationen + 6., 7. und sechs Abschnitte des 8. Buches
+ Rest des 8. Buches, 9. und 10. Buch und Inhalts-
verzeichnis].

Approbiert von Arje Loeb b. Saul, Rabb. in
Lemberg und gewählt von Glogau, 24. Sivan 500;
Mordechai b. Zebi Hirsch, Rabb. in Lissa,
3. Adar 500; Moses b. Aron, früher Rabbiner in
Berlin, dat. Berlin 23. Elul 500; Gerson b.
Jechiel Landsberg, Rabb. in Friedberg,
22. Ab 500.

— —, Bd. IV. Jeßnitz 1742, 2⁰, Bll. (1) + 154 + 157 +
(1) [Approbationen, akrostichisches Lobgedicht auf Naftali
Hirsch Fränkel und Maggid Mischneh = Einleitung
zu Nesikin+11. 12. und ein Abschnitt des 13. Buches
+Schluß des 13. und das 14. Buch+Inhaltsverzeich=
nis und Schlußwort des Korrektors Meschullam
Salman b. Chajim Levi aus Jeßnitz]. Im
Wort קרא der Jahresbezeichnung ist nur das א mit=
zuzählen.

Approbiert von Isaak Selig b. Arje Jehuda
Loeb Karo, Rabb. in Hannover, 12. Adar 501,
und Israel, Rabb. in Hanau, 19. Adar 501.

Z. Bb. des ganzen Werkes oben S. 214 ff.

86. זר הקדש, Neser ha=Kodesch, Kommentar zum Midrasch
Rabba der Genesis von Jechiel Michel Glogau.
Mit dem Midraschtext.

Gedruckt auf Kosten des Behrend Lehmann in
Halberstadt.

Jeßnitz 1719, 2⁰, Bll. (6)+384+(7) [Approbationen,
Vorwort, Verzeichnis der Abkürzungen+Text und
Kommentar+Schlußworte des Verfassers und Ver=
legers, Druckfehler, Auslassungen und Inhaltsverzeich=
nis, schon von Bl. 384 ab].

Der Druck war beendet am 26. Adar = 17. März u.
St. 1719. Approbiert von Jakob ha=Cohen aus
Prag, Rabb. in Frankfurt a. M., 1. Adar II. 478;
Jechiel Michel b. Jehuda Loeb, Rabb. in Berlin,
24. Tebeth 478; Zebi Hirsch b. Naftali Herz, Rabb.
in Halberstadt, 5. Ab 478; Jehuda Loeb, Rabb. in
Glogau, 14. Adar I. 478; Salomon b. Jakob Aelyon,
Rabb. der Sefardim in Amsterdam, 18. Adar II.
478; Abraham b. Juda, Rabb. der Aschkenasim in
Amsterdam, 18. Adar II. 478; Josef Isaak b.

Gerson, Rabb. in Dessau, 12. Adar 479; Ezechiel
b. Abraham Katzenellenbogen, Rabb. in Hamburg-
Altona-Wandsbeck, I. Tammus 478.

3. Bb. oben S. 195f.

87. נחמד ונעים, Nechmad we-Naim, Lehrbuch der Astronomie
und mathematischen Geographie von David Gans, eingeteilt in 305 Paragraphen und 12 Kapitel mit genauen
Inhaltsangaben. 58 Abbildungen.

Herausgegeben von Joel b. Jekutiel aus Glogau.
Angehängt ist ein lateinisches Referat über das Buch von
Jo. Chr. Hebenstreit, Professor in Leipzig. Ge-
druckt auf Kosten von Baer Heß in Halberstadt.

Jeßnitz 1743, 4⁰, Bll. 82+20 [Bl. 1 Vorwort des
Herausgebers, Bl. 2—7 Inhaltsverzeichnis, von Bl.
8 ab Nechmad we-Naim+Referat von Hebenstreit].

3. Bb. oben S. 222f. und R. R. S. 303+Anhang
No. 1349.

88. עטרת צבי, Atereth Zebi, Kommentar zum vierten Teil des
Schulchan Aruch, Choschen Mischpat, von Zebi Hirsch
b. Asriel aus Wilna, mit angehängter Gutachtensammlung desselben.

Gedruckt auf Kosten der Familie Assur in Halle, des
Meir b. Salomon aus Kalk und des Aron Sturm
in Halberstadt.

Beginn des Drucks: Mitte August 1722. Korrektor:
Zebi Hirsch b. Meir aus Janow.

Jeßnitz 1722, 2⁰, Bll. (2)+167 [Approbationen und
Einleitung+Kommentar und von Bl. 154 an Gut-
achtensammlung].

Approbiert von Zebi Hirsch b. Ascher, Rabb. in
Luzk, 3. Tebeth 481; Eleasar aus Krakau, Rabb.
in Brody, 13. Tebeth 481; Mordechai b. Zebi Hirsch,
Rabb. in Lissa, 1. Tebeth 482: Jesaja b. Nathan

Nata aus Krakau, Rabb. in Kowel, dat. Turist,
8. Sivan 481; Secharja b. Jekutiel, Klaus=Rabb.
in Olyka, 2. Kislev 481; Zebi Hirsch b. Naftali
Herz, Rabb. in Halberstadt, 1. Tebeth 482;
Naftali Cohen aus Prag, Rabb. in Glogau,
12. Tammus 481; Saul b. Jakob aus Wladimir,
Rabb. in Berestetschko, 4. Adar 481; Moses b.
Isaak, Rabb. in Turist, 8. Sivan 481; Moses b.
Hillel, Prediger und erster Rabbinatsassessor in
Wilna, dat. Breslau, 1. Tammus 481.

Z. Bb. oben S. 202.

89. פועל צדק, Poël Zedek, die 613 Vorschriften der Thora, für
den Tagesgebrauch zusammengestellt von Sabbatai b.
Meir Cohen.

Auf Kosten des Moses Benjamin Wulff in Dessau
veröffentlicht aus einer Handschrift im Besitz des David
b. Dan aus Mohilew in Rzeszow, eines Schwieger=
sohnes der Tochter des Verfassers.

Jeßnitz 1720, 12°, Bll. (4)+20 [Vorwort und Be-
glaubigung der Echtheit durch Isaak b. Moses
b. Sabbatai Cohen sowie Approbationen+Poël
Zedek].

Z. Bb. oben S. 199, R. R. S. 1039 und Fürst,
Bibl. Jud. II, 199.

90. קב הישר, Kab ha=Jaschar, Ethische und religiöse Betracht=
ungen von Zebi Hirsch Kaydanower, mit jüdisch-
deutscher Übersetzung. 1. Teil, 52. Kapitel.

Gedruckt auf Kosten des Israel b. Abraham in
Jeßnitz, des Setzers Moses b. Josef aus Dyhrenfurth, des David Tebele aus Zolkiew und teilweise
auch des Kalonymus Kalman b. Jehuda Loeb aus
Kalisch.

Jeßnitz 1725, 4°, Bll. (2)+90 [Approbationen, Vor-

wort des Verlegers und Verfassers+Kab ha-Jaschar].
Approbiert von Jechiel Michel b. Jehuda Loeb,
Rabb. in Berlin, 21. Tebeth 485, und Josef
Isaak b. Gerson, Rabb. in Dessau, 18. Schebat
485.

3. Bb. oben S. 207f. Fehlt in den bibliographischen
Handbüchern.

91. רב פנינים, Rob Peninim, Kommentar des Moses
Alschech zu den Sprüchen.

Gedruckt auf Kosten des Moses b. Jehuda Loeb
Cleve in Berlin und anderer Gönner daselbst.
Korrektor: Zebi Hirsch b. Meir aus Janow.
Jeßnitz 1722, 2⁰, Bll. 78 (von Bll. 75 ab alphabet.
Wortindex).
3. Bb. oben S. 197f. und R. R. S. 207.

92. רוח חן, Ruach Chen, Philosophische Terminologie, Einleitungsschrift zum Morch Nebuchim, dem Juda Jbn Tibbon
fälschlich zugeschrieben, mit Kommentar des Israel
Samoscz.
Jeßnitz 1744, 8⁰, Bll. (1)+32 [Vorrede des Verfassers
und Verlegers+Ruach Chen].
3. Bb. oben S. 225 und R. R. S. 619+Anhang
No. 1838.

93. אל רוממות, Romamoth El, Kommentar des Moses
Alschech zu den Psalmen.
Gedruckt auf Kosten der Familie des Berend Lehmann
in Halberstadt und Dresden. Korrektor: Zebi
Hirsch b. Meir aus Janow.
Jeßnitz 1721, 2⁰, Bll. (2)+130 [Vorwort des Verlegers, Approbationen, Vorrede des Sohnes des Ver-
fassers+Kommentar, Inhaltsverzeichnis und Nachwort
des Korrektors].

Approbationen aus Mar'oth ha-Zob'oth (f. R. R.
S. 193) und dazu diejenige des Zebi Hirsch b.
Asriel aus Wilna, Rabbinatsassessors in Olyka,
dat. Jeßnitz, 19. Ab 481.
Z. Bb. oben S. 197 f.

94. ספר רפואות, Sefer Refuoth, populäre Heilkunde in jüdisch-
deutscher Sprache, veröffentlicht durch Nata aus Floß
in der Oberpfalz.
Jeßnitz 1722, 8⁰, Bll. 28.
Approbiert von Moses Abraham, Arzt in Hannover,
17. Ijar 482.
Z. Bb. oben S. 200 und R. R. S. 89. Fehlt in
den sonstigen bibliogr. Handbüchern.

95. רפואת הנפש, Refuath ha-Nefesch, Gebete und Ritualien
bei Kranken, Sterbenden und Toten. Teil I in hebr.
Sprache; Teil II für die Frauen in jüdisch-deutscher
Sprache.
Jeßnitz 1723, 16⁰, Bll. 36 [(1)+2—24ᵃ Teil I+24ᵇ
— 34ᵇ Teil II+Friedhofgebete].
Erste Ausgabe 1692, zweite 1707; jetzige dritte zahlreich
vermehrt und besorgt durch Abraham Sachs, S. d.
verst. R. Zebi Hirsch aus Halberstadt.
Fehlt in allen bibl. Handb., ebenso die auf dem Titel
genannte, zweite Ausgabe 1707.

96. שערי דורא, Schaare Dura, genannt Issur we-Hetter,
Werk über die Speisegesetze von Isaak b. Meir aus
Düren, in 96 Pforten mit einem Anhang über das
Aderablösen. Dazu Glossen des Moses Isserles,
Kommentar des Nathan b. Simson Spira, Mebo
Schearim betitelt, ferner Glossen aus einer Handschrift
des Mordechai Jafe im Besitz des jetzigen Herausgebers
des Buches, Moses b. Michel Auerbach aus
Meseritsch.

Als Anhang haggadifche und halachifche Novellen des
Herausgebers zu den Talmudtraktaten Berachoth, Sabbath,
Pefachim und Kethuboth.

Auf Koſten des Herausgebers und des Jehuda Loeb
Eger in Halberſtadt. Korrektor: Moſes b. Jakob aus
Slußk.

Jeßnitz 1724, 2°, Bll. (4)+66+8 |Approbationen,
Einleitungen des Nathan Spira, des Herausgebers
und des Verfaſſers+Schaare Dura+Novellen des
Herausgebers].

3. Bb. oben S. 205 und N. R. S. 476+Anhang
No. 2193.

97. שערי תפלה, Schaare Tefillah, Grammatikaliſche Er=
läuterungen zum Gebetbuch von Salomon Salman
Hanau, als Anhang zu ſeiner Gebetbuch=Ausgabe Beth
Tefillah (ſ. oben No. 63). Einleitung (gegen die
Grammatiker Asriel und Elia aus Wilna) und 325
Paragraphen.

Jeßnitz 1725, 8°, Bll. 47+(1) [Bl. 1—8 Approbat.
und Einleitungen; am Schluß Druckfehler und Aus=
laſſungen].

3. Bb. oben S. 208 ff. und N. R. S. 1008+Anhang
N. 274.

98. ספר תהלים, Sefer Tehillim, Pſalmenausgabe, beſonders ge=
druckt und ins Gebetbuch Beth Tefillah (ſ. oben No. 64)
eingeſchoben.

Jeßnitz 1726, 8°, Bll. 71.

3. Bb. Cat. Bodl. No. 855 und 870. Vielleicht war
auch dieſe Ausgabe, wie das ganze Gebetbuch, ſchon
1724 begonnen, 1726 aber erſt vollendet worden.

99. תחנות ובקשות, Techinnoth u=Bakaſchoth, Gebete für
Frauen in jüdiſch=deutſcher Sprache. Nach Wolf, Bibl.

Hebr. IV No. 767, p. 1065 besonderer Druck, wahr=
scheinlich aber nur als Anhang zum Gebetbuch Jeßnitz
1720 (j. weiter No. 101).

Jeßnitz 1720, 8⁰.

3. Bb. Cat. Bodl. No. 2347.

100. תלמיד מס' שבועות, Talmudtraktat Schebuoth, Taschen=
ausgabe mit Raschi, Tosafoth, Ascher und drei
Novellen des Chajim Jona Theomim Fränkel.
Herausgegeben von Moses b. Jakob aus Sluzk.
Der Druck wurde begonnen Mitte August 1724.

Jeßnitz 1724, 8⁰, Bll. (1)+98+15+(3) [Unverziertes
Titelblatt+49 Doppelblätter, von denen je eines stets
einem Blatt der Talmudfolioausgabe entspricht, +
Kommentar des Ascher+Novellen des Chajim Jona].

3. Bb. oben S. 206 und R. R. S. 1104.

101. תפלה דרך ישרה, Tefillah-Derech Jescharah, das Gebet=
buch mit jüdisch=deutscher Übersetzung, zusammengestellt
nach dem Gebetbuch Derech Jescharah des Jechiel
Michel Epstein.

Auf Kosten des Verlegers und des Jsaak Eisik b.
Zebi Hirsch aus Kalisch. Korrektor: Zebi Hirsch
b. Meir aus Janow.

Jeßnitz 1720, 4⁰, Bll. (2)+156.

3. Bb. Cat. Bodl. No. 2347, R. R. S. 715 und
Benjacob S. 663, No. 770.

102. תפלה למשה, Tefillah le=Moscheh, das Gebetbuch, in kleinem
Format und mit unpunktiertem Text.

Jeßnitz 1719, 12⁰, Bll. 160.

3. Bb. Cat. Bodl. No. 2344.

103. תפלה קרבן מנחה, Tefillah Korban Minchah, das Gebetbuch.
Mit neuen Lettern gedruckt.

Jeßnitz 1725, 8⁰ Bll. 102.

3. Bb. Cat. Bobl. No. 2360.

104. תקון ליל שבועות והושענה רבה Tikkun lel Schabuoth we=
Hoscha'na Rabbah, Gebetordnung für die Nacht des
Wochen= und Weidenfestes.

Jeßnitz 1724, 12⁰, Bll. 78.

3. Bb. Cat. Bobl. No. 3070.

II. Verzeichnis

der von der Wulffschen Presse beschäftigten Korrektoren,
Setzer und Drucker.

Die eingeklammerten Zahlen verweisen auf Cat. Bodl. Sectio III, Typo-
graphi, die eingeklammerten Nummern auf die vorstehende Bibliographie.

A. Dessau.

I. Druckperiode 1696—1704 (Moses Benjamin Wulff).

1. Chajim Altschul b. Mardochai Gumpel aus Prag, [7906],
   Setzer, 1696—1701 (No. 17 u. 20).

2. Ella, Tochter des Moses b. Abraham, [8093], Setzerin,
   1696 (No. 26; f. auch oben S. 163 u. 176).

3. Jakob Zebi b. Elieser, genannt Koppel Setzer, aus Postel=
   berg in Böhmen, [8314], Setzer, 1698 (No. 3).

4. Jakob b. Moses aus Posen, Schwiegersohn des Baer
   Petlitz, [8360], Setzer, 1698 (No. 9 und 17).

5. Josef b. Jekutiel aus Dessau, [8587], Drucker (Pressen=
   zieher), 1698—1704 (No. 3 und 8).

6. Israel b. Moses b. Abraham, [8263 a, b und c], Setzer,
   1696 und 1704 (No. 26, 8 und 38; f. auch oben S. 176 ff.).

7. Naftali (Zebi) Hirsch b. Jirmija aus Berlin, Korrektor,
   1704 (No. 8); f. auch oben S. 174. Fehlt in Cat. Bodl.

8. Zebi Hirsch (Hirschel) b. Elia b. Baer Lübek aus Prag,
   [9306], Drucker (Pressenzieher), 1696 (No. 13).

II. Druckperiode 1742—1743 (Elia Moses Wulff).

9. Abraham b. Naftali Herz, geboren in Wandsbeck, Drucker,
1742 und 1743 (No. 18, 19 und 24). Fehlt in Cat.
Bodl. S. auch weiter Jeßnitz No. 38.

10. Ahron b. Naftali Hirsch aus Halberstadt, Korrektor,
1743 (No. 19); s. auch oben S. 217, 219, 230 und weiter
Jeßnitz No. 39. Fehlt in Cat. Bodl.

11. Isaak b. Chajim b. Katriel aus Krakau b. Zebi Schid=
lower aus Opatow, geboren zu Berlin, [8175], Setzer,
1742 (No. 18). Der Vater Chajim st. zu Berlin am
16. Adar = 7. März 1719, dessen Gattin Gitel, T. des
Isaak, daselbst am 17. Ijar = 23. Mai 1713 (n. St.).
S. auch weiter Jeßnitz No. 42.

12. Israel b. Moses aus Breslau, [8264], Setzer, 1742 und
1743 (No. 18, 19 und 24); s. denselben auch weiter Jeß=
nitz No. 44. Er starb zu Berlin am 21. Nissan =
23. April 1764.

13. Nathan b. Moses aus Kalisch, Vorbeter, Schwiegersohn
des Elia Wulff, Korrektor 1742 (No. 18); s. auch
oben S. 138. Fehlt in Cat. Bodl.

14. Samuel b. Jehuda Loeb aus Krotoschin, Drucker, 1742
und 1743 (No. 18, 19 und 24). Fehlt in Cat. Bodl.
Sein Vater Juda Loeb lebte damals noch, ist also nicht
identisch mit Cat. Bodl. No. 8443, vielleicht aber mit
Jehuda Loeb b. Jakob aus Dessau, Schwiegersohn des
Josef aus Krotoschin, des Rabb. eines böhmischen
Kreises; s. Schaare Keduschah, Sulzbach 1758, Bl. 35.
Ein Sohn dieses Josef aus Krotoschin ist Isak Eisek,
Rabb. in Witkowo; s. Bechinnath Olam, Frankfurt a. O.
1792.

15 Tobias b. Israel b. Moses b. Abraham, [8263e], Setzer,
1742 und 1743 (No. 18, 19 und 24); s. auch weiter
Jeßnitz No. 51.

B Halle.

1709—1714 (Moſes b. Abraham).

16. Moſes b. Abraham ſelbſt [8832] und ſeine Familie, darunter beſonders:

17. Gella, ſeine Tochter, Setzerin, [8114], 1709 und 1710 (No. 46 und 55).

C. Cöthen.

1717 und 1718 (Jsrael b. Abraham).

18. Jeſaja b. Jſaak b. Jeſaja aus Woydislav bei Krakau, „der erſte Arbeiter in Cöthen", [8498], 1717 (No. 59).

19. Chajim b. Efraim Gumprecht aus Deſſau, [7912], Arbeiter 1717 und 1718 (No. 57 und 58).

D. Jeſsnitz.

(Jsrael b. Abraham).

I. Periode 1719—1726.

20. Ahron b. Elia Cohen aus Hamburg, [7774], Setzer 1722 bis 1724 (No. 79, 73, 95 und 99).

21. Chajim b. Efraim Gumprecht aus Deſſau, von Cöthen übernommen, ſ. daſ. No. 19. Arbeiter 1719 (No. 86).

22. Elieſer Leſſer b. Abraham, Enkel des Samuel Oſtrog aus Liſſa, [8051], Korrektor 1726 (No. 64 und 97).

23. Elia b. Jſai aus Tepliß, Preſſenzieher (Drucker) 1719 (No. 86). Fehlt in Cat. Bodl.

24. J. L. B., Drucker 1722 (No. 91). Unbekannt. Fehlt in Cat. Bodl.

25. Jakob b. Pinchas Selig aus Raguhn bei Jeßniß, vertrieben aus Angermünde bei Schwedt, [8367], Setzer 1722—1726 (No. 71, 88; 67, 74, 75; 73, 95, 99; 63, 90, 66).

Freudenthal, Aus der Heimat Mendelsjohns.   18

26. Jehuda Arje b. Samuel Cohen, Korrektor 1723 (No. 74).
Fehlt in Cat. Bodl.

27. Jehuda Loeb b. Zebi aus Janow bei Turbin im Kreiſe
Samoscz in Kleinpolen, [8485], Setzer 1722 und 1723
(No. 71, 88; 67). Sohn von No. 35.

28. Jeſaja b. Iſaak b. Jeſaja aus Woydislav bei Krakau,
[8498], von Cöthen übernommen, ſ. daſ. No. 18. Setzer
1719 und 1720 (No. 80, 86; 84). Einen in Cat. Bodl.,
Stemma Familiae p. 2592 nicht erwähnten Sohn des-
ſelben: Zebi Hirſch b. Jeſaja aus Woydislav ſ. bei
Neubauer, Catalogue 678.

29. Iſaak Eiſek b. Joſef Iſaak b. Jeſaja aus Dyhrenfurth,
[8208], Setzer, 1724 und 1726.

30. Kleßner (Kleßer), Friedrich Georg aus Leipzig, chriſtl.
Buchdrucker in Jeßnitz, [8686], 1720—1723 (No. 84,
93; 71, 81, 88; 67).

31. Moſes b. Jakob aus Sluzk, vertrieben aus Kleinpolen,
Enkel des Mardochai Model aus Grodno, Schwiegerſohn des Uri Phöbus Paſtor aus Pinsk, [8891],
Korrektor 1724 (No. 95). Giebt zugleich No. 99
heraus.

32. Moſes b. Joſef b. Iſaak b. Jeſaja aus Woydislav'
aus Dyhrenfurth, [8899], Setzer 1720—1726 (No.
84, 65; 93; 71, 88; 67, 74, 75; 90).

33. Nachman b. Jechiel Michel aus Deſſau, [8970],
Korrektor und Herausgeber 1724 (No. 73); ſ. auch
oben S. 206.

34. Salomon Salman b. Meir Levi aus Schwerſenz in
Großpolen bei Poſen, [9126], Setzer und Drucker 1720
bis 1723 (No. 65, 100, 84 von Jeremias an; 83, 93;
71, 88; 67, 74, 75).

35. Zebi Hirſch b. Meir aus Janow bei Turbin im Kreiſe
Samoscz, [9318], Korrektor 1720—1722 (No. 84, 100;

83, 93; 71, 88). Wolf III 1867[b] verwechselt ihn mit
Zebi Hirsch aus Sital.

II. Periode 1739—1744.

36. Abraham' b. Josef Levi aus Dessau, Arbeiter 1739 bis
1742 (No. 82 und 85). Fehlt in Cat. Bodl.

37. Abraham b. Israel b. Moses b. Abraham, [7688]
Arbeiter 1739, 1741 und 1742 (No. 85). Den Vater
s. u. Dessau No. 6. Vergl. ferner oben S. 214, Anm. 2.

38. Abraham b. Naftali Herz aus Wandsbeck, Drucker 1739
bis 1742 (No. 85); dann nach Dessau, s. oben No. 9.

39. Ahron b. Naftali Hirsch aus Halberstadt, Korrektor
1739—1740 (No. 85); s. auch Dessau No. 10.

40. Jechiel Michel b. Jakob Cohen aus Hüttenbach bei
Fürth (Michael Kuhn), Drucker 1739—1742 (No. 82
und 85). Fehlt in Cat. Bodl.

41. Jerucham b. Moses aus Breslau, Setzer 1739—1744
(No. 82, 85 und 92). Wohl Sohn von No. 48. Fehlt
in Cat. Bodl.

42. Isaak b. Chajim, Setzer 1742 (No. 82); dann in Dessau,
s. oben No. 11.

43. Israel b. Moses b. Abraham, Setzer 1739 (No. 85);
s. auch oben Dessau No. 6.

44. Israel b. Moses aus Breslau, Setzer 1739—1742 (No.
82 und 85); dann in Dessau, s. oben No. 12, hierauf
wieder in Jeßnitz 1744 (No. 70).

45. Kleßner, Friedrich Georg, s. oben Jeßnitz No. 30. Nach
A.=Zerbst, C 9e No. 24, ebenfalls am Druck von No. 85,
1739, beschäftigt.

46. Meschullam Salman b. Chajim Levi aus Jeßnitz,
Korrektor 1741 und 1742 (No. 82 und 85); s. auch
oben S. 219, Anm. 1. Fehlt in Cat. Bodl.

18*

47. Moſes b. Jakob aus Grodno, Setzer 1740 (No. 85).
Fehlt in Cat. Bodl.

48. Moſes b. Joſef aus Dyhrenfurth, vertrieben aus
Breslau, Enkel des Jtzig Pripseles des Rabb. in
Liſſa, [8899], Setzer 1739—44 (No. 82, 85, 77, 70).
S. auch oben S. 194, Anm. 2.

49. Samuel b. Jehuda Loeb aus Liſſa, Enkel des Samuel,
des Rabb. in Lobſenz, (Samuel Levin), 1739—1742
(No. 85). Fehlt in Cat. Bodl.

50. Samuel b. Menahem Mendel Cohen aus Zolkiew bei
Lemberg, Setzer 1741 und 1742 (No. 85). Fehlt in
Cat. Bodl.

51. Tobias b. Israel b. Moſes b. Abraham, Setzer 1739
(No. 85); ſ. auch oben Deſſau No. 15.

Noten.

Note I. Die Enkel des Moses Isserles.

(Zu S. 10.)

Über der Nachkommenschaft Dresels, der Tochter des Moses
Isserles, und ihres Gatten Simcha Bonem schwebt noch ein Dunkel,
welches weder durch Dembitzers Streitschrift Mappalath Jr ha-Zedek noch
durch die Gegenschrift Maaneh (Brody 1878) gelichtet worden ist. Es ist
vielmehr Folgendes zu beachten:

a) Zunächst ist die stillschweigende Voraussetzung, welche auch Buber S.,
Ansche Schem (Krakau 1895), S. 130 und 214 übernommen hat, daß
Israel Isser b. Simcha Bonem, R. v. Opatow und Schulhaupt in
Lemberg, ein Sohn des Simcha Bonem b. Elieser aus Krakau sei,
dessen Lebenszeit nicht einmal bekannt ist, durch nichts erwiesen. Dem
Alter (gest. 1644) und dem Namen nach, welcher derjenige des Vaters
von Moses Isserles ist, könnte er ebenso wahrscheinlich als Sohn unseres
Simcha Bonem hier betrachtet werden.

b) Die Annahme Dembitzers (Map. S. 5), daß Jehuda Loeb b.
R. Simcha Bonem b. R. Abraham Meisel, Nachkomme des Moses
Isserles und Verfasser des Werkes Taame Massoreth (Amsterd. 1728),
ein Sohn unseres Simcha Bonem und der Dresel sei, kann nicht aufrecht
erhalten werden; ein großer Teil der vom Verfasser der Maaneh dagegen
ins Feld geführten Gründe ist durchaus stichhaltig. Wie R. Loeb
Oettingen von Lemberg in seiner Approbation 1727 zu dem Buche
schreibt, hatte der Vater, Jehuda Loeb, selber sich mit der Bitte um eine
solche an ihn gewendet; an seine Stelle sei jetzt sein Sohn getreten. Jehuda
Loeb konnte also noch nicht lange gestorben sein; unmöglich konnte aber
ein Sohn der 1601 bereits verschiedenen Dresel um 1727 noch am Leben
sein, zumal ein Enkel, Hirsch b. Jehuda Loeb Meisels aus Krakau,
schon 1661 als Rabbiner von Kremsier zeichnet [Frankl-Grün, Gesch. d. J.
in Kr., Teil I (Breslau 1896), S. 12 u. 81]. Wenn Rafael Meisels in
seinem 1767 zu Frkft. a/O. gedruckten Werke Tosafoth Sabbath sich als
Nachkomme des Moses Isserles im 10. Geschlecht bezeichnet, so kann nicht
40 Jahre zuvor das 3. oder gar 2. Geschlecht noch existiert haben. Endlich
wird Jehuda Loeb mit dem Doppelwort Nin we-Neched bezeichnet, das gewiß
über das zweite Geschlecht hinausweisen soll; und wäre wirklich Jehuda Loeb
b. Simcha Bonem b. Abr. Meisels ein Sohn des Schwiegersohns des
berühmten Moses Isserles gewesen, so hätte der Herausgeber auch sicherlich
nicht verfehlt, Chassan u. s. w. hinzuzufügen.

c) Aus diesen Gründen ergibt sich zunächst, daß Jehuda Loeb
b. Simcha Bonem, Verfasser von Taame Massoreth, nicht identisch sein
kann mit dem Krakauer Druckereibesitzer Jehuda Loeb b. Simcha
Bonem, der 1648 bereits als Vertreter und seit 1663 als Nachfolger seines
Schwiegervaters Menahem Nahum b. Moses Meisels die Druckerei
dort leitete (s. Cat. Bodl. No. 1535, 5940 75 u. 84, 5775, 8770). Dies
Ergebnis wird noch durch weitere Gründe bestätigt. Wären wirklich beide
identisch, warum hat Jehuda Loeb sein Werk nicht in seiner eigenen Druckerei
herausgegeben, die 1670 noch arbeitete, also zu einer Zeit, in der er als
Sohn der 1601 verstorbenen Dresel mindestens schon 70 Jahre alt gewesen
wäre? Warum wird es erst nach fast 60 Jahren durch seinen Sohn veröffentlicht, der damals schon ein Greis gewesen sein mußte? Das alles
führt zu widersinnigen Ergebnissen. Ich vermute als Lösung das Folgende.

d) Bei normalen Ahnenverhältnissen liegen zwischen dem Absterben
der Geschlechter 30 bis 40 Jahre; da Jehuda Loeb, der Verfasser von
Taame M., sicher erst kurz vor 1727 verstorben ist, so reicht die Lebenszeit
seines Vaters Simcha Bonem ungefähr in die achtziger Jahre des 17. Jahrhunderts. In der That findet sich unter den Unterzeichnern Krakauer
Rabbinatsberufungen um jene Zeit ein Simcha Bonem b. R. Abraham
(Zunz J. M., a. a. O. Anhang S. 32, Buber a. a. O. S. 215); derselbe
unterfertigt auch 1684 zu Jaroslaw als Abgesandter Krakaus ein Schutz-
schreiben für David Liba (s. Approb. zu dessen Beër Essek). Vielleicht ist
dies der Vater des Jehuda Loeb; daß er vorher in Wilna gewohnt hat,
ist um so weniger auffällig, als noch andere Glieder der Familie daselbst
sich niedergelassen hatten, die durch die Kosakenhetzen später wieder von dort
vertrieben wurden (s. oben S. 11 ff.). Abraham, der Vater dieses Simcha
Bonem, müßte ungefähr bis 1650 gelebt haben; er könnte also sehr wohl
ein Sohn unseres Simcha Bonem und der Dresel und als Namenträger
des 1599 verstorbenen Abraham b. Josef Meisel zwischen 1599 und 1601
geboren sein. Jedenfalls würde ein solcher Stammbaum

Simcha Bonem st. 1624

Abraham (um 1650)

Simcha Bonem 1684

Jehuda Loeb, Verf. von Taame Massoreth (um 1720)

Nahum, Herausgeber 1728

alle Schwierigkeiten beheben.

e) Der Verf. der Maaneh geht sogar so weit, zu zweifeln, ob Jehuda
Loeb, der Krakauer Buchdruckereibesitzer, ein Sohn von Simcha Bonem

und Dresel gewesen sei. Ein Teil der von ihm angeführten Gründe ist durch die Veröffentlichung der Grabschrift der Dresel (s. Friedberg a. a. O. S. 43) hinfällig geworden; in derselben wird Simcha Bonem mit dem Titel Rabbi und direkt als Schwiegersohn des Moses Jsserles bezeichnet, wofür dem Verf. der Maaneh bisher die Beweise gefehlt hatten. Dagegen ist die von ihm aufgeworfene Frage berechtigt, weshalb Jehuda Loeb, der Druckereibesitzer, den Namen Meisels fortführt und sich nie als Enkel des Moses Jsserles bezeichnet, während die übrigen Söhne des Simcha Bonem umgekehrt den Namen Meisels fallen lassen und sich nur als Enkel des Jsserles benennen. Doch läßt sich auch hierauf eine Antwort geben. Daß Jehuda Loeb gerade den Namen Meisels fortführte, geschah sicherlich zur üblichen Ehrung seines Schwiegervaters Menahem Nahum Meisels; bei den anderen Söhnen fällt der Name vor dem berühmteren des Moses Jsserles. Daß Jehuda Loeb sich nie als des letzteren Enkel bezeichnet, ist am auffallendsten; vielleicht war er ein Sohn des Simcha Bonem aus zweiter Ehe. Denn es ist nach damaligen, religiösen Anschauungen kaum anzunehmen, daß Simcha Bonem nach dem Tode der Dresel 23 Jahre lang Witwer geblieben ist. In jedem Falle aber ist Jehuda Loeb ein Sohn dieses Simcha Bonem.

f) Ob der von Hoch=Kaufmann, Familien Prags (Presb. 1892), S. 36 erwähnte Jakob, dessen Gattin Drazna aus Wilna nach Wien geflohen war, gleichfalls hierher gehört, läßt sich nicht entscheiden. Einen anderen Zusammenhang zwischen Moses Jsserles u. der Familie Meisels s. bei Walden, Schem ha=Gedolim ha=chadasch, Buchst. M, 269.

Note II. Die Kinder des Daniel Jtzig.
(Zu S. 145.)

Von den 16 Kindern des Jtzigschen Hauses muß eines früh verstorben sein. Eine Tochter Recha (geb. 1766, st. 1841) blieb unverheiratet und hinterließ ihr Vermögen zu wohlthätigen Stiftungen. Fünf Kinder traten durch ihre Ehen in die Familie ihres Onkels Jsaak Wulff ein, nämlich: 1) Jsaak Daniel Jtzig (geb. 1750, st. 1806), in zweiter Ehe verheiratet mit Edel Wulff (geb. 1764, gest. 1851). Ein Hochzeitslied zur ersten Ehe (Sivan 1773) s. Steinschneider, Verz. d. hebr. Hdschrften. d. Königl. Bibl. zu Berlin, 2. Abt., 255³. Das. No. 255¹²,b ein solches zur zweiten Ehe, gewidmet von den Vorstehern der Genossenschaft zur Unterstützung Studierender; das dort gegebene Datum der Hochzeit ist an sich schon unmöglich, da der 5. Adar auf Freitag fiel, und muß nach Dessauische Zeitung f. d. Jugend 1783 S. 67: 4. Adar heißen.

2) Bonem (Benjamin) Daniel Itzig (geb. 1756, gest. 1833), verh. mit Zippora Wulff (st. 1830) seit 11. Januar 1780; 5 Hochzeits= gedichte s. Steinschneider a. a. O., No. 255 8, ein anderes: Kol Simcha, Berlin 1780. Unter den Unterschriften des vierten Gedichtes bei Stein= schneider steht Bonems Bruder Isaak obenan. Bonem Daniel Itzig wird häufig in den Drucken der Freischule als Bonem Daniel Jafe erwähnt; s. z. B. Satanows Sefer ha=Schorajchim Teil II, 1784 und Teil I, 1787 mit seinen Brüdern Isaak und Elia und seinem Schwager David Friedländer. Auch R. R. S. 479 muß es bei Marpe Nefesch: Bonem b. Daniel, nicht David heißen.

3) Moses Daniel Itzig (gest. 1763); s. oben S. 141. Die Frage Steinschneiders a. a. O. No. 255 20, b erledigt sich damit.

4) Jakob Daniel Itzig (geb. 1764, gest. 1838), seit 1785 verheiratet mit Sara Wulff; ihr Sohn Benjamin Jakob Barnheim st. 1869 mit Hinterlassung wohlthätiger Stiftungen.

5) Zippora (Caroline oder Cäcilie) Itzig (geb. 1760, gest. 1839), seit 4. 1. Elul 1777 verh. mit Simcha Bonem Wulff. Hochzeitsgedicht s. Brann in Monatsschrift, Jahrg. 42 (1898), S. 192; mit unterzeichnet sind ihre beiden Brüder Isaak und Daniel. Die Ehe wurde später geschieden, und Zippora die Gattin des Freiherrn Bernhard von Eskeles in Wien; über ihr Haus daselbst s. Kayserling, jüd. Frauen, S. 226 f. Mit ihrer Schwester Sara gehörte sie in Berlin der von Feßler 1796 begründeten, heiteren Mittwochsgesellschaft an, welche die angesehensten Künstler, Gelehrten, Beamten und Kaufleute vereinigte; s. Geiger L., Berlin II (1895), S. 201.

Die übrigen Kinder waren:

6) Elias Daniel Itzig (geb. 1772, gest. 1818), Stadtrat in Pots= dam, verh. mit Mirjam Lessmann seit 16. Okt. 1776; Hochzeitslied von Satanow s. Steinschneider a. a. O. No. 255 5, b.

7) Hanna Itzig (geb. 1748, gest. 1801), Frau des Dr. Joseph Fließ, Sohnes des S. 144 genannten Schwagers von Daniel Itzig, des Moses Isaak Fließ.

8) Bella (Babette, geb. 1749, gest. 1824), Frau Salomon, 1797 bereits Witwe; ihre Tochter Lea ist die Mutter von Felix Mendels= sohn=Bartholdy. Von der unentwegten Treue, die Bella Salomon der Religion ihrer Väter bewies, berichtet Hensel S., Familie Mendelssohn I (Berlin 1879), S. 82 f.; er bezeichnet ihr Verhalten mit dem merkwürdigen Ausdruck „sehr orthodox" und entschuldigt deshalb die heimliche Erziehung ihrer Enkelkinder zum Christentum!!

9) Blümchen Itzig (geb. 1752, gest. 1814), Frau David Fried= länders. Joel Löwe widmete ihr seine Übersetzung der Pesach=Haggada;

f. meine Abhdlg.: die ersten Emanzipationsbestrebungen der Juden in Breslau, Monatsschrift 37 (1893), S. 247.

10) Fanny (Vögele) Itig (geb. 1757, gest. 1818), seit 1777 mit dem Freiherrn Nathan Adam von Arnstein in Wien verheiratet; s. ob. S. 150.

11) Sara Itig (geb. 1763, gest. 1854), seit 4, 2. Tammus 1783 verh. mit Samuel b. Salomon Levi Chalfan; zwei Hochzeitslieder, eines von Josel Nachnowe, s. Steinschneider a. a. O., No. 255 12, b u. c. Vgl. über ihr Haus als geistigen Sammelpunkt: Kayserling, jüd. Frauen, S. 228 f. und Fanny Lewald, Lebensgeschichte; s. auch No. 5.

12) Rebekka Itig (geb. 1763, gest. 1847 zu Wien), Frau David Ephraim Veitel; vgl. über sie Kayserling, a. a. O., S. 220.

13) Henriette Itig (geb. 1767), seit 1791 verheir. mit dem Bankier Mendel Oppenheim; als Hochzeitsgedicht ein allegorisches Drama von Samuel Romaneli: ha-Koloth jechbalun, s. R. R. S. 968 + Anhang No. 1763, sowie Steinschneider in Ztschrft. V, S. 175. Über ihr Haus s. Kayserling a. a. O.

14) Lea Itig (geb. 1768, gest. 1794), Frau Beruhard Seligmann.

In dem oben S. 145 Anm. 1 erwähnten Geburtstagsgedicht von Satanow 1799 fehlen unter den Kindern: Moses und Lea, die schon verstorben waren. Ein anderes Geburtstagsgedicht wurde Daniel Itig von Unger und dessen Frau gewidmet; s. Cat. Bodl. No. 7326. Die Erklärung der Familie Itig über ihre Stellung zu den Ritualgesetzen, März 1791, unterzeichnen Daniel, seine Söhne Isaak, Elias, Benjamin, Jakob und seine Schwiegersöhne David Friedländer, Benjamin Wulff, Samuel Lewy, David Ephraim und Josef Fließ; s. Aktenstücke, die Reform d. Jüd. Kolonien betr. (Berlin 1793), S. 47.

Note III. Arje Jehuda Loeb, der Übersetzer und Dichter.
(Zu S. 164.)

1) Über Arje Loeb und seine Familie s. Landshuth, S. 55 ff. Ich gebe hier noch einige Ergänzungen. Der Vater des Arje Loeb, R. Chajim, war lange Jahre Kantor in Posen. Vielleicht ist er identisch mit Chajim b. Zebi Hirsch aus Posen, dem Verfasser der Predigtsammlung Sfam Chajim (Amsterdam 1692). War der von Perles, Gesch. der Juden in Posen S. 64 genannte Synagogensänger Isaak b. Chajim, dessen Ermordung das Vorspiel schrecklicher Ereignisse war, ein Sohn dieses Chajim? Es wäre dann leicht begreiflich, weshalb die Familie die Heimat verließ. Außer Arje Loeb und Zebi Hirsch (s. Landshuth) hatte R. Chajim noch

einen Sohn in Halberstadt, der daselbst 1737 starb (Erbst. No. 1698), und eine Tochter Esther in Berlin als Gattin des dortigen Vorbeters Wolf aus Gräß; sie starb 1749 (Erbst. No. 1413).

Im Jahre 1701 — die Approbation des Dessauer Rabbiners ist wenigstens aus diesem Jahre — erschien in Dessau die von Landshuth nicht erwähnte, vermehrte und verbesserte Ausgabe des Tischgebets und der Genuß-Segenssprüche mit Einleitung und Bemerkungen von Arje Loeb in jüd. deutscher Sprache; s. oben im bibl. Anhang No. 39. Falsch ist die Angabe in Cat. Bodl. 7803, Arje Loeb sei der Schwiegervater der beiden Mitherausgeber des Berliner Maharscha 1706, und bereits durch oben S. 19 widerlegt. Arje Loeb war Korrektor dieser Ausgabe; s. S. 174. Der Dichter Hartog Leo, der Sohn des Arje Loeb, starb zu Breslau am 25. Adar 1778.

Die Ausgabe der Kinoth enthält zunächst eine gereimte Einleitung Arje Loebs; die Strophen schließen sich akrostichisch an seinen Namen an, jede Strophe zu drei Verssätzen, von denen die beiden ersten sich unter einander reimen, während sämmtliche dritten den gleichen Reim haben. Auch die Übersetzung des bekannten Sechor meh hajah lanu, der Umarbeitung des Kap. 5 der Klagelieder Jeremias, ist gereimt; ich gebe sie als Probe der Dicht- und Übersetzungsweise Arje Loebs in möglichst annähernder Übertragung:

Gedenk Gott, was zu uns ist gewesen;
Lug' und sieh' unser Lästern und unser Wesen,
Di, wie ist uns gewesen!
Unser Erbteil ist zu Fremden verkehrt geworen,
Und zu die Ummaus (heidnische Völker) ist unser Häuser und Thoren;
Di, wie ist uns geworen!
Wir seinen geglichen zu Jesaumim (Waisen) ohne Vater,
Zu Chaudesch Aw (Monat Ab) klagen unsere Mütter;
Di, wie schreien wir zu Gott, mach' uns das Golus potur (erlöse uns aus
der Verbannung)!
Unser Wasser haben wir müssen trinten um Geld,
Die Gießung von Wasser in Bes ha-Mikdosch (Tempel) haben wir verschmäht
und verhehlt;
Di, wie übel ist es um uns gestellt!
Auf unsern Hals hat man uns gethan nachjagen,
Den Sinas chinnom (grundlosen Haß) haben wir nachgetragen;
Di, wie seinen wir worden geschlagen!
Die Mizraim haben wir schon gemacht zu laugen,
Und Aschur haben uns wie die Vögel gefangen;

Oi, wie iſt es uns gegangen!
Unſere Eltern haben geſündigt und ſein geſtorben,
Und von wegen ihrer Sünden ſeinen wir worden verdorben;
Oi, wie iſt uns geſchehen in Chorban (Tempelzerſtörung)!
Knechte [das meint die Kasdiim] haben gehabt über uns die Macht,
Weil wir haben an Schemittaus (Erlaßjahr) unſere Knechte nit frei gemacht.
Oi, wie ſeinen wir worden ausgelacht!
Mit unſer ſelbſt Leibern müſſen wir bringen unſer Brot,
Weil wir haben den Armen nit geholfen in ſeiner Not;
Oi, wie haben wir müſſen leiden den bittren Tod!
Unſere Haut iſt worden erhitzt as in Oſen der Brand;
Denn die Ehr' von Gott haben wir verwechſelt mit Tand.
Oi, wie ſeinen wir vertrieben worden in fremde Land!
Weiber in Zion haben die Feinde gepeinigt,
Weil ein Mann die Frau von ſeinem Geſellen hat verunreinigt.
Oi, wie haben wir widerſpeinigt!
Unſere Herren haben ſie mit ihrer eigenen Hand gehangen,
Weil wir nach Raub von Oni (Armen) haben gehabt Verlangen.
Oi, wie iſt es uns ergangen!
Die Bachurim (Jünglinge) haben müſſen Mühlſteiner tragen,
Darum weil ſie haben Huren gethan nachjagen.
Oi, wie iſt es uns gegangen dieſelbigen Tagen!
Sekenim (Greiſe) vom Thor [das meint die Sanhedrin] ſeinen geworden
                                          verſtört,
Weil ſie das Recht von Josaum we-Almonoh (Waiſen und Witwen) haben
                                          verkehrt.
Oi, wie hat man uns ausgekehrt!
Es iſt worden verſtört unſere Freud fürwahr,
Weil wir ſeinen nit auleh le-Regel (wallfahren) dreimal im Jahr.
Oi, wie ſeinen wir verwüſtet ganz und gar!
Unſere Kron iſt gefallen von unſerm Kopf behend,
Und das Bes ha-Mikdosch (Heiligtum) iſt worden verbrennt.
Oi, wie ſeinen wir worden geſchändt!
Auf dem daſigen Tag haben wir Herzweh gelitten,
Denn die Ehr von Bes ha-Mikdosch iſt worden vermitten.
Oi, wie ſeinen wir worden verſchnitten!
Der Berg Zion iſt worden wüſt wie Midboraus (Wüſten)
Und die Ummaus (heidniſchen) Völker haben darauf geſtellt Awaudaus
                                          ſoraus (Götzendienſt).
Oi, wie haben wir gelitten große Zoraus (Leiden)!

Note IV. Jakob Reischer.

(Zu S. 165 und S. 181.)

Jakob, nach dem Stammort seiner Familie (Reische = Rzeszow) Reischer genannt, war der Sohn des R. Josef b. Jakob Reischer, welcher seit seiner Verheiratung mit Sara, der Tochter des Prager Vorstehers Hirsch Bloch Backofen, sich auch den Namen Backofen noch zugelegt hatte. Der Vater war Rabbinatsassessor in Prag und verfaßte 1710 das hand-schriftliche Werk Giboeth Olam (Neubauer, Catalogue of the Hebrew Manuscripts, No. 926); nach dem Tode seiner Gattin 1696 (Hock-Kauf-mann, Familien Prags, S. 48) heiratete er zum zweitenmale Cheila, die Tochter des Tobias Rausnitz, hielt sich längere Zeit in Frankfurt am Main auf (s. Approbation zu Schebuth Jakob Teil I., Halle 1709), wo er einst zu Füßen großer Meister seine Studien betrieben hatte (das. No. 102), und starb zu Prag 1731. Er muß wenigstens 100 Jahre alt geworden sein, wenn das von seinem Sohne angegebene Todesjahr richtig ist. Näheres hierüber s. Dembitzer, Kelilath Joft II, 135 f. Anmerkung gegen Kaufmann.

Jakob Reischer selbst war der Schwiegersohn des böhmischen Land-rabbiners Wolf Spira, dessen andere Tochter Schifra die zweite Gattin des David Oppenheim geworden war (die Angehörigen der Familie Spira s. Lieben in Gal Ed, Hock-Kaufmann a. a. O. und Frankl-Grün, Geschichte der Juden in Kremsier, Geschlechtstafel); von den übrigen Kindern Wolf Spiras war besonders sein Sohn Elia als Schriftsteller und Prediger bekannt und wird von seinem Schwager Jakob Reischer sehr oft genannt. Aus der Ehe Jakob Reischers stammten mehrere Töchter: Hanna, Frau Jakob Zoref, st. 1713; Rebekka, Frau Leifer Chajes, st. 1736; Gitel, Frau des Primators Abraham Duschenes Hurwitz (st. 1738), deren Sohn Simon Schwiegersohn des Mainzer Rabbiners Moses Brandeis wurde (Angaben nach Hock-Kaufmann unter d. betr. Namen). Über den einzigen Sohn Jakob Reischers s. weiter. Einen Stief-bruder, Benjamin Wolf b. Loeb, Dajjan in Prag und Schwiegersohn des Simon Zeitels, erwähnt er Schebuth Jakob Teil II, Offenbach 1719, Zusätze zu Teil I, No. 134.

Jakob Reischer, ein Schüler seines Vaters, seines Schwiegervaters und dessen berühmten Vaters Aron Simon Spira, sowie des R. Heil-mann (Soleth la-Minchah, Dessau 1696, Bl. 97; Schebuth Jakob I, No. 155), war zuerst Mitglied der Lehrhäuser seines Schwiegervaters und seines späteren Schwagers David Oppenheim, dann in eigenem Hause lehrend, Rabbinatsassessor von Prag. Hier war auch im Jahre 1689 sein erstes Werk Minchath Jakob erschienen, ein Kommentar zu des Moses Isserles Thorath ha-Chatath mit Erläuterungen zu den von Sabbatai

Cohen im 110. Paragraphen des Schulchan Aruch II aufgeworfenen Fragen und einigen beigefügten Gutachten. Schon dieses Werk begründete den Namen Jakob Reischers als eines ausgezeichneten Gelehrten trotz der scharfen Angriffe, welche Jochanan b. Meir Kremnitzer in seinem Werke Orach Mischor (Sulzbach 1692) dagegen richtete; siehe die verschiedenen Streitschriften hierzu bei Fürst, Bibl. Jud. III, S. 148. Noch bekannter aber wurde er durch die rasche Verbreitung, welche sein brauchbares Buch Chok Jakob überall fand. Von geschichtlichem Interesse sind darin und in den Anhängen die zahlreichen Hinweise auf die Entscheidungen seiner Anverwandten Simon, Wolf und Elia Spira, Anfragen von dem ebenfalls verwandten R. Abraham, Rabbinatsassessor in Glogau (Soleth la-Minchah Bl. 92), von R. Loeb b. Ephraim, welcher bei der Herausgabe des Werkes seines Vaters Schaar Ephraim Reischers Erklärungen mit verwertete (a. a. O. Bl. 100 und Schebuth Jakob I, No. 94), von R. Oser b. Moses in Bamberg, der Auskunft über einen Passahvorfall erbittet (Bl. 21), und eine Entscheidung des Trierer Rabbiners Meir Grotwol in Frankfurt a. M. (Bl. 97). Die Angriffe Reischers und seines Sohnes Simeon im Anhang Soleth la-Minchah auf Jochanan Kremnitzer hat dieser in der Fortsetzung seines Werkes Orach Mischor (Berlin 1723) zurückgewiesen.

Unterdessen hatte aber Jakob Reischer manch' schweres Unglück getroffen. Zunächst vertrieb ihn die Pest längere Zeit aus Prag, und er mußte mehrere Monate auf einem armseligen Dorf zubringen; da er ohne Bücher war, vertrieb er sich die Zeit mit der Abfassung einer hagadischen Schrift, welche Novellen zu dem bekannten hagadischen Sammelwerk En Jakob enthielt. Sie erschien später unter dem Titel Ijjun Jakob (Wilmersdorf 1729) und zwar wiederum infolge einer Leidenszeit, die er hatte durchmachen müssen. Er verlor plötzlich sein Augenlicht und erhielt es erst nach langer Frist wieder zurück. Um „Auge mit Auge" vergelten zu können, veröffentlichte er als Dankesopfer gegen Gott das einst in der Not entstandene Schriftchen und gab ihm den auf die Ursache anspielenden Titel. Nicht minder furchtbar empfand er endlich das dritte schwere Geschick, das ihn noch in Prag heimgesucht hatte. Am 21. Mai 1689 zerstörte die fürchterliche Feuersbrunst, die in der Prager Judenstadt herrschte, seine Bibliothek, alle seine schriftlichen Aufzeichnungen, darunter die große Novellensammlung zum Talmud und den Tosaphot (Schebuth Jakob I, Vorwort) und die gelehrte Korrespondenz mit seinem Verwandten R. Issachar Bermann Levi in Fürth (das. No. 94). Am härtesten aber war für ihn das zahlreiche, frühzeitige Wegsterben von Familienmitgliedern, besonders der plötzliche Tod seines einzigen Sohnes Simeon.

Simeon Reischer, den Namen seines Ur-Urgroßvaters tragend
(Einleitung zu Soleth la-Minchah), war der Schwiegersohn des angesehenen
Vorstandes des Landes Böhmen, Chajim b. Nathan Friedland in
Prag. Über die Familie Friedland s. Wiener, Daat Kedoschim, S. 233 f.
Die Schwester seiner Gattin Frommet war an den Rabbiner der deutschen
Gemeinde in Venedig, Menahem b. Jakob, verheiratet. Ein Bruder
Chajim Friedlands, Bezalel, war der Gatte einer Enkelin des berühmten
Lipman Heller, und die Familie war auf diese Weise in den Besitz
handschriftlicher Notizen des Gelehrten gekommen, welche Chajim seinem
jugendlichen Schwiegersohne zur Benutzung für seine Ausführungen über-
ließ. Simeon Reischer wurde später Rabbiner in Raudnitz. Aber auch
ihn verfolgte das Unglück. Nach kurzer Ehe sank seine Gattin 1702 ins
Grab, und bald darauf 1706 starb auch sein Schwiegervater hinweg (Hock-
Kaufmann S. 284 und 285). Simeon verließ infolgedessen die Heimat
und wandte sich dem Westen zu. Dort fand er neues Eheglück, indem er
die Tochter des hochangesehenen Ahnherrn Heinrich Heines, Juspa Geldern,
zur Gattin erhielt (s. Kaufmann, Aus H. Heines Ahnensaal S. 73). Jakob
Reischer, der selbst beim Druck seines Werkes seine stille Lehrklause in Prag
nicht verlassen hatte (Einleitung zur 2. Ausgabe, Jeßnitz 1724), ließ es sich
doch nicht nehmen, zur Hochzeit zu reisen. Er besuchte den Vater in
Frankfurt, welcher, neidlos des Sohnes Größe anerkennend, ihn um
Erklärung einiger haggadischen Stellen bat (Schebuth Jakob I, No. 182),
verweilte zu Hannover im Hause Leffmann Berends, des Schwiegervaters von David Oppenheim, an welchen er von dort aus ein Gutachten zur Durchsicht abschickte (das. No. 80) und verbrachte dann frohe
Tage unter den neuen Verwandten in Düsseldorf. An den anregenden
Gesprächen, die dort gepflogen wurden, nahm auch Jakob Reischers Schüler,
der Deutzer Rabbiner Juda Müller teil (das. No. 12 und 59). Aber
auch diese zweite Ehe Simeon Reischers war nur von kurzer Dauer; erst
33 Jahre alt, raffte ihn der Tod am 20. Elul = 21. August 1714 aus
seiner Thätigkeit, die er als berufener Rabbiner der Pfalz und als Prediger
in Prag ausübte, unerbittlich hinweg (Gal Ed No. 98). Sein Sohn
Nehemia, vom Großvater aufgezogen, wurde später Rabbinatsassessor in
Metz und Großrabbiner von Lothringen (Revue d. Et. juiv. VIII (1884),
S. 271 f.).

Seit der Drucklegung des Werkes Chok Jakob wurde Jakob Reischer
häufig zu Approbationen anderer Werke aufgefordert (1696 im Schulchan
Aruch, Fürth 1697, unterzeichnet er sich als Jakob b. Josef Beck, sonst oft
nur einfach Jakob b. Josef, z. B. 1704 in Eben ha-Schoham, Dyhrenf. 1733).
Gelehrte besuchten ihn und verwerteten seine Erklärungen in ihren Werken:

außer dem schon erwähnten Loeb b. Ephraim auch Moses Chagis, der auf der Reise nach Amsterdam war, um sein Leket ha=Kemach zum zweitenmal zum Druck zu bringen (1701; s. Schebuth Jakob I, No. 8. 10. 11. 57. 108. 169), und R. Chajim Lipschütz aus Ostrog, Verfasser von Derech Chajjim, Sulzbach 1702 (das. No. 22). Auch an sonstigen Ehrungen fehlte es nicht. Die Heimat seiner Familie, Rzeszow, übertrug ihm das Rabbinat der Gemeinde (1706 approbiert er als R. von Rzeszow das Werk Leket ha=Kemach des Moses Chagis). Seiner Reise nach Deutsch= land hatte er wohl auch die Berufung zum Rabbiner von Ansbach und später von Worms zu verdanken. Im zweiten Teil seiner Gutachten= sammlung Schebuth Jakob (Offenbach 1719), No. 10 hat er als Datum des Antritts seines Rabbinats in Worms die Zeit des Kislev 465, also das Jahr 1704 angegeben (so auch von Löwenstein, Gesch. d. J. in der Kurpfalz, S. 167 übernommen). Dies Datum beruht auf einem Irrtum oder auf einem Druckfehler, oder es bezeichnet höchstens die Zeit der Ernennung und nicht des persönlichen Antritts. Denn am 4. Kislev 467, also Ende 1706, fungiert er noch als Rabbinatsassessor bei einer Ehescheidung in der Umgegend Prags (Schebuth Jakob I, No. 115); 1707, 27. Nissan approbiert er in Prag die Ausgabe der Schlachtregeln Jakob Weils (Prag 1733) gemeinsam mit seinem Sohn, der als Rausnitzer Rabbiner zeichnet, und endlich verlautet weder in den Approbationen noch in der Vorrede, noch auf dem Titelblatt des ersten Teils seiner Gutachtensammlung Schebuth Jakob I, Halle 1709, irgend etwas von seinem Rabbinat in Worms, geschweige denn von seinem Fernsein von Prag. Die Approbation David Oppenheims daselbst vom Ende des Jahres 1708 bezeugt außerdem aus= drücklich seine Anwesenheit in Prag. Daß der Approbation zu Rosch Josef (Cöthen 1717) vom Jahre 1702 die Worte „Rabbiner von Worms" später hinzugefügt sind, hat schon Kaufmann (R. Jair Ch. Bacharach, Trier 1894, S. 119) hervorgehoben. Auch die Angabe Cahens (Revue d. É. j. VIII. 1884, woselbst S. 271 ff. sein Leben als R. von Metz geschildert ist), Jakob Reischer sei 1716 nach Metz gekommen, ist nicht korrekt. 1717, 22. Sivan approbiert er noch als R. v. Worms das Werk Kol ha=Remes (Amst. 1719). Dagegen approbiert er 4. Nissan 1718 bereits als R. von Metz (Theüdath Schelomo, Offenbach 1718); er ist also erst 1717 nach Metz gekommen.

1709 erschienen zu Halle die ersten gesammelten Gutachten von ihm; s. oben S. 182 und S. 248. Als zweiter Teil sind Novellen zu den Talmud= traktaten Berachoth, Baba Kamma, Kethuboth und Gittin angehängt, Trümmer seines großen Novellenwerks zum Talmud und den Tosafoth, welches der Ghettobrand 1689 zerstört hatte. Sie waren nach Mitteilungen von Schülern und Zitaten aus anderen seiner Schriften wieder zusammen=

gestellt und trugen den Sondertitel Peër Jakob, Jakobsblüte, als einzige
Blüten vom großen Baum seines Werkes, zugleich an das durch Permutation
aus Peer entstehende Wort Eser, Asche, erinnernd. — In der Gutachtensammlung werden häufig noch zwei andere handschriftliche Werke Reischers
zitiert, die anscheinend nur Rechtsfragen erörterten: Mischpete Jakob und
Jeschuoth Jakob. — Die Gutachten selbst sind streng nach der Reihen-
folge der Turim geordnet, und die ihrem Inhalt nach zusammengehörigen
sorgfältig unter besonderen Titelüberschriften zusammengestellt. Daß sie
nicht frei von pilpulistischen Auswüchsen sind, zeigen z. B. die Gutachten
No. 4: wie es mit der Ausübung religiöser Ceremonien stehen würde,
wenn die an den Köpfen zusammengewachsenen italienischen Zwillinge, die
zu Chanukah 1707 (468) in Prag auftraten, Juden wären; oder Gutachten
No. 126: ob ein Rabbiner, der eine Brille tragen muß, bei einem Chaliza-
akte mitfungieren darf. — Von der sittlichen Höhe zeugen besonders die
Gutachten, in denen eherechtliche Fragen erörtert werden. Ungeordnete
Eheverhältnisse, wie sie in jenen durch fortwährende, kriegerische Verwicklungen zerrütteten Zeiten leicht vorkamen, werden trotz aller Schwierigkeiten geregelt. Jakob Reischer begiebt sich 1706 mehrmals nach Lieben,
um die schwierige Ehescheidung eines getauften Juden, der — was übrigens
öfters vorkam (Gutachten No. 122, auch 114) — in der kaiserlichen Armee
als Soldat diente, glücklich durchzusetzen. Die Rabbinatsassessoren waren
über den Fall nicht einig; Reischers Schwiegervater Benjamin Spira
und R. Naftali Cohen, der Frankfurter Rabbiner, der sich gerade in
Prag aufhielt, hatten es abgelehnt, eine Entscheidung zu geben, und es
mußte deshalb die Rückkehr David Oppenheims aus Hannover
abgewartet werden (No. 115). Im Gutachten No. 130 tritt er einem
Manne, welcher den Ruf seiner Frau bemängelte, um Geld von deren
Familie zu erpressen, mit größter Strenge entgegen. So erklärt er auch
(No. 29) denjenigen, der selbst mit Einwilligung der hundert Rabbinen
statt seiner irrsinnigen Gattin sich eine gesunde Frau nimmt, so lange für
unwürdig, an den hohen Festtagen der Gemeinde vorzubeten, bis entweder
die Kranke so genesen, daß sie den Scheidebrief erhalten könne, oder durch
den Tod von ihrem Los befreit sei. — Einen Juden, der trotz der War-
nungen der Genossen auf einem beladenen Wagen Tabak „trinkt," verurteilt er (No. 136) zum Schadenersatz, als Funken die Ladung in Brand
setzen. Andererseits hält er die Ansprüche desjenigen für gerechtfertigt, der
beim Prager Ghettobrand mehrere angebaute niedrigere Häuser rettete,
indem er das Dach von seinem Hause, als dem höchsten, abnahm, und
nun verlangte, daß auch die Besitzer der geretteten Häuser zu den Wieder-
herstellungskosten beitrügen (No. 158). Im Gutachten No. 164 verlangt er

strenge Strafe für einen Juden, der eine Forderung bei einem Glaubens=
genossen, um diesen zu beschämen, durch einen Nichtjuden einziehen ließ.
Auch sonst fehlt es nicht an interessanten Einzelheiten. Vom Prager Ghetto=
brand ist öfters die Rede (No. 84. 158. 160). Von der Verrohung durch
die Kriegsfurie zeugt die Thatsache, daß nach den Siegen der kaiserlichen
Truppen den Leichen der Feinde die Haut abgezogen und verarbeitet wurde
(No. 89). Wir erfahren, daß in Italien das Verbot der Bigamie durch
R. Gerson nicht allgemein angenommen war (No. 9); daß in Böhmen
Mischehen vorkamen, in welchen beide Teile nach ihren religiösen Ge=
bräuchen lebten (Nr. 20); daß in Amsterdam bei hoher Geldstrafe alles
laute Sprechen im Gotteshause untersagt wurde (No. 11), und daß Reischers
Schüler Müller in Deutz ein Verbot gegen den Besuch des Kaffee=
hauses am Sabbat zu erlassen wünschte (No. 12). Gutachten No. 36
enthält den bekannten Vorfall zwischen Sabbatai Cohen und Ahron
Simon Spira; der letztere hatte den Gebrauch von Paradiesäpfeln für
das Hüttenfest, die durch Pfropfung gewonnen waren, verboten, während
jener, der sich gerade in Prag aufhielt, auf Befragen sie erlaubte, so daß
sie wirklich benutzt wurden. Der in seiner Ehre verletzte Ortsrabbiner
erhielt Genugthuung durch die einstimmige Bestätigung seiner Entscheidung
von seiten der Rabbinen aus Deutschland, Polen und Mähren. Auch
Sabbatai Cohen war aufrichtig genug, sein Unrecht einzusehen, und schickte
kurz vor seinem Tode seinen Sohn zu dem Beleidigten mit einem um
Verzeihung bittenden Schreiben. — Die Gutachten erwähnen endlich eine
ganze Schar gleichzeitiger Gelehrten mit Namen und sind auch in dieser
Hinsicht eine ausgiebige, historische Quelle.

Note V. Zum Buchdruck in Dessau und Halle.

1. Zu S. 167. Isaak b. Moses b. Sabbatai Cohen, Herausgeber
von Geburath Anaschim, Dessau 1697.

Über ihn und seinen Vater s. Friedberg, Keter Kehunnah (Drohobycz,
1898) S. 26 und 28. Zu ergänzen ist daselbst: der Name des Schwieger=
vaters von Moses Cohen, Menahem Mendel b. Elihu (Kohn Zedek
a. a. O., S. 18), und derjenige des Schwiegervaters von Isaak Cohen,
Moses b. Lämmel Levi Öttingen (Vorwort zu Geburath Anaschim
und Kaufmann, Letzte Vertreibung, S. 194). Nach Walden, Schem ha=
Gedolim ha=chadasch No. 247, war Isaak Cohen später Rabbiner in Stopniza

19*

und Opatow. Daß er aber auch schon in früherer Zeit als Gelehrter geschätzt war, zeigt Schemenah Lachmo (Dessau 1701), Bl. 30.

Die am Schlusse von Geburath Anaschim zugefügten Abhandlungen des Vaters von Sabbatai, Meir Cohen, sind teilweise eherechtliche Gutachten aus den Jahren 1635 bis 1642, von denen eines sogar eine Anverwandte des R. Meir, die Enkelin des Kosati aus Nayčanka, betrifft (Bl. 26). Die Korrespondenten sind Studiengenossen, Freunde und Verwandte R. Meirs und gehören zum Teil zu den Koryphäen der jüdischen Literatur. Außer den bei Friedberg a. a. O. S. 6 genannten Männern werden erwähnt: R. Samuel (Bl. 30 und 38), jedenfalls der Rabbiner von Neswijh; R. Mose und R. Zebi Levi, wohl die Wilnaer Gelehrten (Bl. 26 und 37). Mit R. Eisel, dem Grodnoer Rabbiner, erörtert R. Meir Cohen eifrig die Frage: ob das von der Synode Anfangs des Jahres 1637 für Litthauen erlassene Gebot, sechs Wochen hindurch Montags und Donnerstags zu fasten, auch für die in jenem Jahre auf einen Montag fallenen Halbfeste des Neumonds Schebat und des 15. Schebat zu beobachten sei. Die Bl. 36 angegebene Jahreszahl 398 muß in 397 umgeändert werden, da die Daten nur für 397 stimmen. Auch das Bl. 28 angegebene Datum 3, 27 Kislev 396 ist unmöglich.

2. Zu S. 168. Abraham b. Jehuda b. Nissan, Herausgeber von Beth Jehudah, Dessau 1698.

Abraham war in Tarnow als Sohn des gelehrten Jehuda b. Nissan und der Chaja, einer Tochter des Krakauer Rabbiners Secharja Mendel Klausner, geboren (s. Dembitzer Kelilat Jofi I, 79). Hier und in Tomaschow lebte er auch noch nach seiner Verheiratung; seine Schwiegereltern, R. Elieser b. Jekutiel Salman Cohen Aschkenasi und Hendel, T. des R. Aberle, waren ins heilige Land gepilgert und kehrten erst später nach ihrer Heimat Nikolsburg zurück. Als Jehuda b. Nissan, der früher auch Rabbiner in Oltusz gewesen war, von Tomaschow nach Kalisch berufen wurde, begab sich Abraham mit den Seinen nach Nikolsburg, wo in Abwesenheit seiner Schwiegereltern sein Verwandter R. Abraham Naftali Hirsch Spitz, ein Schüler seines Vaters und seit der Austreibung der Juden aus Niederösterreich als erster Rabbinatsassessor in Nikolsburg ansässig, sich seiner Familie in edelster Weise annahm (s. über Spitz: Kaufmann, Letzte Vertreibung S. 175). Als Mäcene des herauszugebenden Werkes seines Vaters nennt er außer David Oppenheim selbst: in Hannover dessen Schwiegervater, den Oberhoffaktor Leffmann Behrend, und dessen Sohn Jakob, welchen, noch ehe das von ihm unterstützte Werk den Druck verlassen hatte, auf der Reise von Nikolsburg nach der Heimat in Leipzig der Tod ereilte; s. oben S. 136.

In Wien war es der Onkel David Oppenheims, Samuel Oppenheim, mit seinen beiden Söhnen Emanuel und Wolfgang, sowie der Ober= hoffaktor Samson Wertheimer, durch deren Hülfsbereitschaft der Druck gesichert wurde (s. Kaufmann, Samson Werth., S. 59). Auch die reichen Israeliten Nikolsburgs waren nicht zurückgeblieben, an ihrer Spitze der als Mäcen bekannte Wiener Exulant Moses b. Josef Austerlitz (s. Kauf= mann, Letzte Vertr., S. 171) und Abrahams Gönner und Verwandter Abraham Naftali Spitz. Endlich spendet der Herausgeber auch der Familie Wulff überwallende Lob= und Dankesworte, ihrer Anteilnahme, Frömmigkeit und Gelehrsamkeit in rühmenden Worten gedenkend.

3. Zu S. 169. Moses Graf, Verfasser von Wajakhel Mosche, Dessau 1698.

Moses Graf hatte in Prag die Tochter des R. Eliezer Lieber= mann geheiratet, dessen Vater, der Tefillinschreiber R. Eisel — nach seinem Schwiegervater sich Senas nennend — als Kabbalist gleichfalls bekannt war (über die Familie s. Hock=Kaufmann a. a. D., S. 37 und 174); die Kinder aus dieser Ehe, Jakob Josef und Eisik, s. Hock=Kaufmann, S. 220 und 230. Einen Enkel des Moses Graf in Mißlitz erwähnt Kaufmann, Aus Heinrich Heines Ahnensaal, S. 133. Für seinen Soharkommentar hatte Graf die mystische Gottesbezeichnung Chakal Tappuchin gewählt, weil Chakal an Zahlenwert dem Namen seines Vaters gleich war. Aus der Prager Feuersbrunst retteten die Seinigen nur ihr nacktes Leben. In Nikolsburg hielt er privatim und öffentlich Vorträge über die Kabbala und vertiefte sich gemeinsam mit seinem Landsmann, dem Gemeinde= und mährischen Landesrabbiner Eliezer Mendel b. Mardochai Fanta, tagtäglich in die Geheimnisse seiner Wissenschaft. Als dieser schon 1690 starb (eine Tochter von ihm, die 1753 in Leipzig verschied, ruht auf dem Dessauer Friedhof, Grbst. No. 132) und David Oppenheim zum Nachfolger erhielt, verstand es Moses Graf, sich rasch auch bei diesem in Gunst und Ansehen zu setzen. Das Bild, das Moses Graf von Oppenheim entwirft, ist ein glänzendes: erstaunliches Wissen, Bescheidenheit, Wohlthätigkeit, sorgsames Interesse für die Wissenschaft und ihre Jünger rühmt er an ihm in begeisterten Worten. Ebenso überschwänglich dankt er dem bereits erwähnten Moses Austerlitz („von Moses bis Moses stand keiner auf wie Moses"!), der ihn in seinem Hause beherbergte und regen Anteil an seinen Studien nahm (s. auch Kfm., Letzte Vertr. a. a. D.). Außer diesen Männern sprachen auch die übrigen Gelehrten dort sich in ihren Approbationen mit Achtung und Lob über Moses Graf aus; der eine von ihnen, der schon genannte Abraham Naftali Spitz beteiligte sich sogar mit ihm an der von Moses Graf und ihm selber beschriebenen thörichten Geisteraustreibung; s. Grafs Sera Kodesch

(Fürth 1696) und Kaufmann a. a. O. S. 175. — Der Name Graf ist nicht, wie Kaufmann, Samson Werth. S. 57 Anm. meint, ein Irrtum Roests, sondern im Einleitungslied zu seinem Werke von ihm selbst angegeben.

4. Zu S. 171. Ascher Anschel, Verfasser von Schemenah Lachmo, Dessau 1701.

Ascher Anschel, in Przemysl geboren, entstammte einer angesehenen Familie. Sein Großonkel Ahron Samuel b. Mose Schalom aus Krzeminier lebte in Eibelstadt in Bayern und war Verfasser des Sittenbuches Nischmath Adam (Hanau 1611 oder 1617). Sein Vater stiftete das große Lehrhaus in Przemysl; er hinterließ drei Söhne, Simon, Nathan und Ascher Anschel, von denen Nathan bis zu seinem frühzeitigen Tode Ende 1699 sich wie ein zweiter Vater des jüngeren Bruders annahm. Außer diesem Bruder waren seine Lehrer: Naftali Cohen, der Rabbiner von Posen, und Moses Arje Jehuda Loeb, genannt R. Loeb Chasid, ein Nachkomme des Moses Isserles, welcher bis zu seinem Tode am 13. Ijar = 8. Mai 1694 n. St. das Rabbinat zu Przemysl bekleidete, und dem sein Schüler einen Trauernachruf in der pilpulistischen Methode jener Zeit widmete (Schemenah Lachmo II, 15). Hiernach ist Dembitzer, Kelilat Jofi I, S. 34 f. zu ergänzen. Auch der Schwiegersohn und Amtsnachfolger des Loeb Chasid, Josef b. Moses Hurwitz Levi, war Anschels Lehrer; er zitiert dessen Erklärungen, die seines Sohnes Isaak, Rabb. von Belszize und Lemberg, und seines Schwiegersohnes Jehuda Loeb b. Moses, Rabb. in Glogau (I, 9, 28; II, 23), welch' letzterer zugleich sein Werk approbiert. Bubers Mitteilungen über diese Männer, Ansche Schem a. m. O., sind hiernach mehrfach zu ergänzen. Ferner werden Erklärungen von folgenden Gelehrten in Ascher Anschels Predigten zitiert: Loeb Zunz, Rabb. in Pinczow (I 13 u. 25); Heschel, Rabb. in Krakau (I, 16); Josef Joske, Rabb. in Woydislaw und Szydlow (I 9 u. 18); Abraham, Rabb. in Hrubiesszow (II, 12); Jesaja, Rabb. in Jaroslaw und Tarnograd (II, 25); David Oppenheim (I, 32) und, wie schon erwähnt, Isaak b. Moses Cohen, Enkel des Sabbatai Cohen. Dieser, dessen Gattin gleichfalls aus Przemysl stammte, hat offenbar Ascher Anschel veranlaßt, seine Predigten nach Dessau zum Druck zu bringen, und der Verfasser spricht auch von Isaak Cohens Aufenthalt in Dessau (I, 30).

An seinem Werke arbeitet Ascher Anschel noch während der Druckzeit in Dessau. Er erwähnt (II, 17) die erst 1699 veröffentlichte Predigtsammlung des Gerson Aschkenasi, Tifereth Aschkenasi; ferner (Bl. 28) ein zur Zeit in Berlin erscheinendes Buch Perek Schirah, worunter entweder das 1700 dort ausgegebene große Gebetbuch oder die 1701 dort veröffent-

lichten Sabbatgebete gemeint ſind; ſ. Steinſchneider in Zſchrſt. I, 379 ſ.
und Cat. Bodl. No. 2236. Endlich gedenkt er (Bl. 18) des erſt verſtorbenen
Fürther Rabbiners Elieſer b. Mardochai Heilprin; deſſen Todestag ſ.
in Wolfs Bibl. Hebr. IV, 1186, wo die Jahreszahl aber 1700 lauten muß.
Als Mäcene ſeines Buches nennt er ſeine Gattin Gitel, Tochter des
verſt. R. Moſes; ſeinen Bruder Simon; die Tochter ſeines Bruders
Nathan, Priwa, und deren Gatten Joſef, einen Sohn des R. Ezechiel
Landau aus Opatow. Außerdem ſteuerten die Vorſteher und Reichen
der Gemeinde und des Kreiſes Przemysl bei, beſonders der Kreisvorſteher
R. Israel aus Liſensk, ein Sohn des Iſaak Margalioth aus
Krakau.

5. Zu S. 183. Peruſch ha-Maſſorah von Jakob Zausmer,
Halle 1711.

Das kleine Werk wurde vom 7. bis 16. Juli 1711, alſo in zehn
Tagen, gedruckt. Es war ein Nachdruck der Amſterdamer Ausgabe von
1650, jedoch ohne die auf dem Titelblatt angekündigten Verbeſſerungen.
Im Gegenteil iſt das dort enthaltene und vom Sohne des Jakob Zausmer,
Juda Iſaak, Prediger in Chentſchin, kommentierte, grammatiſche Rätſel
des Jbn Esra hier weggelaſſen. Selbſt die wegen der Eile der Drucker
entſtandenen Auslaſſungen der Amſterdamer Ausgabe ſind hier am Schluß
des Ganzen wieder mit derſelben Entſchuldigung abgedruckt; es war alſo
eine ganz mechaniſche Arbeit, die Moſes Abraham als Herausgeber leiſtete.
Vorgedruckt ſind die Approbationen aus der Ausgabe Lublin 1645, die
Vorrede des Verfaſſers zur erſten Ausgabe Lublin 1616, worin er ſich als
Schüler des R. Akiba Frankfurter in der Maſſorawiſſenſchaft und ſeine
Schrift als Ergänzung der maſſoretiſchen Arbeiten des Elia Levita be-
zeichnet, endlich die Einleitung des Sohnes zur dritten Ausgabe 1650.
Die vierte, Amſterdam 1703, übergeht Moſes Abraham mit Stillſchweigen.

Die Koſten des Hallenſer Drucks ſpendete ein Glaubensgenoſſe, der
nicht genannt ſein wollte. Bei der Korrektur ſoll der getaufte Jude und
Profeſſor der Theologie, Aron Margalitha, geholfen haben, wie Wolf,
Bibl. Hebr., Jöcher, Gelehrten-Lexikon, Fortſ. von J. Ch. Adelung und
Rotermund IV, 704, und darnach die bibliogr. Handb. zu melden wiſſen.
In der Ausgabe ſelber ſteht nichts davon zu leſen.

6. Zu S. 186. Berechja Berach, Verfaſſer von Sera Berach
Schelischi, Halle 1714.

Berechja Berach der ältere, Verfaſſer des erſten und zweiten Sera
Berach, Sohn des R. Iſaak Eiſek und als Prediger weitbekannt, war
der Großvater des hier genannten Berechja Berach; ſeine Tochter war die
Gattin des R. Eljakim Götzel b. Menke in Krakau und Mutter des

jüngeren Berechja Berach. Der letztere war ebenfalls als Wanderprediger
überall berühmt; er begnügte sich jedoch nicht mit mündlichen Vorträgen
sondern zeichnete alles, was in der jüd. Literatur ihm dunkel oder von
neuem erklärenswert schien, auf, und seine Notizen bedeckten zuletzt 4400
engbeschriebene Folioseiten. Aus diesem Sammelwerk suchte er zum Druck
zunächst eine Predigtsammlung zum ganzen Pentateuch aus und überbrachte
sie persönlich nach Halle. Nach seiner Entlassung aus der Haft daselbst
lehrte er nach seiner Heimat zurück, wo ihn neue Unglücksschläge erwarteten.
Zunächst ließ der Schidlower Rabbiner Loebusch (später in Krakau)
zur Strafe einer Kritik, die sich jener angeblich an einer eherechtlichen Ent=
scheidung des Salomo Luria gestattet hatte, Berechjas Handschriftenkomplex
konfiszieren und ihn selber verfolgen. Seit 1720 war er Prediger in
Jaworow, wo zahlreiche Schüler sich um ihn sammelten. Er eiferte von
dort aus in Wort und Schrift ganz besonders gegen das bei den Rabbinen
eingerissene Unwesen, Geschenke von den Recht suchenden Parteien anzu=
nehmen. Sein Gönner, der Arzt Isaak Abraham dortselbst, verschaffte
ihm als Vorsteher der polnischen Synoden das Recht, überall auch ohne
Erlaubnis der Ortsrabbiner Vorträge halten und Entscheidungen abgeben
zu dürfen. Nunmehr gelang es ihm, auch die Gelder zum Druck seiner
Werke zusammenzubringen. Aber auf der Reise nach Frankfurt a. d. O.,
wohin er sie zur Veröffentlichung persönlich wiederum überbringen wollte,
wurden ihm in Lissa von seinem Diener alle seine Geldmittel gestohlen, so
daß er sich wieder um alle Hoffnungen betrogen sah. Nur einem edlen
Ehepaare, Jesaja b. R. Jechiel Michel aus Hamburg und dessen
Gattin Merle, der Enkelin des hessischen Landrabbiners in Witzen=
hausen, Phöbus Reif, und Tochter des Naftali b. David in Amster=
dam, Verfassers von Ben David (f. R. R. Anhang No. 284), hatte er es
zu verdanken, daß wenigstens ein kleiner Band seiner Novellen zu Berachoth
erscheinen durfte (ohne Orts= und Zeitangabe, aber wie sich aus dem Werk
selbst ergiebt, zu F. a/O. nach 1731).

Note VI.   Zum Buchdruck in Cöthen.

1. Zu S. 180. Vereinzelte jüdische Familien haben schon seit der Zeit
des dreißigjährigen Krieges in Cöthen gewohnt (f. Beemann a. a. O. III,
376; Dreyhaupt a. a. O. II, 814; Schubart, die Glocken im Herzogtum
Anhalt, S. 30 und 472). Ende des 17. Jahrhunderts wohnen in Ham=
burg und Kopenhagen bereits ehemalige Cöthener Juden. Seit 1698 läßt

sich in Cöthen der Hofjude Jatob Wulff mit seinen Familienangehörigen
nieder; ob es ein Verwandter der Dessauer Familie Wulff war, ist nicht
zu bestimmen. Der Magistrat verweigerte ihm mit aller Entschiedenheit den
Ankauf von Grund und Boden und dies trotz aller Gegenvorstellungen von
seiten der Fürstinwitwe Gisela Agnes, welche die vormundschaftliche
Regierung führte, und ihrer Beamten. Als später der Magistrat auch
Schutzgeld forderte und auf Drängen der Krämerinnung die Verkaufsläden
der Juden schließen ließ, kassierte Fürst Leopold, der 1715 die Regierung
übernommen hatte, die ungerechten Beschlüsse des Magistrats gegen die
Juden und erzwang für sie völlige Freiheit. (A.-Zerbst, Abt. Cöthen,
C. 15 No. 1 und 37). Über den Fürsten Leopold s. Lenß, Becmann enucleatus
S. 896, Allißn, Gesch. von Anhalt (Cöthen 1878). Noch im letzten Jahre
seiner Regierung 1728 ernannte er ein Mitglied der bekannten Familie
Gumpertz aus Cleve, Elia Ruben, zu seinem Hoffaktor und zwar
— dem Magistrat zum Trotz — unter der Bedingung, er müsse sich ein
Haus von mindestens 1000 Thalern kaufen oder erbauen. Gumpertz zog
später nach Halle, wo er 1737 ermordet wurde (Dreyhaupt a. a. O. II, 523).
Außer diesen Familien wohnte 1728 nur noch ein jüdischer Brillenmacher
in Cöthen, und selbst 1777, als auf Betreiben des Jatob Pennsylvania
oder Philadelphia eine neue Gemeindeordnung eingeführt wurde, bestand
die Gemeinde nur aus 10 Familien.

2. Zu S. 180. In Israel b. Abraham, dem Cöthener Druckerei-
besitzer, sieht Wolf, Bibl. Hebr., den Verfasser der Grammatik Masteach
Laschon ha-Kodesch, Amsterdam 1713 (vgl. Cat. Bodl. No. 5445),
obwohl Israel sich sonst nirgends mit dem Proselytenzusatz „Sohn unseres
Vaters Abraham" bezeichnet. Kindervater M. J. H., Führung des
Erzvaters Jatob, Nordhausen 1726, S. 31 hält ihn für einen ehemaligen
Mönch, und in den Unschuldigen Nachrichten von Alten und Neuen
Theolog. Sachen u. s. w., Leipzig 1723, wird er unter dem Namen
Israel Ger als Verfasser des „Buches der Verzeichnung" angegeben und
die Behauptung hinzugefügt, dasselbe trage nur zum Schein den Aufdruck
Amsterdam 1693, sei in Wirklichkeit aber in seiner Druckerei zu Jeßnitz
hergestellt. Aus Cat. Bodl. 3425 ergiebt sich jedoch, daß das Büchlein
selbst von einer Autorschaft durch Israel Ger nichts erwähnt und in der
That in Amsterdam 1696 erschienen ist. Sollten nicht an diesen Ver-
wirrungen die geschilderten Vorgänge in Halle Schuld tragen, auf Grund
deren in Leipzig, wo man doch sicher Gerüchte darüber gehört hatte, nun
auch Jeßnitz und Israel Abraham irrtümlich hineingezogen wurden? —
Über den Inhalt des Buches der Verzeichnung gibt die Vorrede Auskunft,
die ich nach den „Unschuldigen Nachrichten" zum Teil hierhersetze:

Ihr liebe Leut kommt zu laufen,

Das Buch der Verzeichnung zu kaufen;

Denn es kommt allerhand Religionen mit Jehudim zu disputieren und fragen,

Und mancher kann ihm kein Teschuwoh (Antwort) sagen.

Drum hab ich diese Nechomaus (Tröstungen) aus Tenach (Bibel) genommen,

Daß Keiner kann dargegen fortkommen,

Und ausgesucht das best' Papier mit Fleiß

Und sehr weiß u. s. w.

3. Zu S. 190. Simon Frankfurter b. Israel Jehuda aus
Schwerin in Polen, der Verfasser des Sefer ha-Chajjim, war, durch die
polnischen Verfolgungen 1656 vertrieben, nach Amsterdam gekommen und
Vorsteher der dortigen frommen Bruderschaft, gerade als 1672 die Franzosen
die Stadt bedrohten. Er starb daselbst 9. Dezbr. 1712. Sein „Buch des
Lebens“ war seinem Schwiegervater Benjamin b. Moses Frankfurter
gewidmet, erschien in Amsterdam zuerst 1703 und in zweiter Auflage
daselbst 1716, vermehrt durch Zusätze seines Sohnes Moses, desselben,
der später als Rabbinatsassessor von Amsterdam durch seine eigenen Schriften
sich bekannt gemacht hat; s. über ihn: Steinschneider, Jüd. Typ. S. 73 und
seine Schriften bei Fürst, Bibl. Jud. I, 295. Die Cöthener Ausgabe ist
ein Nachdruck der ersten Amsterdamer. Der zweite Teil enthält die Vorschriften in jüd. deutscher Sprache zur Benutzung für Frauen. Aus dem
angehängten Sefer Refuoth sei das Mittel gegen die Gelbsucht hervorgehoben (nach der Besprechung des Werkes in Acta Eruditorum,
Leipzig 1719, S. 226): Nehm die Würm, die man find unter die Achsel,
unter die Füß von die Schaf oder Ziegen, in Wein eingerieben und eingeben. Auch is gut: Nehm Gänsedreck oder Pferdsdreck und zerreib es in
Wein und alles sonder sein Wissen eingeben. Noch eins: Menschendreck
gedorrt und gestoßen und in Wein eingegeben! — Ein von Benjacob
S. 408, No. 34 erwähntes Heilmittelbuch Segullath Melachim, Cöthen
1750 ist, wie die Jahreszahl schon zeigt, unmöglich.

4. Zu S. 190. Über Josef, den Verfasser von Rosch Josef s. Einiges
bei Fünn, Kirjah Neemana S. 96, woselbst der Druckort des Werkes zu
verbessern ist. — R. Josef war ein Nachkomme von Jakob Pollak s. Kohn
Zedek in Hagoren I, 7 f.), ein Schüler des Zebi Hirsch b. Mendel
Klausner in Lemberg und seines eigenen Schwiegervaters Moses
Krämer in Wilna. Auf Wunsch des letzteren nahm er im Juli 1679
das Rabbinat von Kossowo an; gegen Ende des Jahrhunderts wurde
er Rabbiner in Selez, und noch während des Druckes seines Werkes
erhielt er eine Berufung als Assessor nach Tyloczyn. Als er auf der
Wanderschaft nach Prag kam, war er bereits durch Schüler dort bekannt,

und zwei Vorträge, die er daselbst hielt, bewirkten, daß ihm die Prager
Rabbinen ohne Unterschied Approbationen ausstellten, selbst Abraham
Broda, der sonst keine erteilte. Sein Sohn und Leidensgefährte Jakob
that sich später ebenfalls literarisch hervor (s. Fünn a. a. O. über ihn). Ein
anderer Sohn, Moses Kopenhagen, wird bei Walden a. a. O. und in
Hagoren a. a. O. genannt. — Von den handschriftlichen Arbeiten Josefs waren
bei seinen Unglücksfällen viele Teile verloren gegangen. Einige kurze Erklärungen hatte bereits Simon Wolf b. Jäkel, Rabbinatsassessor in seiner
Heimat Pinczow und verwandt mit ihm, in seinem Buche Kebod Chachamim
(Hamburg 1700) gebracht (Rosch Josef 4). Der Rest umfaßt in der Cöthener
Ausgabe 67 Folioblätter und enthält deraschamäßige Erörterungen zu den
meisten Talmudtraktaten, wobei die haggadischen Stellen bedeutend über-
wiegen. Besonderen Wert haben die überall eingestreuten Erklärungen
seines Schwiegervaters Moses Krämer, der sonst nicht literarisch thätig
gewesen ist. Von anderen Gelehrten werden genannt: R. Hirsch Darschan
(Bl. 26 u. 38), R. Heschel in Krakau (Bl. 38 u. 46), R. Jakob in Lublin
(Bl. 53; wohl R. Jakob b. Efraim Raftali Hirsch), R. Zebi Hirsch in Lublin
(Bl. 40), R. Isaak in Posen, ein Verwandter des Verfassers (Bl. 66;
wohl Isaak b. Abraham), R. Aron von Neswisch (Bl. 49) und R. Jüdel
von Kowel (Bl. 38).

Der Diebstahl seines Manuskript-Kästchens geschah, als er im Lande
נזא sich aufhielt. Hier der bisher vermißte, schlagende Beweis dafür,
daß dies umstrittene und noch nicht genügend aufgeklärte Wort mit allen
Buchstaben zusammengenommen werden muß; Kaufmanns Erklärung in
Revue des Ét. juiv. XX (1890), S. 309 f. wird hierdurch wieder erschüttert.
Leider läßt sich aus der Erzählung Josefs nichts Näheres über die
geographische Lage feststellen.

Note VII. Zum Buchdruck in Jeßnitz.

1. Zu S. 197. Jehuda Arje Loeb, der Verfasser von Ohole
Jehuda, stammte aus einer polnischen Familie. Sein Großvater R. Meir
wohnte in Saslaw, sein Vater Zebi Hirsch war Rabbinatsassessor in
Krotoschin. Von ihm hatte der Sohn die Vorliebe für grammatische und
besonders lexikalische Forschungen ererbt. Auch Jehuda Arje Loeb wollte
ein Lexikon der Fremdwörter in Talmud, Midrasch, Raschi und Tosafoth
geben, welches aber ebensowenig zur Veröfflichung kam wie dasjenige
Alexander Süßkinds. Widrige Lebensschicksale trieben ihn aus der Heimat;
er durchzog Österreich, Deutschland und die Niederlande und fand endlich

in Carpentras Ruhe. In Frankfurt am Main hatte er längere Zeit die Hochschule des Abraham Broda besucht. Um die Kosten für den Druck seiner Werke zusammenzubringen, griff er wieder zum Wanderstab. 1712 traf er mit seinem Vater in Amsterdam zusammen, 1718 korrigierte er in Wilmersdorf das erscheinende Gebetbuch und kam dann über Hanau und Witzenhausen, wo er Approbationen erhielt, nach Jeßnitz. um selbst die Korrektur seines Werkes vorzunehmen und dem Schem Olam betitelten Hauptteil desselben noch einige während des Drucks aus= gearbeitete Nachträge unter dem Titel Jad wa=Schem beizufügen. Andere Werke von ihm s. Cat. Bodl. No. 5788; R. R. Anhang No. 344; Neubauer, Catalogue No. 2300. — Ein Bruder des Jehuda Arje Loeb, Jakob, genannt Abrahamskiel, in Grodno, war Rabbiner der Gemeinde Polangen (?) in Samogitien; ein Schwestersohn R. Abraham überbringt diesem die schriftliche Bitte des Verfassers um Ausstellung einer Approbation.

2. Zu S. 197. Die Alschech=Ausgabe. Zum Druck des Kom= mentars zu den letzten Propheten, Maroth ha=Job'oth, trugen die Familienangehörigen und Freunde Berend Lehmanns in Halberstadt, Halle, Dresden und Wien bei, vor allem der Schwiegersohn Berend Lehmanns in Wien, Marx Hirschel Pösing (Mardochai b. Elieser), der sowohl Geld spendete, als auch sofort 100 Exemplare bestellte. Er hatte schon 1712 den Druck des Werkes Kesef Nibchar zusammen mit seinen Verwandten unterstützt; s. Cat. Bodl. 7169 und Auerbach a. a. O. S. 83, wo der Name zu verbessern ist. Über Pösing s. Brann, Gesch. des Landes= rabbinats in Schlesien (Graetzische Jubelschrift), S. 238; Kaufmann, Samson Werth. S. 4 und 85, und in der Monatsschrift 1897, S. 365. — Der beigedruckte Bibeltext trägt lateinische Kapitelnummern und Überschriften, eine Neuerung, auf welche schon die Acta Eruditorum in ihrer Besprechung (S. 143 und 240) aufmerksam machen; ihre Bemerkung (auch von Wolf übernommen), dies sei der erste Jeßnitzer Druck, ist natürlich irrig. — Die Arbeiter hatten erst während des Satzes bemerkt, daß in ihrem Hand= exemplar der Kommentar von Jeremia 26 an bis zu Ezechiel fehlte, und mußten die Lücke lassen, da so schnell kein anderes Exemplar aufzutreiben war. Die Ausgabe wird deshalb in den bibl. Handb. als unvoll= ständige bezeichnet. Um den freigewordenen Raum nicht leer zu lassen, fügte der Korrektor des Werkes, Zebi Hirsch b. Meir aus Janow, einiges ein. Er war aus seiner Heimat durch die Kriegsunruhen vertrieben worden und schon seit 1708 als Rabbinatsassessor in Dessau, in welchem Jahre er ein Gutachten in der handschriftl. Gutachtensammlung David Oppenheims mit unterzeichnet (Mitteilung des sel. David Kaufmann an mich). In einer Einleitung zu dem vorliegenden Werk gab er eine Skizze von der

Bedeutung des Kommentators und seiner Leistung. Die leere Stelle füllte er
mit einer Erklärung der Auslegung von Hosea 2, 1 im Talmudtraktat Joma 22
aus und zwar nach der Erläuterung seines Lehrers Naftali Cohen und nach
eigener Meinung. Am Schlusse des Werkes gab er dann noch aus einer
Handschrift, die er besaß, den ersten Teil einer von Moses Chasid in
Prag verfaßten Betrachtung über die religiösen Gebete. — In der Vor-
bemerkung betr. Atum lassen die Herausgeber den Moses Alschech sich auf
Werke des jüngeren Mardochai Jase beziehen!

Daß auch die Kosten des Psalmenkommentars Romamoth El
von Behrend Lehmann übernommen wurden, mußte seine zweite Gattin
Hannele durchzusetzen; außerdem beteiligte sich sein Sohn Lehmann in
Dresden als Spender. Zebi Hirsch Janow richtete als Korrektor sein
Augenmerk diesmal besonders auf genaue Interpunktion u. s. w. Auch bei
den beiden letzten Teilen, dem Kommentar zu den Sprüchen und Hiob, waltete
er seines Amtes und fügte am Schluß des Ganzen einen kurzen Index
der zitierten Autoren und ihrer Aussprüche bei. Dies und die Einfügung
der Verszahlen in den Kommentar ist schon in der Besprechung der Acta
Eruditorum 1725, S. 431 lobend hervorgehoben. Sein Sohn Jehuda
war als Setzer beim letzten Teil beschäftigt.

3. Zu S. 202. Zebi Hirsch b. Asriel, Verfasser von Atereth Zebi.
Sein Vater Asriel ist nicht identisch mit dem Vater des früher erwähnten
Naftali, dem Grammatiker Asriel aus Wilna; er hieß R. Asriel b.
R. Mardochai. Dieser und sein Bruder Josef gehörten mit zu den Vor-
nehmsten der Gemeinde (Fünn a. a. O. S. 107). Sein Sohn Mardochai
ward der Schwiegervater des Arje Loeb b. Isaak Spira; s. hierüber
Fünn a. a. O. S. 111. Ein anderer, der im Text genannte R. Jakob,
war der Schwiegersohn des Berliner Rabbiners Isaak Benjamin Wolf
(s. Landshuth, S. 1 f.) und selbst wieder Schwiegervater des Brodyer
Landvorstehers Issachar Berusch (s. Brüll, Jahrbücher VII, S. 148).
Zebi Hirsch, der dritte Sohn, hatte die Tochter des Wilnaer Landvorstehers
Menahem Man b. Gerson heimgeführt (verbessere hiernach Fünn a. a. O.
S. 50; vgl. das. S. 100). Daß er nach dem frühen Tode seines Bruders
Jakob das Rabbinat in Olyka übernommen hat, ergiebt sich aus Atereth
Zebi 116, 32, Beth Lechem Jehudah 87, 3 und 376, 5. Landshuth hat
die vorletzt erwähnte Stelle mißverstanden und den Berliner Rabbiner
Benjamin Wolf anstelle seines Schwiegersohnes zum Rabbiner von Olyka
gemacht (S. 2 und 3). Vgl. hierzu schon Wiener, Daat Kedoschim S. 48.

Auf seinen Wanderungen findet Zebi Hirsch einen Gönner an Aron
b. Schemarja in Biala, einem Verwandten des bekannten Meir Eisenstadt, dessen Gutachtensammlung er hier zum erstenmal kennen lernt

(Altereth Zebi, S. 165b). Ebenso lernt er in Breslau zuerst die Gutachtensammlung Jakob Reischers kennen (daf. S. 166a). Er trifft dafelbst
seinen Verwandten und Landsmann, Moses b. Hillel, den Rabbiner
von Kempen, an, der ihm eine Approbation erteilt. Von hier wandert
er nach Zeßniß und langt gerade an, als der leßte Teil des Alschech-
kommentars gedruckt wird, den er auf Wunsch des Herausgebers approbiert.
In Halle bieten ihm Assur Marx und sein Sohn Marx Assur ihr
Haus zu freiem Aufenthalt und pekuniäre Beihülfe an. Von Halle reist
Zebi Hirsch nach Hamburg, trifft im Hause des dortigen Rabbiners den
Halberstädter an und approbiert mit beiden gemeinsam den erwähnten
„Lilienstrauß" des Meir Zolliew. In Kalf findet er einen Gönner an
Meir b. Salomon, in Halberstadt an Aron Sturm (s. über ihn
Auerbach a. a. O., S. 80).

Das in Zeßniß veröffentlichte Werk des Zebi Hirsch sollte weniger
ein neuer Sachkommentar, als vielmehr ein kurzes Kompendium der bisherigen Erklärungen werden. Der Verfasser hatte deshalb besonders die
großen Kommentare des Sema (Josua Falk), Schach (Sabbatai
Cohen) und Tur Sahab (David Halevi) ausgezogen und ebensolche
Auszüge aus der Responsenliteratur beigefügt. Seine eigenen Zuthaten
bestanden aus zahlreichen Novellen und einer Anzahl von angehängten,
einschlägigen Gutachten, in welchen er meistens sich den Anschauungen des
Josua Falk anschließt. Im Ganzen wollte Zebi Hirsch eine Fortseßung
des ähnlichen Werkes Misgereth ha-Schulchan von Benjamin Seeb
Wolf Pinczow (Berlin 1713) geben, welches ihm vielfach der Ergänzung
und Verbesserung bedürftig schien. Die Gutachtensammlung am Schlusse
des Werkes wirft manches interessante Streiflicht auf damalige Zeitver-
hältnisse; s. u. a., wie auch im Kommentar selbst, die Hinweise auf Beschlüsse
der Vierländersynode, von denen er 24, meist den Konkursschuldner betr.,
noch besonders zusammenstellt.

4. Zu S. 202.   Der Verfasser von Damesek Eliöser, Eliefer b.
R. Jehuda aus Pinczow, war ein Enkelkind des Lemberger und Ljubliner
Rabbiners Zebi Hirsch Mendel Klausner (s. Dembißer a. a. O. I, 78 f.,
Buber, Ansche Schem S. 193). Vorsteher verschiedener Lehrhäuser und
Rabbiner in mehreren Gemeinden, z. B. 1715 in Chmjelnik, legte er frei-
willig sein Amt nieder und widmete sich den äußeren Gemeindeangelegenheiten
in seiner Heimat Pinczow. Seine Schwester Hinde und deren Gatte R. Moses
R. Abrams unterstüßten sein in Zeßniß erscheinendes Werk. Seine Gattin
war eine Schwestertochter des Jakob Moses Helen, des Midrasch-
kommentators. Die Midraschstudien, die im Kreise der Familie Helen
betrieben wurden, zogen auch Eliefer mächtig an, und er verfaßte gleich-

falls einen Midraschkommentar, „Mischnah des R. Eliefer" betitelt,
der jedoch in den Midraschausgaben zu Frankfurt a. d. Oder 1705 u. f.
so verstümmelt wurde, daß der Verfasser selber meinte: es wäre viel besser
gewesen, wenn lieber gar nichts davon erschienen wäre (Einltg. zu Damesek
Eliefer). Erst die Ausgabe Amsterdam 1725 brachte den Kommentar
in besserem Zustande. Unterdessen hatte Eliefer seine Massoraarbeit beendet
und ihr den Titel Damesek Eliefer beigelegt; er nimmt hierbei das Wort
Damesek als Abkürzung für Derusche Massorah schel Katan Eliefer (Homilien
über die Massora von dem geringen Eliefer) und zugleich beide Worte als
ungefähr gleich an Zahlenwert mit seinem ganzen Namen. Der Druck des
Werkes war ein sehr sorgfältiger; Vignetten, Bogenzahlen, auch in nichthebr.
Typen, verraten die Mitarbeit des christlichen Druckers Klesser. Die
Erklärungen selbst umfassen meist den Pentateuch, dem sich Einiges aus
den fünf Megilloth, den Profeten, Psalmen, Sprüchen und Hiob anschließt.
Der Verfasser zitiert Erklärungen seines Großvaters Zebi Hirsch (Bl. 33)
und eine von dessen Sohn Josua Heschel in Lemberg (Bl. 24); ferner
solche seines Verwandten R. Naftali Herz, des Rabbiners seiner Heimat
Pinczow (Bl. 21. 34. 49. 94), und des Vaters desselben, des R. Loeb
Zunz (Bl. 122; s. über diesen oben S. 294 und Kaufmann in der
Monatsschrift 38 (1899) S. 500 f.), endlich des durch sein Martyrium
bekannten Posener Predigers R. Loeb (Bl. 72. 102; s. über ihn Perles,
Gesch. d. J. in Posen S. 82).

    5. Zu S. 211. Die Approbation des Chacham Zebi zu Salo-
mon Hanaus Schaare Tefillah, Jeßnitz 1725, ist datiert vom
18. Schebat = 14. Februar 1713 aus Amsterdam. Nach der Behauptung
des Sohnes des Ausstellers, Israel Emden, gefälscht, wird sie besonders
verständlich, wenn man sich die Thatsache vergegenwärtigt, daß Chacham
Zebi wenige Jahre zuvor vor seinen Feinden hatte aus Hamburg weichen
müssen; s. Dembitzer a. a. O. I, S. 90 ff. Sie lautet in deutscher Übertragung: Wahrheit redet meine Kehle, und meiner Lippen Abscheu ist der
Frevler, der da ein Genosse des Verderbers ist und spricht: es ist kein
Vergehen. Seitdem ich mich auf meine Erkenntnis stützen kann, habe ich
die Hörner der Frevler abgeschlagen und die Reihen der Schönfärber
gerupft und die Heuchler gekennzeichnet; meine Wege habe ich von ihnen
ferngehalten und bin nach einem guten Ort entflohen. Den Pfad spöttelnder
Heuchelei habe ich nie betreten, Großthun und im Schlechten Wandeln und ver-
kehrte Reden Führen, habe ich gehaßt, vielmehr für den Herrn der Heerscharen
geeifert. Gedenke es mir, o Gott, zum Guten, daß ich sie nach ihrer
Schuldseite gerichtet habe! Aber die Bescheidenen habe ich dafür weise
gemacht und im Lehrhaus spät und früh gearbeitet, weise und kenntnis-

reiche Männer nie verletzt und die Wahrheit von jedem, der sie aussprach,
angenommen; denn aus Lehm bin auch ich geschnitten, bin Staub und
Asche. Und wenn ich auch mein Lebtag noch nicht die Hände des Ver-
faffers irgend eines Werkes gefestigt habe — denn wenig sind der Aus-
erwählten, die auf dem Wege jener Wahrheit wandeln, die so fest liegt
wie das Zentrum im Kreise —, so kann ich es doch nicht unter meiner
Zunge verhehlen, daß, als der Verfasser des Werkes Binjan Schelomo zu
mir kam, und ich zu ihm sagte: komm her, du N. N., er mir so und so viele
gelehrte Abhandlungen zeigte, von denen ich sah, daß er im Weg der
Alten ging; denn in seinem Werk über das Gebetbuch bezeichnete er
genau jedes Wort mit grammatischen Zeichen und Punkten. Ferner sah
ich in seiner Hand einen inhaltreichen und sehr lieblichen Kommentar zur
ganzen Bibel, den er verfaßt und kunstvoll geschrieben hat, und ich freute
mich, als ich die einzelnen Erklärungen las; denn alle sind verständig und
richtig, und als ich etwas näher mich mit ihm beschäftigte, merkte ich, daß
er in allem Wissen wohlbewandert, daß ihm besonders aber in der Grammatik nichts unbekannt ist. Deshalb gebe ich ihm Erlaubnis u. s. w.